C0-AWF-385

Recherche et veille sur le Web visible et invisible

Agents intelligents
Annuaires sélectifs
Interfaces des grands serveurs
Portails thématiques

Béatrice FOENIX-RIOU

27, rue de la Vistule
75013 Paris

11, rue Lavoisier
75008 Paris

LONDRES - PARIS - NEW YORK

ISBN : 2-914509-01-4

ISBN : 2-7430-0450-9

Table des matières

Introduction

Internet…

En quelques mois, ce mot utilisé depuis de longues années par quelques initiés a envahi nos vies quotidiennes.

Les animateurs radio citent désormais sans ciller des adresses incompréhensibles pour les non-internautes, sur lesquelles – annoncent-ils – l'auditeur pourra retrouver toutes les informations utiles données dans l'émission, de la critique d'un film au titre d'un ouvrage, en passant par le reportage d'un envoyé spécial ou les références d'un disque.

Si les premières URLs [1] étaient parfois énoncées consciencieusement dans leur intégralité – mais qu'il est dur de caser dans son reportage « http deux points deux slashes www point radio-france point fr slash chaîne slash france-inter slash… » ! –, on va désormais à l'essentiel, certain que l'auditeur saura identifier la page en question à partir d'un simple « france-inter.com ».

Les campagnes d'affichage – sur les bus, sur les murs de la ville… – vantent de plus en plus souvent les mérites d'un site de commerce électronique ou d'un service de banque sur Internet. Et même à la télé, des publicités sont programmées à l'heure des repas pour présenter des sites comme Lycos (www.lycos.fr), le brave moteur qui va retrouver sur le Web ce que son maître lui demande, ou Kelkoo (www.kelkoo.com), qui permet de comparer les prix de produits sur divers sites.

Preuve incontestable, s'il en était besoin, qu'Internet fait désormais partie de notre quotidien.

Mais qu'est-ce exactement que l'Internet, quand est-il né et de quoi est-il composé ?

---

1. L'URL – Uniform Resource Locator – est l'adresse Internet d'un document ; elle précise pour chacun le type de service (http pour le Web, news pour les forums…) et l'emplacement sur le serveur. L'URL d'une page Web peut ainsi avoir la forme : « http://www.nom-de-site.fr/nom-de-repertoire/nom-de-fichier.htlm ».

La charte de nommage française est disponible sur le site Web du NIC (Network Information Center) France : http://www.nic.fr/enregistrement/nommage.html.

Petite histoire de l'Internet

Si l'Internet a fait une entrée fracassante et remarquée en France ces dernières années, ce réseau de réseaux existe en fait depuis bien longtemps.

Il a pour ancêtre le réseau Arpanet, créé en 1969 aux États-Unis par l'ARPA (Advanced Research Project Agency) qui souhaitait, en cette période de guerre froide, relier entre eux les sites de recherche militaire sur l'ensemble du pays, afin d'assurer un meilleur partage de l'information.

Dans les années 1980 et sous l'impulsion de la National Science Foundation (NSF), le réseau s'est ouvert au monde de la recherche.

Un programme a été lancé par la NSF et la NASA ; il a permis aux universités américaines d'être interconnectées en 1986. Le réseau a alors été baptisé Internet, pour Inter Network. Il reliait divers réseaux isolés utilisant les protocoles TCP/IP (TCP : protocole de contrôle de transmission/IP : protocole Internet).

Mais c'est à partir de 1992, date de son ouverture au grand public et à l'international, qu'a commencé le véritable essor de l'Internet et plus particulièrement du World Wide Web, une application développée par le CERN, le Centre européen de recherche nucléaire, basé en Suisse [2].

Le Web, pierre angulaire de l'Internet

Les caractéristiques du World Wide Web ont permis une multiplication extrêmement rapide des sites : la création de pages Web [3] est en effet relativement simple et peut se faire à partir d'un terminal classique, avec des logiciels courants et bon marché ; de nombreux fournisseurs d'accès proposent l'hébergement de sites Web, gratuitement ou à des prix très bas ; la mise en ligne d'un site vitrine est un investissement relativement faible pour une entreprise et peut lui permettre de se faire connaître dans le monde entier.

2. Pour en savoir plus sur les étapes du développement de l'Internet comme sur les organismes et les hommes qui l'ont construit, on peut partir notamment de la page de liens History proposée par le guide Internet Industry du site About.com (internet.about.com/industry/internet/msubhistoryref.htm), ou du chapitre « Internet Histories » offert sur le site de l'ISOC (www.isoc.org/internet/history) ; ce dernier rassemble plusieurs historiques en ligne, dont certains sont rédigés par les « créateurs » de l'Internet.

3. Les sites que l'on trouve sur le Web sont principalement composés de fichiers écrits au format html (Hyper Text Markup Language), qui peuvent être lus par les navigateurs comme Netscape ou Internet Explorer. Ces fichiers sont généralement appelés « pages » Web, mais leur taille peut être très variable et ne correspond pas au format de la page A4 (21 × 29,7 cm) que nous connaissons. Une page Web propose en général du texte, ainsi que des liens hypertexte vers d'autres pages et vers des documents en d'autres formats (photos, animations, sons, documents pdf…).

Autant d'atouts qui ont largement contribué au développement de l'offre et expliquent que se côtoient notamment sur le Web :

– de véritables banques de données, avec des volumes d'information importants et de réelles possibilités de recherche ;

– des sites d'entreprises, de la simple plaquette au site offrant rapport annuel, catalogue des produits, organigramme ;

– des sites réalisés par des universités, des associations, des organismes gouvernementaux, des experts reconnus ;

– et des pages personnelles, qui peuvent recéler des données à forte valeur ajoutée comme présenter la famille de l'internaute.

N'importe qui peut en effet publier n'importe quoi ou presque sur le Web, dans les limites, bien sûr, de la légalité. C'est au netsurfer qu'il incombe de vérifier l'information en s'assurant de la validité des sources, et de faire la part entre l'« info » et l'« intox » [4].

Pour l'utilisateur, le Web est particulièrement convivial et agréable à consulter.

Comme c'est un système hypermédia, il permet d'afficher sur son ordinateur – quelquefois très lentement ! – des pages colorées agrémentées de photos, de graphiques, mais aussi de documents sonores ou vidéo, ce qui a rapidement donné au Minitel l'image d'un terminal petit, triste et archaïque [5].

Mais, surtout, il n'est pas nécessaire d'être un professionnel de l'information pour surfer sur le Net. Tout internaute peut obtenir quelques réponses pertinentes en interrogeant les outils de recherche disponibles, ou en utilisant tout simplement les liens hypertexte offerts par la majorité des sites.

Il est en revanche bien plus délicat de « surfer intelligemment » sur le Web. Surfer intelligemment revient à choisir la famille d'outils de recherche la mieux adaptée à sa question et à exploiter l'ensemble de ses possibilités.

Or, si quelques familles – les annuaires et les moteurs en particulier – ont été maintes fois décrites dans des ouvrages ou des sites Web [6], il en est

---

4. Info ou intox : le Web est quelquefois utilisé comme support de désinformation. Paul S. Piper, bibliothécaire à la Western Washington University, décrit dans un article très détaillé différents types de désinformation, intentionnels ou non (contrefaçons, parodies, piratages, etc.).

Paul S. Piper, « Better Read That Again : Web Hoaxes and Misinformation », *Searcher*, vol. 8, n° 8, sept. 2000. (www.infotoday.com/searcher/sep00/piper.htm)

5. Paradoxalement, les moteurs de recherche découvrent l'intérêt du Minitel : Yahoo! a lancé en janvier 2001 le 3615 Yahoo, avec différents services autour de l'e-mail. AltaVista avait quant à lui ouvert en juin 2000 le 3615 AltaVista ; le service permet d'interroger le moteur depuis un Minitel, mais l'affichage se fait en mode texte.

Quant à Google, il envisage également de lancer un service sur le Minitel !

6. On citera, en particulier, l'excellent travail d'analyse d'Olivier Andrieu, tant dans son ouvrage *Trouver l'info sur l'Internet*, Eyrolles, 1998, que sur son site Abondance (www.abondance.com)

Pour en savoir plus sur les moteurs de recherche, on consultera également avec profit :

• Search Engine Watch (www.searchenginewatch.com) de Danny Sullivan.

• Websearch (websearch.about.com) de Chris Sherman, l'un des guides d'About.com

• Search Engine Showdown (www.searchengineshowdown.com) de Greg Notess.

d'autres, bien moins connues, qui s'avèrent plus performantes pour répondre à certaines questions.

Parallèlement aux moteurs et annuaires généralistes, il existe en effet sur le Net un certain nombre de guides, d'annuaires sélectifs, de sites fédérateurs, de portails thématiques et d'agents de veille, qui franchissent les limites du Web visible et identifient ou interrogent les sites du Web invisible.

Il nous a semblé important de leur consacrer un ouvrage.

Faire une recherche sur le Net en utilisant uniquement les moteurs et annuaires généralistes équivaut en effet à ignorer des milliers de sources validées, offrant des informations à valeur ajoutée. La consultation de ces outils spécifiques est devenue une étape incontournable pour toute recherche délicate, ou tout simplement pour obtenir un panorama complet de ce qui existe sur la question.

Nous définirons dans une première partie ce que l'on entend par Web visible et invisible ; nous analyserons le mode de fonctionnement comme les tendances évolutives des annuaires et moteurs généralistes, qui sont la base de la recherche sur le Net.

Nous nous attacherons, dans une deuxième partie, aux guides et annuaires sélectifs, véritables best-of de l'Internet ; contrairement aux annuaires type Yahoo! ou Open Directory, ces outils ne décrivent que des sites sélectionnés sur des critères qualitatifs.

Nous étudierons ensuite les sites fédérateurs et les outils de recherche construits avec une approche verticale. Ces outils, qui ont choisi de se spécialiser sur un domaine, représentent souvent de véritables mines d'informations sur des sujets particuliers et peuvent identifier des ressources ignorées par les grands moteurs.

Agents pour la veille et systèmes de push seront analysés dans une quatrième partie. Les premiers permettent de rapatrier les résultats d'une recherche sur le disque dur (après élimination des doublons), de surveiller l'apparition de nouveaux documents sur un sujet et d'interroger simultanément plusieurs banques de données du Web invisible. Les seconds offrent aux netsurfers la possibilité de recevoir par e-mail une revue de presse quotidienne sur leurs centres d'intérêt.

Nous présenterons, dans une dernière partie, les interfaces Web des grands serveurs classiques et des grands agrégateurs. Ces interfaces permettent à l'utilisateur final d'interroger de multiples banques de données, longtemps réservées aux professionnels de l'information.

Pour illustrer l'intérêt que peuvent avoir ces outils spécifiques, nous comparerons, au fil des descriptions, les résultats de recherches faites avec chaque famille d'outils et avec des annuaires et moteurs généralistes. Les résultats de ces recherches ont été actualisés juste avant l'édition de cet ouvrage. Mais les caractéristiques du Web (plus de cinq millions de pages sont créées chaque jour !) font qu'ils auront vraisemblablement changé le jour où vous lirez ces pages. En tout état de cause, ces comparaisons sont là pour expliciter nos propos et donnent une vision de l'offre aux tous premiers jours de ce nouveau millénaire.

Nous proposerons tout au long de l'ouvrage des méthodologies de recherche ; elles permettront aux lecteurs d'identifier des annuaires sélectifs ou thématiques dans leur domaine d'activité et d'appliquer quelquefois certaines astuces à leurs propres requêtes.

Nous offrirons enfin les fiches détaillées des outils que nous avons jugés les plus performants ; on y trouvera une présentation de leur contenu et un mode d'emploi pratique, indiquant de façon précise tout ce qu'il faut savoir pour bien formuler sa question (comment utiliser les opérateurs booléens, la troncature...).

Il vous appartiendra ensuite d'ajouter ces outils spécifiques à vos favoris ; ils devraient indéniablement vous aider à optimiser vos recherches sur le Web visible et invisible.

Internet et Web ne sont pas synonymes

Cet ouvrage concerne les outils de recherche et de veille sur le Web visible et invisible. Si le Web est la pierre angulaire de l'Internet et représente incontestablement son outil le plus médiatique, il en existe d'autres, qui disposent souvent d'outils de recherche dédiés.
L'Internet est en effet constitué de plusieurs applications :

- **Le courrier électronique (e-mail)**

Le courrier électronique, généralement appelé e-mail, mèl, ou encore courriel, permet à un émetteur d'envoyer instantanément un message à un ou plusieurs destinataires raccordés à l'Internet, dans le monde entier.
Le destinataire peut reprendre une partie du message, y ajouter sa réponse, joindre éventuellement un document (fichier ASCII, logiciel, image...) et renvoyer le tout à une ou plusieurs personnes.
Pour envoyer un e-mail, il suffit de connaître l'adresse électronique du destinataire. Celle-ci est du type nom@organisation.domaine.
Il existe sur le Web de nombreux outils de recherche spécifiques pour identifier l'adresse e-mail d'un correspondant, tels que :
– Annuaire Mail Voila : www.annuairemail.voila.fr
– BigFoot : fr.bigfoot.com
– Lokace : www.lokace.fr
– World Email Directory : www.wordemail.com
– Yahoo! People Search : fr.people.yahoo.com [a]

- **Les forums de discussion ou newsgroups**

Ce sont des groupes de discussion organisés autour de sujets extrêmement variés, accessibles généralement sans abonnement.
Il existe aujourd'hui plus de 80 000 forums de discussion. Ils sont répartis par grandes catégories, dont les plus importantes sont : informatique et logiciels (.comp), recherche et sciences exactes (.sci), affaires (.biz), documentation (.doc)...
Ces catégories sont divisées en thèmes et en sous-thèmes. Les forums nationaux ont souvent une adresse précédée par le nom de domaine du pays (.fr pour la France...).

a. Les annuaires d'adresses e-mail ne sont jamais exhaustifs. Il peut donc être nécessaire d'utiliser d'autres méthodes, pour identifier l'adresse e-mail d'un correspondant. Voir sur cette question l'article « Identifier l'e-mail d'une personne sur le Web », *Netsources,* n° 26, mai-juin 2000, p. 1-5.

L'adresse d'un forum est composée en général de la manière suivante : news://pays.catégorie.thème.sous-thème. Ex.: news://fr.reseaux.telecoms.
Contrairement aux listes de discussion, les messages ne sont pas distribués à chacun par le mail, mais sont regroupés sur un serveur que l'on doit contacter. Les archives sont en général consultables, avec des antériorités variables. L'ensemble des machines qui s'échangent des news est appelé Usenet. De plus en plus cependant, se développent des Webforums, accessibles sur le Web.
Certains moteurs sont spécialisés dans la recherche sur les forums : Deja, qui vient d'être racheté par Google (groups.google.com ; contient en plus les archives des forums), Tile.net (www.tile.net), ForumOne (www.forumone.com, pour les Webforums), etc. Quelques moteurs de recherche (www.altavista.com…) permettent d'autre part de limiter la requête aux newsgroups.

- **Les listes de diffusion ou mailing-lists**

Les listes de diffusion sont accessibles sur abonnement (généralement gratuit) et fonctionnent en utilisant le principe du courrier électronique.
Il existe plus de 320 000 listes de diffusion ; elles peuvent concerner de multiples domaines et sont de deux types :
– les listes de discussion (les plus courantes) : elles permettent à un abonné de poster un message à l'ensemble des souscripteurs et, inversement, de recevoir dans sa boîte aux lettres l'ensemble des questions/réponses envoyées par les abonnés ;
– les périodiques, ou lettres électroniques : les abonnés reçoivent, sur un rythme variable (hebdomadaire, mensuel…), une lettre rédigée par le gestionnaire de la liste ; il est alors impossible d'échanger des messages entre abonnés.
Certains outils de recherche permettent d'identifier des listes de diffusion, mais ne font pas toujours la différence entre ces deux types de listes : Francopholistes (www.francopholistes.com, pour les listes francophones), Tile.net (www.tile.net), Liszt (www.liszt.com).
Parmi les listes de discussion concernant plus spécifiquement l'Internet, on citera motrech (inscription à motrech-abonnement@egroups.fr) et veille (inscription à veille-abonnement@egroups.fr).
Parmi les lettres électroniques sur les moteurs de recherche, on citera Actumoteurs (inscription sur www.abondance.com), Searchengine Watch Report (inscription sur www.searchenginewatch.com) et Search Engine Report (inscription sur websearch.about.com).

- **Le transfert de fichier : FTP**

FTP (File Transfer Protocol) est un protocole qui permet de se connecter à un serveur distant, puis de copier un fichier qui s'y trouve (logiciel, document…) pour le rapatrier sur son disque dur. La plupart des fichiers proposés par les serveurs FTP sont compressés pour prendre moins de place. Il est donc nécessaire de disposer d'un logiciel de décompression (comme WinZip® pour les PC ou Stuffit Expander® pour les Mac).
Pour télécharger un logiciel, il faut connaître l'adresse du site où il se trouve et le nom du fichier, ce qui est souvent difficile. Pour simplifier la tâche du netsurfer, des moteurs de recherche sur le Web recensent désormais les logiciels disponibles.
On citera, en particulier, Shareware (www.shareware.com) et ZDNet, proposé notamment sur AltaVista France.

• **Telnet**

Telnet permet de connecter son ordinateur à une machine distante, à travers le réseau TCP/IP d'Internet. Il faut pour cela connaître l'adresse du site. Cette fonction permet l'émulation d'un terminal distant, le netsurfer exploitant alors les ressources de ce second ordinateur. Telnet est utilisé, en particulier, pour interroger les serveurs classiques (Lexis-Nexis...), mais le contrat préalable avec ces serveurs reste nécessaire.

• **Gopher**

C'est un des ancêtres de l'Internet ; contrairement au Web, il ne procède pas par liens hypertexte mais par un système de menus hiérarchisés. Un serveur gopher offre donc l'accès à une bibliothèque de textes classés par arborescence dans une série de dossiers.

Parmi les sites gophers, on trouve essentiellement des sites d'universités et d'organismes publics.

Les sites gophers sont cependant tombés en désuétude et beaucoup ont migré sur le Web.

• **Wais**

Wais (Wide Area Information Server) est un outil qui permet d'effectuer des recherches d'occurrences de mots ou de phrases dans des bases indexées (texte intégral, catalogue...), sur le contenu du document et non pas sur le titre ou les mots-clés. Les documents sélectionnés sont ensuite classés par pertinence.

Lors d'une recherche sur des serveurs Wais, il est nécessaire d'indiquer l'adresse précise des sources sur lesquelles on souhaite faire la recherche (nom du serveur et nom de la base sur le serveur).

Avec le développement du Web, le nombre de serveurs Wais a fortement diminué.

Outils de recherche généralistes : état de l'art

Caractéristiques du Web visible

Les années 1990, et particulièrement les dernières années de la décennie, ont connu une véritable explosion de l'offre de sites Web.

Début 1997, différentes sources estiment ainsi à 100 millions le nombre de pages d'informations sur le World Wide Web.

Puis, en avril 1998, la très sérieuse revue *Science* publie les résultats d'une étude menée par Steve Lawrence et C. Lee Giles, du NEC Research Institute de Princeton [1]. Dans un article intitulé Searching the World Wide Web, les deux chercheurs annoncent qu'à partir de l'analyse des réponses fournies par les six principaux moteurs à 575 questions, ils arrivent à la conclusion qu'en décembre 1997 (date des tests), la taille du Web visible – indexable par les moteurs de recherche – peut être estimée à 320 millions de pages.

À peine un an plus tard, ces mêmes chercheurs récidivent et publient de nouveaux résultats, dans le numéro de juillet 1999 de la revue *Nature* [2]. Après avoir analysé cette fois les réponses à 1 050 questions posées (en février 1999) aux onze principaux moteurs, ils concluent que le Web visible comprend plus de 800 millions de pages et qu'il a donc connu une croissance de 150 % entre les deux séries de tests.

1. S. Lawrence, C. Lee Giles, « Searching the World Wide Web », *Science,* 80:98-100, April 3, 1998 (www.science.com).

2. S. Lawrence, C. Lee Giles, « Accessibility of Information on the Web », *Nature*, 400:107-109, July 8, 1999 (http://www.nature.com).

Il est possible de recevoir une copie de l'article (format .pdf) sur simple demande par e-mail à giles@research.nj.nec.com ou lawrence@research.nj.nec.com

Le 10 juillet 2000, la société Cyveillance [3] rend publics les résultats d'une étude qu'elle a menée sur la taille du Web. En utilisant le logiciel propriétaire Netsapien Technology, un outil de recherche et d'analyse basé sur l'intelligence artificielle, les chercheurs de Cyveillance évaluent la taille du Web visible à 2,1 milliards de pages ; ils estiment qu'il y aura trois milliards de pages sur le Web en octobre 2000 et quatre milliards en février 2001.

Ces chiffres sont confirmés par The Censorware Project, qui tente de calculer la taille du Web en temps réel, de façon dynamique : le 19 juillet 2000, le nombre de pages sur le Web était évalué à 2,240 milliards. Le nombre de pages rajoutées en 24 heures était estimé à 4,540 millions [4] !

Toutes ces estimations concernent le Web visible, c'est-à-dire les pages Web indexables par les moteurs de recherche.

Pour bien comprendre les distinctions entre Web visible et Web invisible, il est utile de rappeler le mode de fonctionnement d'un moteur de recherche.

Un moteur comme Google, All The Web ou AltaVista est constitué de trois éléments :

- *Un robot*, également appelé crawler ou spider, qui parcourt le Web de façon automatique, de liens en liens. Le robot d'AltaVista est baptisé du doux nom de Scooter, celui de Google s'appelle GoogleBot, quant à HotBot, son robot est prénommé Slurp. À partir d'un certain nombre de pages de départ, le robot teste tous les liens hypertexte rencontrés et rapatrie les pages Web dans sa base. Il va également visiter toutes les pages soumises par les éditeurs de sites, sur un formulaire spécifique.

---

3. « Sizing the Internet », communiqué de presse daté du 10 juillet 2000 (www.cyveillance.com/newsroom/pressr/000710.asp). Le « white paper » est accessible depuis l'écran du communiqué de presse, après identification.

4. « Size of the Web: a dynamic essay for a dynamic medium », The Censorware Project (censorware.org/web_size/).

La dernière fois que nous l'avons consulté, le 18 octobre 2000, The Censorware Project donnait comme chiffres :

> "So, as of today (...), the web has roughly:
> 2,690,000,000 pages;
> 50,500,000,000,000 bytes of text;
> 606,000,000 images; and
> 10,100,000,000,000 bytes of image data.
>
> In just the last 24 hours, the web has added:
> 5,470,000 new pages;
> 103,000,000,000 new bytes of text;
> 1,230,000 new images; and
> 20,500,000,000 new bytes of image data.
>
> And of course, any web page can be changed or removed or any time.
> Changes may be minor, major or total. According to Alexa, which is striving valiantly to create archive snapshots of major portions of the web, the average lifespan of a web-page is about 44 days, which means that in the last 24 hours, about: 61,200,000 pages changed; and 13,800,000 images changed."

L'expérience du Censorware Project a malheureusement été arrêtée le 4 novembre 2000. Espérons que cette interruption n'est que temporaire...

Une fois sa tâche terminée, il repart des pages initiales pour mettre à jour sa base. Son « tour du Web » lui prend en moyenne quatre semaines, mais peut varier de deux à six semaines.

- *Un index*, qui contient tous les mots de toutes les pages rapatriées par le robot ; le plus souvent, le texte intégral de la page ainsi que ses différents champs (titre, mots-clés...) sont indexés, mais il peut y avoir des variantes selon les moteurs.
- *Un serveur Web*, offrant au netsurfer une interface de recherche ; celle-ci lui permet de lancer une requête par mots sur l'index du moteur, avec des possibilités plus ou moins sophistiquées.

Toile d'araignée ou nœud papillon ?

Pendant de longues années, l'idée couramment admise était que le Web visible, à l'image d'une toile d'araignée, était composé de pages bien connectées entre elles. En partant d'un certain nombre d'URLs bien choisies, les robots des moteurs de recherche devaient donc être capables de sillonner le cyberespace et de rapatrier la quasi-totalité des pages dans leur index, à l'exception, bien sûr, des pages créées juste après leur passage.

En septembre 1999, trois chercheurs du département de physique de l'université de Notre-Dame (Indiana, États-Unis) avaient d'ailleurs confirmé cette hypothèse, en tentant de définir le « diamètre » du Web [5], c'est-à-dire le nombre moyen de liens reliant deux pages Web choisies au hasard sur des serveurs distincts.

À partir de différents calculs, ils arrivaient à la conclusion que si la taille du Web était alors de 800 millions de pages, ces pages étaient fortement reliées entre elles et qu'il suffisait en moyenne de 19 clics pour aller de l'une à l'autre. Ils estimaient cependant que ce nombre augmenterait de façon exponentielle avec la taille du Web.

Cette théorie a été remise en question en juin 2000, lorsque les chercheurs des centres de recherche d'IBM, de Compaq et d'AltaVista ont rendu publics les résultats de leurs travaux [6].

Poursuivant l'étude précédente, mais à bien plus grande échelle, ils ont analysé les pages ramenées au cours de deux voyages (entre mai et octobre 1999) par le robot d'AltaVista (Scooter), soit, à chaque fois, plus de 200 millions de pages contenant plus de 1,5 milliard de liens.

Cette analyse a mis en évidence que la structure macroscopique du Web était bien plus complexe que ce que pouvait laisser croire la précédente étude, réalisée d'après un échantillon moins représentatif.

5. Albert-Laszlo Barabasi, Reka Albert, Hawoong Jeong, « Diameter of the World Wide Web », *Nature*, 401:130-131, September 9, 1999 (www.nature.com).

6. Andrei Broder, Ravi Kumar, Farzin Maghoul, Prabhakar Raghavan, Sridhar Rajagopalan, Raymie Stata, Andrew Tomkins, Janet Wiener, « Graph Structure in the Web » (www.almaden.ibm.com/cs/k53/www9.final/).

Il semble en effet que toutes les pages Web sont loin d'être très bien reliées entre elles. Ainsi, certaines parties du Web sont totalement inaccessibles depuis d'autres parties, et un nombre significatif de pages ne peut être atteint qu'en passant par des centaines de pages intermédiaires. D'après ces chercheurs, plus de 90 % du Web visible forme un ensemble de pages connectées entre elles, mais de façon très inégale. Ces pages peuvent être réparties dans quatre grands ensembles, représentant en quelque sorte l'image d'un nœud papillon :

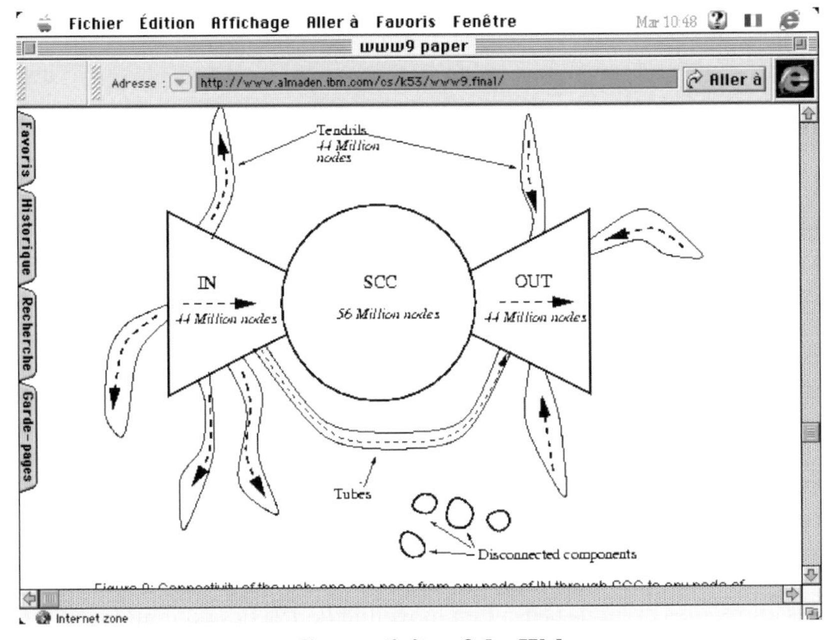

« Connectivity of the Web »
in Graph structure in the Web
www.almaden.ibm.com/cs/k53/www9.final/

- *La partie centrale* (SCC – strongly connected component – sur la figure) est constituée du « noyau ultra-connecté » et contient moins d'un tiers des pages Web (28 %). La navigation y est aisée, car chacune des pages est reliée aux autres par des chemins de liens hypertexte.

Ce noyau compact constitue le cœur du réseau Internet. C'est lui qui permet de passer, par clics successifs, de n'importe quelle page du IN vers une page du OUT. Ce sont les pages du cœur que les robots des moteurs de recherche indexent en priorité et c'est à partir de leurs liens qu'ils explorent le Web.

- *La partie gauche* (IN) contient les pages d'origine et représente environ un cinquième du réseau (21 %).

Ces pages offrent des liens vers le cœur du Web, mais l'inverse n'est pas vrai ; on trouve dans cette catégorie, par exemple, les pages de moindre intérêt pour la communauté des netsurfers (certaines pages personnelles...) ou les pages de création récente, qui n'ont pas été reconnues par leurs pairs et vers lesquelles ne pointent encore que peu de liens.

• *La partie droite* (OUT) correspond aux pages de destination ; elle représente également un cinquième du réseau. Ces pages sont accessibles depuis le cœur du Web, mais aucun retour n'est possible. On trouve dans cette catégorie, notamment, les sites commerciaux (sites d'entreprises, de commerce électronique...), vers lesquels pointent de nombreux liens, mais qui, eux, n'en proposent pas, ou seulement en interne.

• *Une dernière zone*, représentant également un cinquième du Web (Tendrils), est composée de pages non connectées au cœur du réseau.

Ces pages sont accessibles depuis les pages d'origine et/ou donnent accès aux pages de destination.

• Enfin, *près de 10 %* des pages Web sont totalement déconnectées des autres pages.

Poussant plus loin leurs tests, les chercheurs ont également découvert que si l'on choisit au hasard des pages dans les parties IN et OUT, la probabilité qu'il existe un « chemin » permettant d'aller de l'une à l'autre est de... seulement 24 %. En revanche, si ce chemin existe, il faut en moyenne 16 clics (et non 19) pour relier les deux pages.

La représentation d'un Web en forme de toile d'araignée est donc en train de disparaître, au profit d'une image bien moins structurée, qui explique en partie la couverture incomplète des moteurs de recherche.

Comme les moteurs identifient les pages qu'ils recensent par un cheminement de lien en lien, ils ne peuvent indexer les nombreuses pages « déconnectées », ni les pages créées ou modifiées après leur passage. Cette façon de procéder augmente par ailleurs la représentation des sites les plus connus (comme les sites institutionnels, vers lesquels pointent de nombreux liens) au détriment des sites récents, ou concernant des domaines très spécialisés.

Mais surtout, le mode de fonctionnement des robots exclut du recensement tous les sites qui ne sont pas construits sur le principe de l'arborescence. Or nombre de sites parmi les plus volumineux donnent accès à leurs informations via un formulaire de recherche et non par des pages html statiques accessibles par clics successifs.

Cette partie du Web qui échappe aux moteurs de recherche, constitue ce que l'on nomme le Web invisible.

Web invisible : la partie immergée de l'iceberg

Parallèlement au Web visible, composé de sites en accès libre offrant des pages reliées entre elles, il existe un Web invisible dont le volume est bien plus important et qui comprend :

• les sites Web construits autour d'une base de données, interrogeable uniquement par un moteur de recherche interne. À la différence des sites du Web visible, qui permettent une recherche par choix successifs, les bases de données sont interrogeables via un formulaire de recherche. Les documents de la base ne s'affichent que dynamiquement, en réponse à une question directe ; ils ne peuvent donc être indexés par le robot d'un moteur de recherche. Ces sites peuvent offrir, par exemple, les références de brevets, le texte intégral de publications avec leurs archives ou des références bibliographiques dans divers domaines ; ils peuvent être en accès libre ou être réservés aux abonnés ;

• les divers sites offrant une consultation par rubriques et sous-rubriques, mais pour lesquels il est nécessaire de s'identifier préalablement, la consultation pouvant ensuite être gratuite ou non. C'est la politique adoptée notamment par de nombreux sites scientifiques ;

• les sites offrant des fichiers dans certains formats, non reconnus par les robots : documents (tableur...), animations (flash...), fichiers pdf, etc. Les moteurs limitent en effet leur indexation aux pages html et à certains documents spécifiques (fichiers musicaux MP3, images...), recensés le plus souvent par des outils spécialisés ;

• les diverses banques de données hébergées sur les grands serveurs classiques (Dialog, Data-Star, STN International, Lexis-Nexis, Questel.Orbit, L'Européenne de Données...). Ces bases, accessibles avec abonnement, ont pendant longtemps été réservées aux professionnels de l'information (leur interrogation nécessitait l'apprentissage d'un langage spécifique), mais les serveurs ont développé aujourd'hui des interfaces conviviales accessibles sur le Web.

• les pages Web qui contiennent la balise [no robot] ; tout éditeur de site Web peut décider, lors de la création de ses pages, d'interdire leur indexation par un robot. Il lui suffit pour cela de le préciser dans les balises méta.

Plus de 550 milliards de documents sur le Web invisible

Le Web invisible constitue la partie immergée du Web ; son volume d'information est très nettement supérieur à celui Web visible, mais il est néanmoins ignoré de la plupart des netsurfers. Pour sensibiliser les internautes aux richesses de ce gisement d'informations, la société BrightPlanet.com a tenté de comparer le type de sites et le nombre de documents disponibles sur le Web visible et le Web invisible. Elle a pour cela analysé le contenu des sites recensés par sa base CompletePlanet.com (www.completeplanet.com), qui décrit plus de 38 500 ressources du Web invisible. Elle a ensuite comparé ces résultats avec ceux obtenus par le NEC Research Institute sur le Web visible.

Les résultats de ces comparaisons sont parus fin juillet 2000, dans une étude intitulée *The Deep Web : Surfacing Hidden Value* [7] ; et ils sont surprenants.

D'après les auteurs, le Deep Web contient plus de 550 milliards de documents ; il est donc 250 fois plus vaste que le Surface Web, si l'on compare les chiffres de BrightPlanet.com avec ceux de Cyveillance, publiés également en juillet 2000.

Le nombre total de sites du Web invisible dépasse les 200 000, sachant que plusieurs bases accessibles depuis la même URL, comme les diverses bases de Dialog ou de Lexis-Nexis par exemple, sont comptées pour un site ; d'autre part, et c'est une surprise, 95 % de l'information du Deep Web est accessible librement.

Les bases du Deep Web enfin fournissent plus d'informations de qualité que les sites du Surface Web. Plus précisément, les auteurs estiment qu'en utilisant des sources du Web invisible, la qualité des résultats peut être multipliée par 1 000, par rapport à une recherche sur le Web avec les moteurs généralistes.

Il ressort de ces diverses études que :
- les moteurs n'ont qu'une indexation partielle du Web visible ;
- le volume du Web visible est très inférieur à celui du Web invisible ;
- les sites les plus riches appartiennent au Web invisible.

Heureusement, il existe des outils spécialisés qui identifient et interrogent les sites du Deep Web.

Annuaires et moteurs : les bases de la recherche sur le Web

Avant d'aller plus loin dans la description des outils de recherche spécialisés, il est important de rappeler les différences fondamentales qui existent entre les annuaires – également appelés répertoires ou index – et les moteurs de recherche ou robots. Ces deux familles d'outils représentent les bases de la recherche sur le Net, même s'il est vrai que chacune tend à évoluer vers le portail.

Les annuaires décrivent et répertorient des *sites* Web

Si l'on compare le Web à une immense bibliothèque rassemblant des millions d'ouvrages – chaque ouvrage étant un site Web –, les annuaires de type Yahoo! ou Nomade peuvent être comparés au catalogue de cette bibliothèque, fonctionnant sur le principe des banques de données bibliographiques.

7. White paper, « The Deep Web: Surfacing Hidden Value », BrightPlanet.com LCC, July 2000 (www.completeplanet.com/Tutorials/DeepWeb/index.asp)

On notera que BrightPlanet préfère les appellations de « Deep Web », qu'elle oppose à Surface Web, plutôt que celles de Web visible et Web invisible.

Pour elle en effet, le « Deep Web » n'est pas invisible ; il est certes ignoré par les moteurs de recherche classiques, mais les nouveaux outils de recherche offline (et en particulier LexiBot, qu'elle développe), interrogent ses ressources.

Les ouvrages/sites sont indexés avec leur titre et un très bref descriptif dans des rubriques et sous-rubriques. C'est une équipe de cyberdocumentalistes qui est chargée de tester les centaines de sites proposés chaque jour aux annuaires par les éditeurs, de vérifier les informations données en les complétant éventuellement et de classer les sites dans les catégories appropriées [8]. Comme dans une base bibliographique, il y a un travail humain d'indexation derrière chaque référence.

Les annuaires proposent dès leur écran d'accueil une liste de rubriques et de sous-rubriques et il suffit au visiteur de cliquer sur un thème, puis sur des sous-thèmes successifs, pour afficher une liste de sites répondant à sa question.

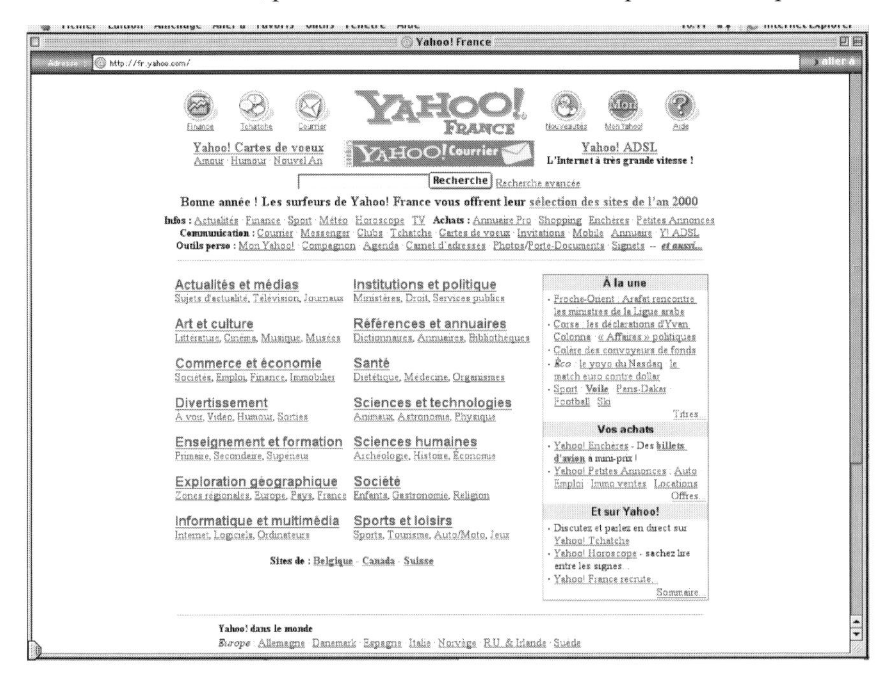

Un choix nettement plus simple, pour le netsurfer néophyte en particulier, que celui des mots-clés qu'il faut indiquer à un moteur de recherche, mots-clés qui doivent être très précis si l'on ne veut pas être noyé sous une avalanche de résultats. À cette simplicité d'utilisation, s'ajoute une autre qualité : la liste des sites sélectionnés en bout de course est en général pertinente.

8. Dans une interview accordée en décembre 2000 à la lettre *Chasseurs de Moteurs*, Pauline Tourneur, responsable documentation de Nomade, précise : « Nomade.fr rejette à peu près 40 % des soumissions. Les motifs sont divers et variés : tout d'abord les doublons, les sites en 404, les sites en construction, et enfin les sites qui n'apportent rien à l'existant. Ce dernier point peut paraître subjectif, mais le choix d'intégrer ou non un site est fait par des documentalistes qui ont une parfaite connaissance du Web, qui connaissent donc l'intérêt d'intégrer ou non un énième site sur les Pokemon. » Nomade.fr traite en ce moment plus de 600 sites par jour (www.enfin.com/articles/p-tourneur.html).

Ceci n'est pas surprenant, puisque l'indexation des sites est réalisée manuellement par l'équipe éditoriale de l'annuaire.

En complément des diverses catégories, les écrans d'accueil des annuaires disposent le plus souvent d'une zone de saisie permettant d'effectuer une recherche par mots. La requête est alors lancée sur l'intégralité du catalogue, c'est-à-dire sur les catégories, les titres et les brèves descriptions des sites.

Lorsque l'on lance une recherche par mots dans un annuaire, c'est un peu comme si on lançait une requête par mots sur les titres et les résumés des ouvrages d'une bibliothèque.

Les moteurs indexent le texte intégral de *pages* Web

Si les annuaires sont des outils de même type qu'un catalogue de bibliothèque, les moteurs de recherche, tels Google ou AltaVista, peuvent être comparés à une gigantesque banque de données, indexant le texte intégral des pages des ouvrages/sites.

Lorsque l'on lance une recherche par mots sur un moteur, celle-ci se fait sur le contenu de son index, c'est-à-dire sur le texte intégral de toutes les pages que le robot a rencontrées lors de son tour du Web et a rapatriées ; la recherche avec un moteur est donc de même nature qu'une requête par mots lancée sur le texte intégral de toutes les pages de tous les livres d'une bibliothèque.

Cependant, si les catalogues de bibliothèques sont généralement exhaustifs, ce n'est pas le cas des outils de recherche : aucun annuaire ne recense tous les sites du Web et aucun moteur de recherche n'indexe toutes les pages de tous les sites.

Les annuaires les plus volumineux – Yahoo! (www.yahoo.com), Open Directory (www.dmoz.org) et LookSmart (www.looksmart.com) – dépassent les deux millions de sites, alors que l'on en compte plus de 8 millions sur le Web [9].

Quant aux moteurs de recherche, le plus important est aujourd'hui Google (www.google.com). Il annonce recenser 1,3 milliard d'URLs, mais il n'indexe la page en texte intégral que dans la moitié des cas seulement (voir encadré).

9. Il est difficile d'avoir une idée précise du nombre de sites Web « uniques », car de nombreuses sociétés enregistrent un même site sous plusieurs noms de domaine (www.nom-de-société.com, nom-de-société.com, www.nom-de-société.fr, etc.).

Parmi les dernières analyses, on citera :

• Inktomi et le NEC Research Institute estimaient, en janvier 2000, le nombre de sites uniques à 4,951 millions (www.inktomi.com/webmap) ;

• dans le cadre de leur analyse annuelle du Web, les chercheurs de l'OCLC ont déterminé que le Web contenait 7,1 millions de sites uniques en octobre 2000.

« OCLC Researchers Measure the World Wide Web », Oct. 16, 2000 (www.oclc.org/oclc/press/20001016a.htm)

• ces chiffres sont à mettre en parallèle avec les estimations de la société Netcraft, réalisées uniquement à partir des noms de domaine, qu'ils concernent ou non un même site. En novembre 2000, Netcraft dénombrait 23,777 millions de sites (www.netcraft.com/survey/).

La course à « l'index le plus grand »

Depuis l'étude menée par le NEC Research Institute, qui révélait que le moteur le plus important à l'époque (Northern Light) ne couvrait que 16 % du Web visible, les moteurs de recherche se livrent, à grands coups de communiqués de presse, une course pour être celui qui aura « l'index le plus grand ».
La toute jeune société norvégienne Fast Search and Transfer a, la première, démontré qu'index important ne rimait pas forcément avec temps de réponse plus longs. Après s'être distinguée en développant un microprocesseur permettant d'effectuer des recherches sur le Net de façon extrêmement rapide, elle a décidé d'utiliser sa technologie de recherche avancée sur sa propre base. Un moteur au nom ambitieux – All The Web (www.alltheweb.com) – a donc été lancé en mai 1999, avec comme objectif affiché d'indexer la totalité du Web.
Il s'est démarqué immédiatement de ses concurrents par des temps de réponse proprement sidérants, de l'ordre de quelques secondes. Il affiche d'ailleurs fièrement le temps nécessaire à la recherche, au millième de seconde près. All The Web a démarré avec un index de 80 millions de pages, qui a très vite atteint 200 millions de pages (juillet 1999), puis 300 millions (janvier 2000), devançant alors AltaVista et Northern Light, qui avaient pourtant eux-mêmes doublé la taille de leurs index depuis l'étude du NEC.
Peu de temps après l'annonce des 300 millions de pages d'All The Web [a], AltaVista a tenu un moment la tête du peloton avec 350 millions de pages [b].
Puis Inktomi, qui avait depuis quelques temps un index bien inférieur à celui des autres moteurs (110 millions), est entré dans la course en annonçant que sa nouvelle base GEN3 atteignait 500 millions de pages [c]. À la différence des autres moteurs cependant, Inktomi n'exploite pas lui-même sa base ; celle-ci est utilisée par des moteurs comme HotBot, Snap, ou iWon [d].
En juin 2000, Google a pris la première place, en annonçant recenser un milliard de pages [e] !
En fait, ce milliard de pages n'est pas vraiment indexé par Google.
Ce moteur bien particulier utilise en effet la technologie « page rank », basée sur le calcul de la « popularité » des pages. Avec ce système, le classement d'une page dans les résultats s'effectue en fonction du nombre de liens pointant vers elle sur le réseau ; plus une page a de liens, mieux elle est classée. Cette technologie permet à Google de proposer les URLs de pages qu'il n'a pas encore indexées, mais

a. « Fast Search and Transfer Announces World's Biggest Fastest Search Engine; 300 Million Web Pages Searched In Under One Half Second With Highly Relevant Results », communiqué de presse daté du 17 janvier 2000 (www.fast.no).
All The Web affirme aujourdhui qu'il indexera un milliard de pages dans l'année qui vient.
b. « AltaVista Asserts Total Search Leadership With Web's Largest, Most Relevant Index And Directory », communiqué de presse daté du 4 mai 2000 (doc.altavista.com/company_info/press/pr050400.shtml).
c. « Inktomi Unveils Third Generation Search Architecture - Inktomi Increases Search Index Size to 500 Million Documents », communiqué de presse daté du 11 avril 2000 (www.inktomi.com/new/press/gen3.html).
d. D'après Greg Notess cependant, éditeur de l'excellent site Search Engine Showdown, si la nouvelle base GEN3 est effectivement utilisée par HotBot, Snap et iWon, la plupart des recherches sont lancées sur la première base de 110 millions de pages ; la base GEN3 n'est interrogée que lorsque le nombre de résultats est inférieur à un chiffre X, vraisemblablement égal à 100 (www.searchengineshowdown/stats/500million.html).
e. « Google Launches World's Largest Search Engine », communiqué de presse daté du 26 juin 2000 (www.google.com/pressrel/pressrelease26.html).

vers lesquelles pointent de nombreuses pages de son index. Le milliard de pages qu'il recensait en juin était composé, plus exactement, de 560 millions de pages indexées et de 500 millions d'URLs recensées.
Le 12 octobre 2000, All The Web a devancé Google d'une courte tête [f], annonçant disposer d'un index de 575 millions de pages en texte intégral, soit... seulement quinze millions de pages de plus que Google. Il est intéressant de noter que cet index est constitué par le « crawling » et l'examen de 1,5 milliard de pages.
Peu de temps après, comme l'on pouvait s'y attendre, Google a surenchéri... Il n'y pas eu de communiqué de presse mais simplement l'annonce, sur la page d'accueil, que Google « Search 1,326,920,000 web pages ».

f. « Fast Announces World's Largest Search Engine », communiqué de presse daté du 12 octobre 2000 (www.fast.no).

Annuaires et moteurs sont donc des outils de recherche bien distincts, conçus pour répondre à des questions différentes. Pour simplifier, on peut dire que les annuaires doivent être utilisés lorsque le thème de la question est susceptible de faire l'objet d'un livre (peut-il exister des sites/livres sur ce sujet ?) ou lorsque l'on souhaite localiser le site/livre d'une entreprise particulière. Les moteurs de recherche, en revanche, permettront d'identifier des pages (du site/livre) concernant un sujet très spécifique.

Ainsi, si l'on recherche des informations sur les champignons, on pourra identifier des sites spécialisés sur la question dans des annuaires tels Yahoo! ou Nomade. Mais si l'on veut tout savoir sur la coucoumelle (nom usuel de l'amanite vaginée), c'est dans des moteurs comme Google ou AltaVista qu'il faudra tenter sa chance.

Tendances évolutives des outils de recherche généralistes

Les outils de recherche sur le Web ont fait leur apparition dès le milieu des années 1990, pour permettre aux netsurfers de se repérer dans un espace en constante évolution. Des annuaires comme Yahoo! ont choisi de décrire les sites Web et de les classer dans des catégories détaillées, des moteurs comme AltaVista ont indexé les pages Web pour permettre des recherches par mots sur leur texte intégral et d'autres outils, relativement peu nombreux à l'origine (InfoSeek...), ont offert les deux fonctionnalités.

Puis les outils de recherche se sont multipliés, les internautes aussi et, devant cette cible de clients potentiels, les annonceurs ont commencé à investir sur le support Internet. Les outils commerciaux, qui vivent en grande partie des recettes publicitaires [10], se lancèrent alors dans une course à l'audience, car c'est en fonction de la fréquentation d'un site que se déterminent le prix de l'espace publicitaire comme le choix de l'annonceur.

10. Par opposition notamment aux annuaires sélectifs, qui sont souvent le résultat d'initiatives universitaires et qui n'ont donc pas les mêmes contraintes financières.

Des outils de recherche qui deviennent portails

Pour rivaliser avec des annuaires tels que Yahoo!, les moteurs de recherche ont conclu des partenariats avec d'autres annuaires (LookSmart, Open Directory...) pour offrir un classement de sites par rubriques dès leur page d'accueil. Pour ne pas être en reste, les annuaires ont conclu des accords avec des moteurs de recherche (Inktomi, AltaVista, Google...), pour permettre de lancer une requête par mots sur les pages Web, en complément de leur traditionnelle consultation par rubriques.

Les partenariats entre moteurs et annuaires évoluent toutefois régulièrement et l'on assiste à un ballet permanent entre les outils de recherche [11].

• **Yahoo!** (www.yahoo.com) par exemple a conclu, en juillet 2000, un accord avec Google (accord signé auparavant avec Inktomi, après l'avoir été, à l'origine, avec AltaVista), pour la fourniture des résultats « secondaires ». Aux termes de cet accord, lorsqu'une recherche sur les catégories et les sites de Yahoo! s'avère infructeuse – et seulement dans ce cas –, le netsurfer obtient automatiquement les résultats d'une recherche effectuée sur les pages Web indexées par Google.

• **Google** (www.google.com) a pour sa part instauré un partenariat avec l'Open Directory Project (ODP – www.dmoz.org). Les résultats d'une recherche par mots sur Google affichent à la fois les pages identifiées dans son index et les sites Web recensés par l'ODP, avec leurs catégories. Les résultats issus de l'ODP ne sont toutefois pas inclus dans les « résultats secondaires » fournis à Yahoo!, ce qui est, somme toute, logique, car les deux annuaires sont concurrents.

Les rubriques et les sites de l'Open Directory sont enfin accessibles, « à la mode Google », à l'adresse directory.google.com. Les rubriques sont sensiblement les mêmes que sur l'ODP mais, à l'intérieur d'une catégorie, les sites sont classés par popularité, selon le nombre de liens qui pointent vers eux, et non par ordre alphabétique.

• **AltaVista** (www.altavista.com) quant à lui a quitté dans un premier temps LookSmart pour l'Open Directory, qui offrait sa base de sites Web gratuitement ; il a ensuite révisé sa décision et a offert des résultats issus des deux annuaires. Pour finir, il a quitté l'Open Directory pour ne garder que LookSmart. Ce dernier a, pour être sélectionné, usé d'un argument de poids : il a payé AltaVista pour être son annuaire de référence (« plusieurs millions de dollars » est la seule précision qu'a bien voulu donner une responsable d'AltaVista) [12].

11. Olivier Andrieu propose, sur son site Abondance, un tableau mis à jour en permanence qui donne, pour chaque grand portail, les noms des sociétés qui fournissent l'annuaire et le moteur (avec un lien vers leur site Web) (www.abondance.com/docs/portails.html).

12. Dans un article daté du 26 juillet 2000 et intitulé « LookSmart pays portals to use its service », Paul Festa (CNET News.com) écrit : "AltaVista stated unequivocally that it was paid to come back into the LookSmart fold. 'We are definitely getting paid for the deal', said AltaVista spokeswoman Kristi Kaspar. 'We have not disclosed all the details, but it's a multimillion dollar'. Kaspar said the deal extended over 'several years', but would not be more specific." (news.cnet.com/news/0-1005-200-2355088.html)

Au fil des années, moteurs et annuaires ont enrichi leur offre jusqu'à devenir de véritables portails d'information, pour tenter de « capturer » les visiteurs, de devenir le point de départ obligé de toutes leurs recherches sur l'Internet et de leur offrir un maximum de services depuis l'écran d'accueil.

Pour se démarquer les uns des autres et gagner la préférence des netsurfers, ils ont donc inclus sur leur site, en plus des fonctions annuaire et moteur, des services aussi variés que possible.

On peut ainsi trouver aujourd'hui sur ces portails :

– des actualités : à titre d'exemple, la version française d'AltaVista propose des dépêches de l'AFP, Yahoo! France offre des dépêches de différentes agences (AFP, AP, Reuters...), etc. ;

– des services aux netsurfers : météo, service d'e-mail gratuit, petites annonces (immobilier, auto-moto, emploi...), téléchargement de logiciels, traduction, cartes de vœux, photothèque, carnet d'adresses, etc. ;

– des plates-formes de commerce électronique : systèmes d'enchères [13] ou de shopping ; Yahoo! France offre par exemple des catégories comme Alimentation et boisson, DVD et vidéos, Fournitures de bureau, Livre et presse... ;

– des outils de recherche : pages jaunes, pages blanches, cartes et plans...

Cette évolution des outils de recherche vers le portail a des avantages certains.

Le « portail préféré » peut devenir sans hésitation la page d'accueil du navigateur, puisqu'il offre à la fois les fonctions d'annuaire et de moteur ; le même outil peut donc servir de point de départ à toutes les recherches.

Mais au-delà de la confusion que peut engendrer un écran d'accueil excessivement chargé, cette profusion de services a un inconvénient majeur : elle donne aux fonctionnalités de recherche une place secondaire et rend difficile la distinction entre annuaires et moteurs. Or cette distinction demeure l'essence même de la recherche sur Internet.

---

13. Le système d'enchères de Yahoo! lui a valu des démêlés avec la justice. En mai 2000 en effet, suite a une plainte déposée par la Licra (Ligue internationale contre le racisme et l'antisémitisme) et l'UEJF (Union des étudiants juifs de France), Yahoo! et sa filiale française ont été condamnés par le tribunal de grande instance de Paris à prendre toutes les mesures nécessaires pour que les internautes français ne puissent plus accéder au système d'enchères de Yahoo.com, sur lequel étaient mis en vente des objets nazis.

Après deux mois d'études, Yahoo! a conclu qu'il n'existait pas de techniques satisfaisantes pour interdire à des internautes l'accès à certaines rubriques d'un site, selon leur provenance géographique. Il jugeait préférable de privilégier la responsabilité des utilisateurs et a mis à leur disposition différents logiciels de filtrage à télécharger.

En septembre 2000, la Cour a nommé trois experts pour étudier les possibilités de filtrage. Ces experts ont rendu leur verdict en novembre 2000 : des solutions satisfaisantes existent et ont été proposées.

En janvier 2001, Yahoo! a en fin de compte pris une décision radicale : celle d'interdire la présence, sur son site de vente aux enchères, d'objets incitant à la haine raciale. Il a annoncé dans le même temps que le dépôt d'une offre aux enchères serait désormais payant.

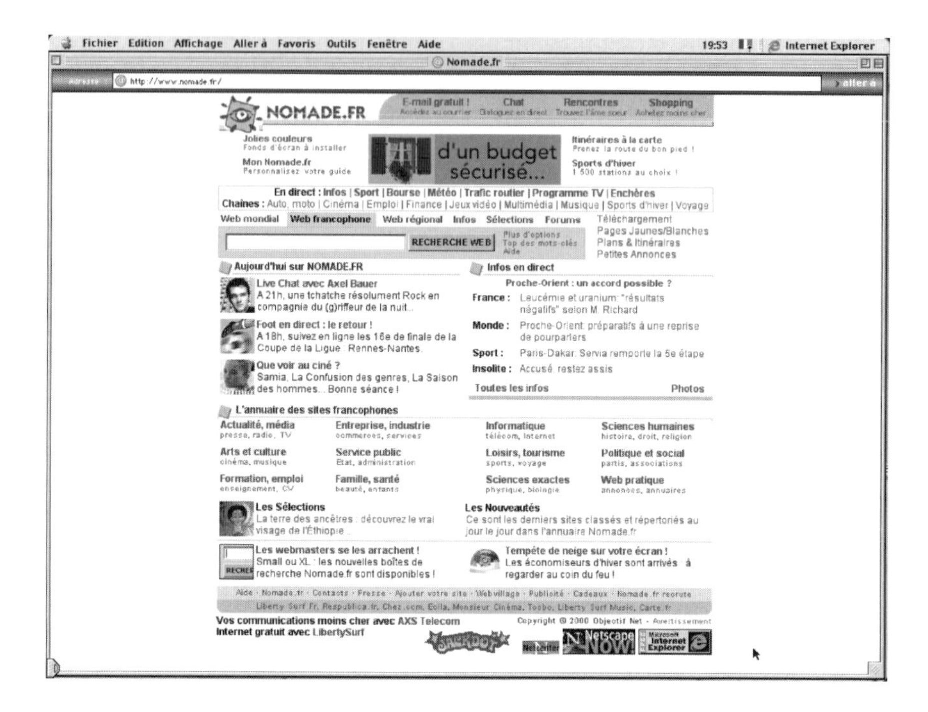

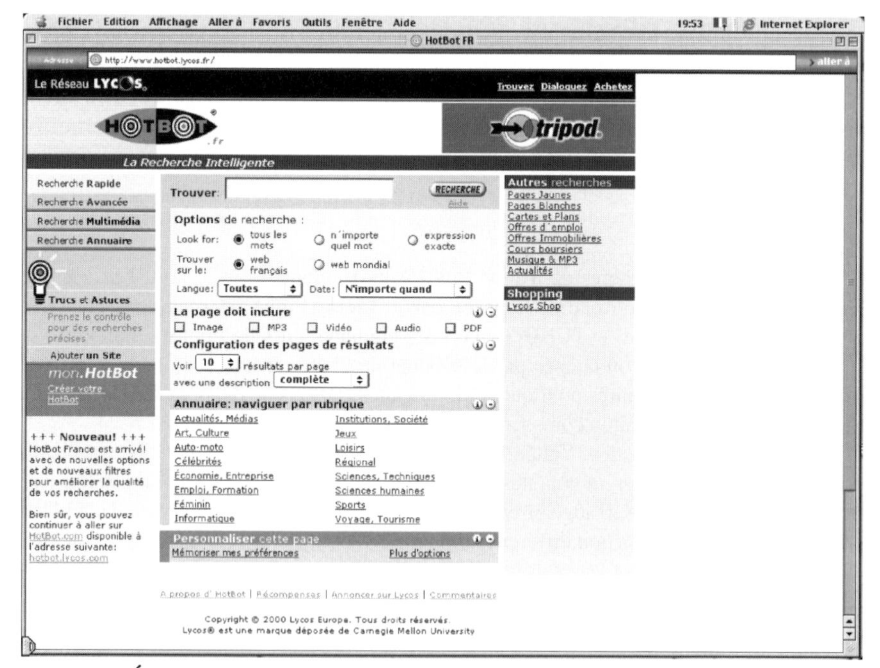

Écrans d'accueil des portails Nomade (www.nomade.fr) et HotBot France (www.hotbot.fr)

Le netsurfer qui ne connaît pas les caractéristiques de Nomade et de HotBot France par exemple ne saura prendre en compte leurs différences intrinsèques dans son choix.

Les deux outils offrent un annuaire de sites Web – interne pour Nomade, fourni par Lycos pour HotBot France – et un moteur de recherche, alimenté par Inktomi dans les deux cas. Il serait erroné de penser qu'ils appartiennent pour autant à la même famille d'outils.

Ainsi, une recherche par mots sur Nomade avec le terme « champignons » est lancée par défaut sur le Web francophone ; mais Web francophone signifie ici « Annuaire de sites Web francophones » et Nomade identifie 70 sites concernant les champignons (sites culinaires comme dictionnaires spécialisés).

Sur le nouveau portail HotBot France en revanche, une recherche avec le terme « champignons » est lancée par défaut sur le Web français, signifiant ici « index des pages Web en français ». Le résultat est donc tout autre : plus de 1 000 pages !

Certains portails interrogent toutefois simultanément les différents outils qu'ils regroupent et indiquent précisément les réponses obtenues avec chaque famille d'outils. Un bon exemple est donné avec le site Voila (www.voila.fr), réalisé par France Télécom ; ce site a été conçu dès l'origine comme un site portail et intègre mieux de ce fait les divers outils de recherche qu'il rassemble.

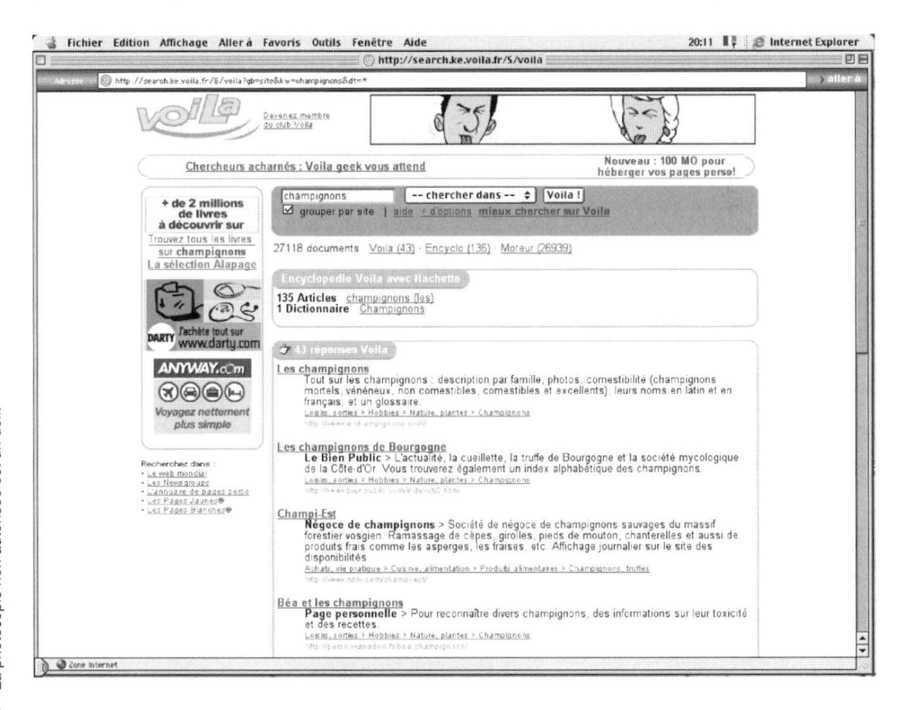

Lorsque l'on lance une requête avec le mot « champignons », Voila affiche ainsi un écran indiquant clairement le nombre de réponses obtenues par chacun des outils interrogés : 27 118 documents : Voila (43), Encyclo (136), Moteur (26 939).

Les réponses Voila correspondent aux sites Web identifiés dans le guide, issu de l'annuaire QuiQuoiOù ; Encyclo donne accès à des articles fournis par l'Encyclopédie Hachette, avec qui Voila a récemment signé un partenariat ; quant au lien Moteur, il affiche les pages identifiées par le moteur de recherche de Voila.

Des moteurs qui accentuent leurs spécificités

Pour concurrencer les portails, certains outils de recherche ont choisi d'accentuer leurs spécificités.

• **Northern Light** par exemple (www.northernlight.com), qui fut un certain temps le moteur ayant la meilleure couverture du Web (voir p. 18), semble avoir abandonné la « course à l'index le plus grand » et porte ses efforts sur son image professionnelle et sa Special Collection.

En complément de son index de 340 millions de pages Web, ce moteur dispose en effet d'une Special Collection composée de 25 millions de documents en texte intégral issus de plus de 7 100 sources : journaux, livres, magazines, dépêches d'agences de presse et sources de référence. Des sources prestigieuses (rapports Investext, *Wall Street Journal*...) sont constamment ajoutées à cette bibliothèque en ligne, et le netsurfer choisit de lancer sa requête sur le Web et/ou sur la Special Collection. Bien sûr, si la recherche et la liste des résultats sont en accès libre, il est nécessaire d'être abonné pour afficher le texte intégral des documents de la Special Collection (prix moyen de 1 $ par article).

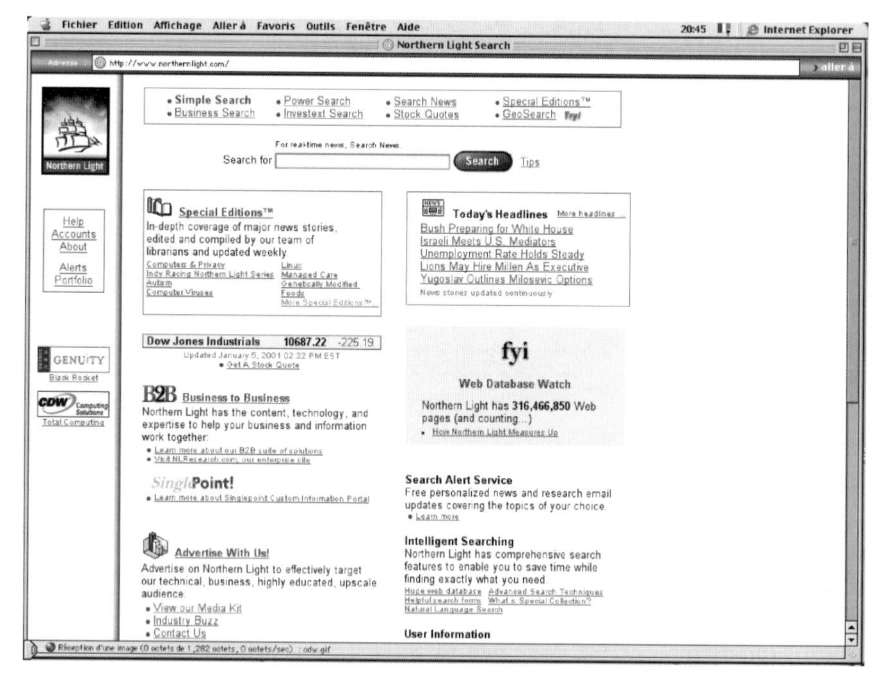

En plus de cette source unique sur le Web, la spécificité de Northern Light est de répartir les résultats dans une série de dossiers, propres à chaque question ; grâce à une technologie brevetée, les dossiers peuvent offrir un classement par thème, type de documents, source ou langue des documents (voir exemple p. 92). Les possibilités de recherche sont très sophistiquées et des grilles spécifiques permettent de limiter la requête à des secteurs industriels ou à des types de documents particuliers.

Enfin, pour enrichir encore le service aux internautes, un service d'alerte personnalisée est proposé gratuitement ; il permet d'enregistrer une stratégie et d'être prévenu par e-mail quand de nouveaux documents pertinents sont chargés sur le site.

Par la variété et la richesse de ses informations, Northern Light constitue bien un portail ; celui-ci reste ciblé sur l'information professionnelle et n'a pas cédé à l'attrait du commerce électronique.

De nouveaux moteurs qui misent sur la sobriété

Pour se démarquer des portails et gagner en lisibilité, mais aussi en rapidité d'affichage, certains outils ont adopté une politique inverse et offrent des interfaces extrêmement dépouillées.

• **All The Web**. Fast, le premier, a choisi la simplicité pour son moteur All the Web (www.alltheweb.com). L'écran d'accueil contient le logo de Fast et son accroche (All The Web, All The Times), ainsi qu'une zone de saisie pour les termes de la requête, avec les options « any of the words », « all of the words » ou « the exact phrase ».

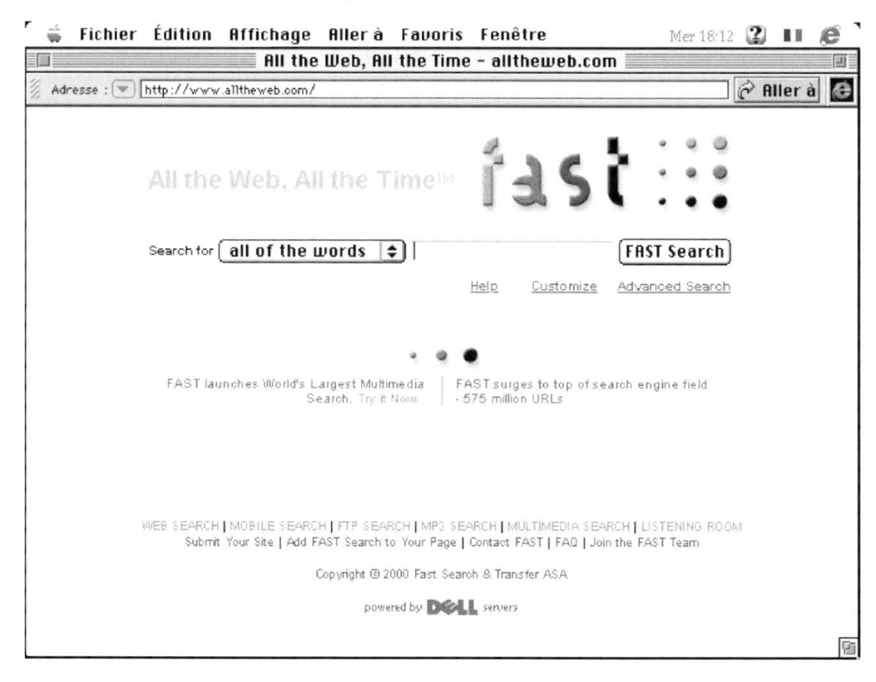

Trois liens sont proposés sous la zone de saisie. Ils mènent vers l'Aide, vers une grille de Recherche avancée offrant de nombreuses possibilités et vers une grille permettant de personnaliser l'interface (filtre selon la langue des résultats, etc.).

En bas de l'écran, des liens permettent d'accéder aux grilles de Lycos concernant la recherche de certains types de documents (documents audio ou multimédias, applications à télécharger...).

Aucun bandeau publicitaire, aucune offre de commerce électronique n'apparaissent sur l'écran de fond blanc.

• **Google** (www.google.com ou www.google.fr pour la version française) a suivi l'exemple en épurant aussi son écran d'accueil, limité à sa plus simple expression. Sous le large nom de Google, se trouvent la zone de saisie pour la requête et deux onglets : Google Search, pour lancer la recherche sur les pages Web et I'm Feeling Lucky, qui affiche directement la première page sélectionnée.

Google a conclu un accord avec l'Open Directory (www.dmoz.org) et propose les rubriques et les sites de l'annuaire avec un classement par popularité et non par ordre alphabétique ; contrairement aux portails, l'annuaire est accessible depuis une autre adresse (directory.google.com) ou depuis le lien *Google Web Directory* - the web organized by topic.

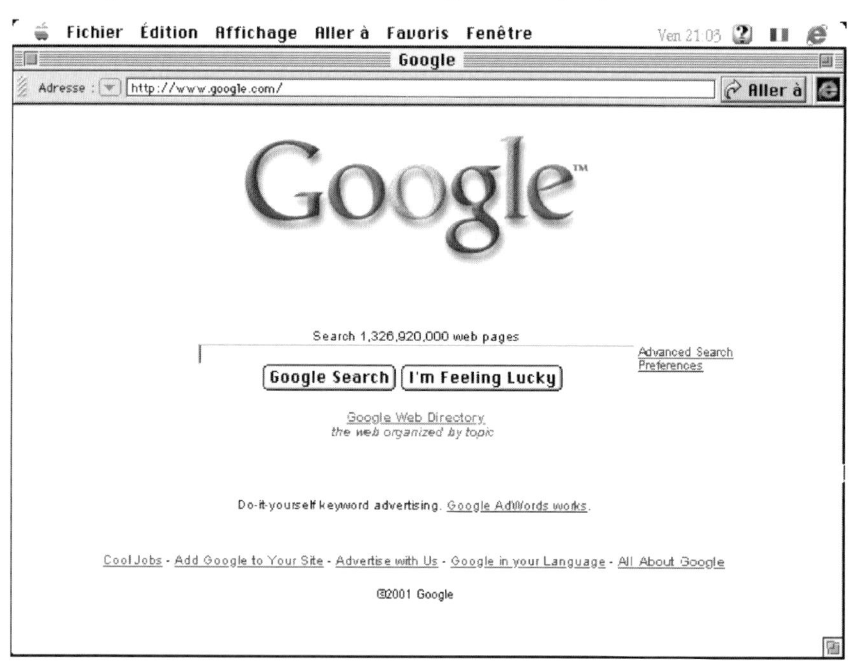

À droite de la zone de saisie, deux liens permettent d'afficher la grille de Recherche avancée – qui reste élémentaire – et de personnaliser l'interface.

Google indique désormais fièrement la taille de son index (« Search 1,326,920,000 Web pages »), sans préciser toutefois que les pages ne sont pas toutes indexées en intégralité.

• **Raging**. Jaloux sans doute du succès immédiat qu'a rencontré Google, AltaVista a lancé Raging (www.raging.com ou ragingsearch.altavista.com), en complément de son portail. Ce moteur, dont l'interface ressemble étonnamment à celle de Google, permet de lancer une requête sur l'index d'AltaVista.com. Les possibilités de recherche sont exactement les mêmes que sur AltaVista, mais rien ne permet de le savoir sur le site. Option amusante : il est possible de personnaliser l'interface de façon assez sophistiquée, puisque l'on peut même choisir la couleur du logo dans différentes variantes...

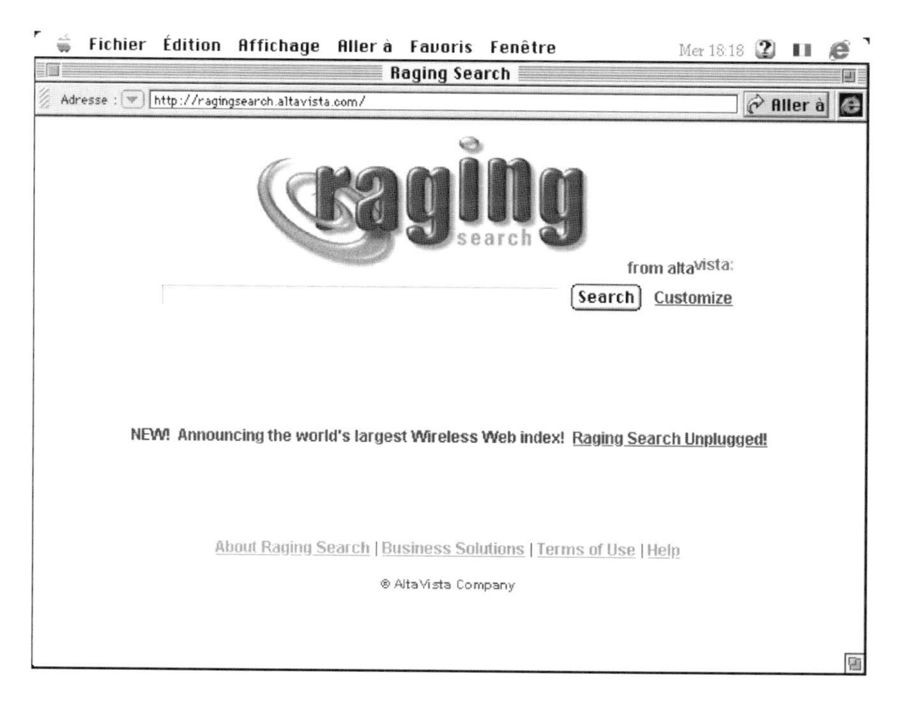

• **Voila pour les geeks** [14] (www.voila.com), dernier venu au club des moteurs sobres, remplace la version internationale de Voila, qui a été abandonnée. Son objectif est d'illustrer les performances du moteur, en mettant à disposition « la puissance du moteur Voila dans sa forme la plus épurée, pour plus de rapidité et de légèreté ». Son offre se limite donc à la recherche sur l'index de pages Web francophones, et ne prend pas en compte les sites du guide Voila. En cliquant sur « + options », on affiche la grille de Recherche avancée de Voila.

Qu'ils se transforment en portail ou qu'ils misent sur la sobriété, les outils de recherche généralistes ont plusieurs points communs : ils couvrent tous les domaines, grand public et professionnels et cherchent pour la plupart à être aussi complets que possible dans leur recensement de pages ou de sites Web.

14. Le site précise : « geeks : inialement "fous" en anglais, terme que se sont appropriés les informaticiens passionnés ».

Des outils confrontés à la croissance du Web

On peut se demander comment les outils de recherche vont pouvoir suivre le développement rapide du Web.

Les moteurs semblent avoir dépassé les contraintes informatiques ; ils augmentent sans cesse la taille de leur index et, dans le même temps, diminuent les temps de réponse. La difficulté réside plutôt dans la maintenance de l'index et dans son délai de rafraîchissement : plus la base est importante, plus les délais de mise à jour des pages – et de prise en compte des nouvelles pages – risquent d'être longs.

Pour les annuaires, le problème est autre : l'équipe éditoriale doit évaluer les nouveaux sites dans des délais aussi courts que possible. Un cyberdocumentaliste référence en moyenne une dizaine de sites par heure ; mais la version britannique de LookSmart par exemple signale que quelques mois après son lancement, elle reçoit déjà plus de 1 000 soumissions quotidiennes ! Les nouveaux sites doivent d'autre part être indexés sans que les catégories deviennent trop volumineuses ; ceci implique un travail permanent sur l'arborescence thématique.

Vers une prise en compte payante des sites et des pages

Pour faire face à ce développement rapide du nombre de sites et de pages Web, les outils de recherche semblent avoir trouvé une parade très commerciale.

LookSmart et Yahoo! (version internationale) ont les premiers tiré profit de la situation. Pour accélérer la prise en compte des nouveaux sites, ces annuaires proposent une solution de soumission payante.

En souscrivant au service Business Express de Yahoo! à 199 US $, on a l'assurance que l'équipe éditoriale visitera le site dans les sept jours et l'inclura dans l'annuaire, si elle estime qu'il répond aux critères de sélection. Ici en effet, la seule garantie est l'évaluation rapide du site, mais non son référencement ; un e-mail est toutefois envoyé à l'éditeur pour lui faire part de la décision. Sur le même modèle, LookSmart propose les services Express Submit à 199 US $, avec une visite dans les 48 heures et Basic Submit, à 99 US $ et visite dans les huit semaines.

Si ces offres étaient au départ facultatives, elles sont devenues rapidement incontournables pour les sites commerciaux. Sur Yahoo.com, la soumission payante est obligatoire pour les catégories Business and Economy/Business to Business et Business and Economy/Shopping and Services ; ces deux branches rassemblent aujourd'hui plus de 615 000 sites. Sur LookSmart, seuls les sites américains à but non lucratif peuvent être référencés gratuitement, mais sans aucune garantie de délai (plus de huit semaines en tout cas).

Les moteurs de recherche ont rapidement suivi l'exemple des annuaires. Plusieurs outils offrent des solutions de référencement payant, qui garantissent à la fois la présence d'un certain nombre de pages d'un site dans leur index et un rafraîchissement assuré de ces pages avec une périodicité donnée.

La société Inktomi, qui fournit sa base d'URLs à plus de 125 moteurs dont HotBot, Snap ou MSN, propose ainsi d'indexer certaines pages d'un site et de les revisiter toutes les 48 heures pendant un an. Le prix est de 20 US $ pour la première page, de 10 US $ la page pour les pages 2 à 100, puis de 6 US $ la page au-delà.

Sur le même principe, Go.com propose d'indexer les pages d'un site et de les mettre à jour sur une base hebdomadaire pour 199 US $.

Ces offres garantissent le référencement des pages par les robots des moteurs de recherche, mais non leur positionnement dans les réponses.

Comme l'on pouvait s'y attendre, quelques outils ont donc été plus loin dans leurs offres et assurent désormais le positionnement de certaines pages dans les résultats.

Google offre ainsi le système AdWords, pour Advertising Program. Ce programme donne aux éditeurs de sites la possibilité d'acheter des mots-clés. Quand ce mot est utilisé par un internaute dans sa requête, un petit encadré publicitaire avec le nom du site, l'URL et une très brève description s'affiche alors à la droite de la liste des résultats, sous la mention Sponsored Links ; jusqu'à trois encadrés peuvent être affichés sur la même page, les uns en dessous des autres. Dans chaque rectangle, un pictogramme indique le taux de clics en temps réel.

Comme pour les bandeaux publicitaires, le coût de ces insertions se calcule en CPM (coût pour mille affichages). Il varie entre 10 et 15 US $ (pour 1 000) selon l'emplacement de la publicité sur la page (première, deuxième ou troisième position).

GoTo (www.goto.com) va plus loin dans la vente des mots-clés : il permet aux éditeurs de sites de choisir 20 mots-clés et de faire correspondre à chacun un nom (avec un hyperlien) et une description de page ou de site Web ; selon le montant du service (99 US $ ou 25 US $), les descriptions sont rédigées par l'équipe de GoTo ou par l'éditeur du site.

Les éditeurs doivent ensuite indiquer la somme qu'ils sont prêts à verser à GoTo pour chaque clic d'un internaute sur le lien affiché, en réponse au mot-clé choisi. Pour chaque mot-clé, le classement des pages se fait en fonction des enchères en cours, l'enchère la plus forte étant bien sûr affichée en premier. Le montant de l'enchère est indiqué à la droite de chaque lien, avec la mention « Cost to advertiser ».

Pour des termes très utilisés, tels que MP3, le nombre d'enchères dépasse 40 et la première atteint 0,54 $ par clic ! « intelligent agent », en revanche, a moins de succès : deux enchères, respectivement de 0,02 et 0,01 $...

Yahoo.com enfin a très discrètement lancé une offre de positionnement payant. La solution « Sponsored Links » permet de faire apparaître jusqu'à cinq sites en haut de page, dans une zone spécifique. Le prix à payer par les annonceurs va de 25 à plus de 300 $ par mois, selon les catégories.

Ces exemples de référencement payant ne sont pas exhaustifs. Cette politique se généralise au contraire parmi les outils de recherche internationaux et tout porte à croire que les annuaires et moteurs francophones suivront l'exemple en 2001. Ceci permettra peut être une sélection naturelle par le haut des sites référencés ; les sites qui disposent d'un budget promotionnel sont souvent ceux qui ont les moyens financiers d'offrir un réel contenu. Cette politique favorise en revanche le référencement des sites d'entreprises, qui ont des budgets publicitaires, au détriment des sites associatifs ou des pages personnelles, qui peuvent recéler des données à valeur ajoutée (sites fédérateurs...). Enfin, les solutions de positionnement payant posent, bien sûr, le problème de la pertinence des résultats. Si Google présente clairement les liens achetés comme des insertions publicitaires, parallèlement aux pages sélectionnées, GoTo les affiche en tête des résultats, et donc en lieu et place des pages les plus pertinentes.

Open Directory : un annuaire contributif

Certains annuaires internationaux résistent – pour le moment du moins – aux solutions de référencement payant. The Open Directory Project (ODP) (www.dmoz.org) a ainsi été lancé en juin 1998 comme une alternative aux annuaires classiques de type Yahoo!, débordés par la multiplication des sites [15].

Pour permettre une prise en compte plus rapide des nouveaux sites, l'équipe éditoriale est ici constituée d'une « armée » de plus de 33 200 rédacteurs bénévoles issus de 229 pays, experts dans leurs domaines. Ils sélectionnent et organisent ce qu'ils considèrent comme le meilleur du Web ; le responsable de chaque rubrique est clairement identifié et il est possible de lui envoyer un e-mail.

Cet annuaire a rapidement été racheté par Netscape, qui l'a intégré au réseau de sites Mozilla et rebaptisé Dmoz, abréviation de Directory Mozilla. La base de données est proposée en licence gratuite et est utilisée par plus de 130 sites et moteurs de recherche, dont HotBot, Google et, bien sûr, le portail de Netscape.

L'Open Directory recense gratuitement plus de 2,3 millions de sites Web dans le monde entier, répartis dans 331 000 catégories, ce qui fait de lui l'annuaire le plus important du Web. Mais la course est constante avec LookSmart et Yahoo.com !

15. Chris Sherman, « Human Do It Better: Inside the Open Directory Project », Online, July 2000 (www.onlineinc.com/onlinemag/OL2000/sherman7.html).

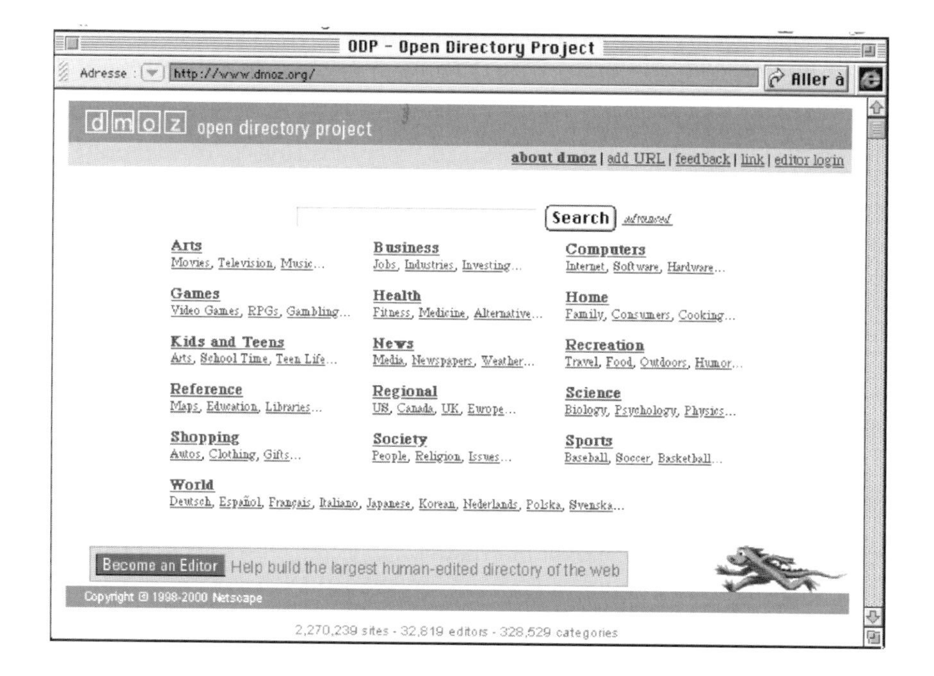

La simplicité trompeuse des annuaires

Pour l'internaute, la navigation dans des annuaires qui peuvent atteindre des volumes impressionnants est quelquefois malaisée. Il peut être difficile de faire son choix et d'identifier du premier coup la « bonne » rubrique, qui conduira à la sous-sous-...-sous-rubrique appropriée ; d'autant que certaines se ressemblent quelquefois beaucoup.

Plusieurs rubriques peuvent avoir le même thème

L'internaute à la recherche d'informations, par exemple sur les noms de domaine (réglementation, statistiques, disponibilité, organismes se chargeant de la réservation...), peut avoir quelques hésitations face à la page d'accueil des divers annuaires : doit-il choisir comme point de départ la rubrique Informatique, à laquelle est souvent rattachée la sous-rubrique Internet, ou doit-il s'aventurer dans la rubrique Économie, qui rassemble en général les sites commerciaux des sociétés, répartis par secteurs d'activité ?

Ainsi :

• **Nomade** (www.nomade.fr) propose sur ce thème deux arborescences qui aboutissent à des sous-domaines très proches, mais à des résultats bien différents :

- Informatique et télécom > Internet > Noms de domaines (5 sites)
- Entreprises, économie > Informatique et télécommunications > Internet, télématique > Noms de domaines (140 sites)

- **Yahoo! France** (fr.yahoo.com) utilise un classement similaire :
  - Informatique et multimédia > Internet > Enregistrement de noms de domaine (8 sites)
  - Commerce et économie > Sociétés > Communications et réseaux > Internet et World Wide Web > Enregistrement de noms de domaine (81 sites).

Si la consultation par rubriques successives semble de prime abord très simple, le choix est en fait plus complexe qu'il n'y paraît et du premier clic dépendront les résultats de la recherche. Diverses hiérarchies peuvent aboutir à des sous-rubriques qui ont le même nom, mais dont les contenus sont différents.

Un clic intempestif sur la rubrique Informatique et télécom de Nomade – choix qui semble d'autant plus logique que la sous-rubrique Internet apparaît sur l'écran d'accueil – n'identifiera ainsi que cinq sites, alors qu'un départ de la rubrique Entreprise, économie aboutira aux 140 sites de la sous-rubrique Noms de domaines !

Quant à Yahoo!, il y a fort à parier que certains des sites qu'il recense échapperont à la sélection d'un internaute non avisé. Outre les deux hiérarchies précédentes, Yahoo! France en propose quatre autres accessibles depuis la rubrique Exploration géographique. Cette dernière est en général le point de départ du classement pour les sites étrangers en français ; depuis peu, elle est également le point de départ d'une arborescence complémentaire pour des sites régionaux. Sur le sujet des noms de domaine, la rubrique Exploration géographique propose :

- Exploration géographique > Pays > Suisse > Commerce et économie > Sociétés > Services Internet > Enregistrement de noms de domaine (3 sites)
- Exploration géographique > Pays > Canada > Commerce et économie > Sociétés > Communications et réseaux > Internet et World Wide Web > Enregistrement de noms de domaine (5 sites)
- Exploration géographique > Pays > Canada > Provinces et territoires > Québec > Commerce et économie > Sociétés > Communications et réseaux > Internet et World Wide Web > Enregistrement de noms de domaine (5 sites)
- Exploration géographique > Pays > France > Régions > Île-de-France > Départements > Paris (75) > Commerce et économie > Sociétés > Communications et réseaux > Internet et Worl Wide Web > Enregistrement de noms de domaine (8 sites)

Il est quelquefois difficile de choisir de façon certaine la catégorie qui répondra le mieux à une question. Pour pallier cette difficulté, la plupart des annuaires offrent, en complément de la consultation thématique, une recherche par mots sur les descriptions des sites.

Une recherche par mots moins simple qu'il ne paraît

La recherche par mots dans les annuaires se fait en général sur l'ensemble de leur base, c'est-à-dire sur toutes les descriptions des sites : titres, résumés, URLs et catégories, avec quelquefois la possibilité de limiter la recherche aux sites d'une rubrique donnée. Cette recherche libre permet d'obtenir directement la liste des catégories et les descriptions des sites qui contiennent les termes de la requête.

Mais ce type de recherche ne donne pas non plus entière satisfaction et l'on n'est jamais certain d'avoir identifié tous les sites pertinents recensés par l'annuaire.

Ainsi, une recherche libre sur le sujet « nom de domaine » peut se formuler de diverses façons, et dans cet exemple, il n'y a guère de synonymes…

- nom de domaine : la recherche porte sur les catégories et les descriptions contenant les deux termes (mais pas forcément côte à côte), au singulier et/ou au pluriel :
  - 2 catégories et plus de 200 sites sur Nomade
  - 6 catégories et 319 sites sur Yahoo! France
- "nom de domaine" (entre guillemets et au singulier) : la recherche se fait sur l'expression exacte :
  - 0 catégorie et plus de 200 sites sur Nomade
  - 0 catégorie et 132 sites sur Yahoo! France
- "noms de domaines" (entre guillemets et au pluriel) :
  - 2 catégories et 69 sites sur Nomade
  - 0 catégorie et 56 sites sur Yahoo! France
- "noms de domaine" :
  - 0 catégorie et 87 sites sur Nomade
  - 6 catégories et 114 sites sur Yahoo! France

Là encore, la recherche est moins simple qu'il n'y paraît.

Si la requête porte sur les deux termes, les annuaires prennent en compte les singuliers et les pluriels, mais pas forcément la proximité des mots. Le nombre de sites sélectionnés est important, mais ils ne sont pas tous pertinents.

Si l'on fait la recherche sur l'expression exacte, il faudrait, pour être exhaustif, essayer les différentes orthographes possibles, puis comparer les résultats pour éliminer les doublons ; en effet, les termes peuvent par exemple être écrits au pluriel dans la catégorie et au singulier dans la description.

Enfin et surtout, les annuaires assurent au netsurfer quantité de réponses à une question.

Mais les sites sélectionnés regroupent à la fois des banques de données professionnelles, de simples vitrines d'entreprises et des pages personnelles, et il peut être long et difficile de distinguer les sites qui offrent une information à valeur ajoutée des autres.

Or, si le nombre de sites recensés est un critère important pour certaines recherches – faire le point sur l'offre dans un domaine par exemple, ou retrouver le site d'une entreprise –, une évaluation qualitative des sites sélectionnés s'avère souvent un atout majeur.

C'est là que les annuaires sélectifs prennent toute leur valeur.

Guides et annuaires sélectifs : les Best-of de l'Internet

Caractéristiques des annuaires sélectifs

Parallèlement aux annuaires généralistes, qui cherchent à avoir la couverture la plus complète possible, il existe des outils biens plus discrets, qui ont une politique différente et sont extrêmement sélectifs quant aux sites qu'ils référencent. S'ils sont construits sur le principe des annuaires classiques (ils recensent et décrivent des sites Web, classés par rubriques et sous-rubriques), ils possèdent des spécificités qui leur sont propres.

Les sites référencés sont en effet sélectionnés le plus souvent par des professionnels de l'information, bibliothécaires ou documentalistes, parmi les sites les mieux à même de répondre aux diverses questions d'universitaires et d'enseignants. Seuls les sites ciblant les professionnels sont donc pris en compte. Ils font l'objet d'une évaluation qualitative et leur description peut contenir des détails sur les rubriques proposées comme sur les possibilités de recherche.

De nombreux annuaires sélectifs indexent par ailleurs les sites qu'ils recensent avec la classification décimale Dewey ou, pour les annuaires américains tout au moins, avec celle de la Library of Congress (Library of Congress Subject Headings).

Le nombre de sites référencés est en général relativement limité (quelques milliers, ou quelques dizaines de milliers), mais ce faible nombre est compensé par la richesse des sites sélectionnés : une recherche avec ces outils n'identifie théoriquement que des sites à valeur ajoutée.

Compte tenu de leurs critères de sélection, ces outils recensent de nombreuses ressources appartenant au Web invisible, comme des journaux électroniques avec archives ou des banques de données. Sauf exception cependant (www.invisibleweb.com par exemple), ils prennent aussi en compte des sites Web classiques.

Certains d'ailleurs ne recensent pas les sites, mais les répertoires de sites : guides thématiques pour Argus Clearinghouse (www.clearinghouse.net), sites fédérateurs pour AlphaSearch (www.calvin.edu/library/searreso/internet/as) ou Virtual Library (www.vlib.org).

Le seul reproche que l'on peut faire à ces guides sélectifs tient à leur couverture. La plupart de ces annuaires ont théoriquement une couverture internationale, mais ils sont cependant, en majorité, le résultat d'initiatives nées aux États-Unis ; leur couverture de l'Europe et, *a fortiori*, des pays non anglophones, est donc encore partielle. Avec le développement de l'Internet en France, on peut toutefois penser que la situation va évoluer rapidement.

Un point de départ utile pour de nombreuses recherches

Annuaires généralistes et annuaires sélectifs ont des stratégies fondamentalement différentes.

Les grands annuaires généralistes, qui obéissent à des impératifs commerciaux et cherchent avant tout à accroître leur audience, couvrent aussi bien les sites grand public que professionnels, les pages personnelles que les banques de données. Leur offre est cependant, en majorité, composée par les sites d'entreprises, qui se sont développés très rapidement sur le Web ; ceux-ci représentent en effet, d'après Steve Lawrence et C. Lee Giles, 83 % de l'information disponible sur le Web visible [1].

Le nombre de sites recensés par ces grands annuaires est en général impressionnant, puisqu'il dépasse deux millions pour l'Open Directory, LookSmart et Yahoo.com. Conséquence oblige, le nombre de catégories est très important (plus de 327 000 pour l'Open Directory). L'objectif de ces annuaires est d'être le plus complet possible ; il n'y a pas de sélection qualitative dès lors que le site est réellement opérationnel, sauf lorsque la catégorie dans laquelle doit être inscrit le site est très « encombrée ».

La politique actuelle de référencement payant adoptée par certains annuaires (LookSmart, Yahoo.com...) risque d'accroître encore la représentation des sites commerciaux, qui disposent plus facilement d'un budget promotionnel, et ceci au détriment des sites associatifs ou universitaires.

Tout autre est la stratégie des annuaires sélectifs. Leur couverture est le plus souvent liée au domaine universitaire, qui peut quelquefois être éloigné des préoccupations des entreprises.

Les sites recensés – quelques milliers ou dizaines de milliers – sont tous sélectionnés selon des critères qualitatifs, liés à la richesse de leur contenu ; on y trouve donc très peu de sites d'entreprises. Les descriptions des sites

1. S. Lawrence, C. Lee Giles, « Accessibility of Information on the Web », *Nature*, 400:107-109, July 8, 1999 (http://www.nature.com).

Les estimations de S. Lawrence et C. Lee Giles ont été faites à partir de l'analyse des réponses à 1 050 questions posées à onze moteurs de recherche. Elles s'appliquent donc aux pages Web indexables par les moteurs de recherche, c'est-à-dire aux pages qui sont à la fois statiques, liées entre elles et qui sont en accès libre ; elles ne tiennent pas compte des pages dynamiques obtenues via un formulaire de recherche. Ces pourcentages seraient très différents si l'on prenait en compte l'ensemble du Web, visible et invisible.

recensés sont souvent détaillées, avec un avis critique sur leurs points forts et leurs faiblesses.

Selon le type de question, la recherche sera donc plus performante si l'on utilise un annuaire classique ou un annuaire sélectif.

Pour retrouver par exemple le site d'une société, pour identifier les sites des entreprises dans un domaine donné, ou pour avoir une idée de l'offre disponible sur le Web sur un sujet particulier, nul doute qu'une recherche dans les annuaires généralistes sera bien adaptée.

Mais si l'on souhaite en revanche identifier quelques sites de référence sur un sujet, général ou spécialisé, l'utilisation d'un annuaire sélectif permettra d'obtenir rapidement une réponse pertinente.

Comparaison des résultats d'une même recherche sur les différents types d'annuaires

Pour illustrer cette différence, nous avons effectué la même recherche sur les deux types d'outils. Nous sommes partis volontairement d'une question couvrant un domaine très large : « Existe-t-il des sites de référence offrant des informations générales sur le commerce électronique ? »

Comme il y a à ce jour très peu d'annuaires sélectifs en français, nous avons restreint nos comparaisons à des outils en anglais.

Pour la stratégie de recherche, nous nous sommes limité à lancer une requête par mots sur les descriptions des sites, à partir des termes « electronic commerce ».

On trouvera ci-après quelques exemples de résultats, avec la liste des premières catégories et la description du premier site identifié par les différents annuaires.

***Open Directory Project** (www.dmoz.org)*

Search results for: electronic commerce

Open Directory Categories (1-5 of 21)

1. Regional: Africa: Business and Economy: Internet: Electronic Commerce (1 match)
2. Business: E-Commerce: Education: Courses (35)
3. Regional: Asia: Malaysia: Business and Economy: Computers and Internet: Internet: Electronic Commerce (2)
4. Regional: Asia: Singapore: Business and Economy: Computers: Services Electronic Commerce
5. Business: E-Commerce: Consultants (21)

[more…]

Open Directory Sites (1-20 of 682)

1. SACA - South African Certification Agency - The agency provides Internet authentification services and solutions for the electronic commerce industry.
-- http://www.saca.net/
Regional: Africa: Business and Economy: Internet: Electronic Commerce (1)

Les premiers résultats obtenus sur l'Open Directory avec les mots « electronic commerce » permettent de voir que le terme « e-commerce » est également utilisé dans les catégories. Si l'on lance une recherche avec ce terme, on obtient cette fois-ci 132 catégories et 3 967 sites, alors qu'« electronic commerce » avait sélectionné 21 catégories et 682 sites.

Ces chiffres illustrent les difficultés que l'on peut rencontrer sur ce type d'annuaire pour avoir une idée précise de l'ensemble de l'offre ; il faut en effet penser à utiliser les divers synonymes d'un terme. D'autre part, face à une sélection aussi importante, il est très difficile de distinguer les sites de référence des simples plaquettes d'entreprises.

Yahoo! *(www.yahoo.com)*

Search Result: Found 133 categories and 971 sites for "electronic commerce"

Yahoo! Category Matches (1-20 of 133)

- Business and Economy > Electronic Commerce
- Business and Economy > Business to Business > Electronic Commerce
- Regional > Countries > United Kingdom > Business and Economy > Electronic Commerce
- Regional > Countries > Canada > Business and Economy > Business to Business > Electronic Commerce

(...)

Business and Economy > Electronic Commerce

Categories :

- Bar Codes (7)
- Business to Business@
- Consumer Information (30)
- Conventions and Conferences (13)
- Digital Money (6)
- Electronic Data Interchange (EDI) (6)

Most Popular Sites

- *CommerceNet* - industry consortium dedicated to accelerating the growth of Internet commerce and creating business opportunities for its members.

(...)

Yahoo! identifie 133 catégories et 971 sites répondant à la requête « electronic commerce ». Bizarrement, une recherche avec « e-commerce » trouve moins de catégories mais beaucoup plus de sites (18 catégories et 2 038 sites).

Cela démontre, là encore, que les annuaires généralistes sont rapidement confrontés à des problèmes d'homogénéisation dans le libellé des catégories, dès lors qu'ils atteignent une certaine taille.

LookSmart *(www.looksmart.com)*

Search for "electronic commerce"

Directory Topics

• Electronic Commerce Events
> Work and Money > Business > Business Services > E-Commerce > Events

• Electronic Commerce Product and Services Companies
> Work and Money > Companies > Services > Business Services > E-commerce

• E-Commerce
> Work and Money > Business > Business Services > E-Commerce

• Electronic Commerce Consumer Alerts
> Work and Money > Business > Business Services > E-Commerce > Consumer Alerts

• E-commerce Publications
> Work and Money > Business > Business Services > E-Commerce > Publications

Reviewed Web Sites (1-5 of 281)
Electronic Commerce and the European Union
Detailed introduction and description of electronic commerce in Europe. Read about types of e-commerce and examples of it in practice.
See also: Government E-commerce Organizations

LookSmart présente des différences notables avec les deux annuaires précédents et, d'une façon générale, avec la plupart des grands annuaires classiques. Lors d'une recherche par mots sur l'ensemble du site, les catégories sélectionnées ne donnent pas accès à une liste de sites mais à des sous-rubriques correspondant à des types d'information.

Ainsi, la rubrique E-Commerce affiche les sous-catégories suivantes :

E-Commerce
You are here: Work and Money > Business > Business Services > E-Commerce

• Guides and Directories
• B-to-B Marketplaces
• Cash and Payments
• Consumer Alerts
• Data Int'chge (EDI)
• Events
• Global E-commerce
• News and Articles
• Organizations
• Publications
• Security and Regulation
• Services and Software
• Vertical Portal Firms
• Web Marketing

La sous-rubrique Guides and Directories propose en particulier plusieurs sites de référence sur le commerce électronique :

E-commerce Guides and Directories
You are here: Work and Money > Business > Business Services > E-Commerce

• Guides and Directories 101 E-Business Tips *New!*
Sells e-business tips and tricks in pdf files delivered via e-mail. Browse packages of various advice collections.

• About.com – Electronic Commerce
Expert guides attempt to help Internet users understand the confusion and complexity of e-commerce. Explore smart cards and processing data.

Malgré une offre impressionnante (deux millions de sites, classés dans 200 000 rubriques), le système d'indexation de LookSmart permet au net-surfer de retrouver rapidement des sites selon le type d'information. Mais il est en revanche difficile, contrairement aux autres annuaires, d'obtenir un panorama de l'offre dans un domaine, ou d'identifier rapidement les sociétés spécialisées sur un thème.

La recherche par mots sur l'ensemble du site est en fait une aide à la consultation par rubriques ; elle indique les grandes catégories répondant à la question, mais ne permet pas un affichage de tous les sites sélectionnés ni de toutes les rubriques concernées.

Librarians' Index to the Internet *(www.lii.org)*

Results for "electronic commerce" 1 to 11 of 11

Best of...

- *Special Edition* - http://special.northernlight.com/

Search engine *Northern Light* provides great added value with its in-depth coverage of major news stories and topics. They chase down all the pertinent links to the news stories and the background material. Current Special Editions are: Sydney Olympics 2000, 106th Congress; Autism; Banking Industry; Computers and Privacy; Computer Viruses; Disability Insurance; Electronic Commerce; European Economic and Monetary Union; Genetically Modified Foods; Linux; Managed Health Care; Microsoft Lawsuits; Next Generation Networking; and Presidential Campaign 2000. - cl
Subject: News

Directories

- *Electronic commerce* - http://www.ala.org/acrl/resoct99.html

An excellent introduction to many aspects of electronic commerce covering getting started, academic research centers, discussion lists and news groups, government and industry organizations, news, statistics and trends, and technology. This resource is an annotated list of links, and is from the October 1999 issue of the Association of College and Research Libraries' CandRL NewsNet Internet Resources. - es
Subjects: Electronic commerce | Internet marketing

Onze réponses sur un sujet pourtant très en vogue : on est loin ici des résultats obtenus avec un annuaire classique !

Mais Librarian's Index to the Internet (LII) est un annuaire très sélectif ; ce répertoire recense et décrit plus de 7 100 ressources Internet (banques de données, sites fédérateurs, listes de discussion...), sélectionnées et évaluées par des professionnels de l'information (voir p. 60).

Comme le montre l'exemple ci-dessus, les descriptions de sites dans LII sont à la fois précises et critiques. Chaque site est par ailleurs indexé avec un certain nombre de mots-clés (2 400 au total), qui correspondent à peu près aux Library of Congress Subject Headings (LCSH).

Même si cet annuaire ne permet en aucun cas de faire le tour de ce qui existe sur le Web sur un sujet, la qualité des descriptions en fait un point de départ utile pour de nombreuses recherches.

Bubl Link *(bubl.ac.uk/link)*

13 items matching (Item Name = electronic commerce)

- *384.3 Electronic commerce*

Economic and Social Impacts of Electronic Commerce: Preliminary Findings and Research Agenda
Report discussing the growth and importance of electronic commerce as a means of conducting business, and subsequent impacts on jobs. Implications for communications, finance and retail trades are examined and possibilities for education, health and government bodies are considered.
Author: OECD
Subjects: electronic commerce, internet commerce
DeweyClass: 384.3
ResourceType: document
Location: france, europe

Là encore, le nombre de résultats est relativement limité, mais chaque site référencé apporte un grand nombre d'informations sur le sujet.

Les sites sélectionnés sont en effet choisis parmi les sources les mieux à même de répondre aux questions des enseignants et étudiants et sont évalués, catalogués et décrits par l'équipe éditoriale. Au total, plus de 12 000 banques de données et sites de référence sont recensés par Bubl Link (voir p. 49).

On notera avec plaisir que les éditeurs sont anglais ; conséquence oblige, l'Europe est bien représentée et l'on trouve même un certain nombre de sites français ; sauf exception, ils doivent toutefois avoir une version en anglais.

InvisibleWeb.com *(www.invisibleweb.com)*

Search: electronic commerce
1 through 10 of 16

- 100% CommerceNet

Search the CommerceNet site, "Working Together to Make Electronic ... [more]

CommerceNet

- Business > Marketing > Market Research

Search the CommerceNet site, "Working Together to Make Electronic Commerce Easy, Trusted and Ubiquitous". Find information on electronic commerce and how to advance both business-to-business and business-to-consumer e-commerce. CommerceNet serves over 500 corporate members around the globe. Results provide articles and awards relating to e-commerce. Access to content on this site does not require registration.
Access to content on this site is free.
Click here to go to Search Form Page

InvisibleWeb.com occupe une place à part parmi les annuaires sélectifs. C'est l'un des rares catalogues de ce type qui soit réalisé par une entreprise commerciale, et non par une université, une bibliothèque ou une association.

IntelliSeek, la société qui l'édite, trouve en fait avec ce site un moyen de renforcer son image de spécialiste du Web invisible [2]. IntelliSeek édite en effet le logiciel de veille BullsEye (voir p. 169) et a racheté il y a peu le métamoteur Profusion (www.profusion.com) ; ces deux outils se différencient des produits concurrents par leur couverture importante du Web invisible.

Comme son nom l'indique, InvisibleWeb.com recense plus de 11 000 ressources appartenant au Web invisible, en accès libre ou non (voir p. 57). Les sites peuvent être de plusieurs types : banques de données, sites avec archives, listes de discussion, journaux, dictionnaires, sites fédérateurs...

InvisibleWeb.com est construit comme un annuaire classique, avec une indexation des sites par rubriques et sous-rubriques (plus de 800 catégories au total). On notera qu'une recherche avec le terme « electronic commerce » identifie 16 sites, alors que « e-commerce » identifie trois rubriques et 81 sites.

Comment identifier des annuaires sélectifs

Les annuaires sélectifs, ces best-of de l'Internet, occupent une place à part dans la grande famille des annuaires.

Comme nous l'avons vu, leur point fort n'est pas tant le nombre de sites recensés, toujours très inférieur à celui des annuaires généralistes, que les critères de sélection de ces sites, le détail de leur description et la précision de leur indexation. Lorsque celle-ci est effectuée à partir de classifications « professionnelles » comme la classification Dewey ou celle de la Library of Congress, les risques sont faibles d'obtenir des catégories portant le même nom, mais correspondant à des arborescences distinctes et donc à des résultats dissemblables, ou encore d'avoir deux mots-clés différents pour définir le même sujet (e-commerce et electronic commerce par exemple).

Cependant, l'identification de ces annuaires sélectifs n'est pas toujours aisée.

Ils couvrent en effet de nombreux domaines et ne sont donc pas considérés comme des « outils de recherche spécialisés ». Ils n'ont pas les mêmes spécificités que les annuaires généralistes, mais ils appartiennent néanmoins à la même famille d'outils. D'ailleurs, s'ils sont le plus souvent référencés par les grands annuaires, ils ne sont pas classés dans des catégories spécifiques.

2. Depuis juillet 2000 cependant, IntelliSeek se voit sérieusement concurrencé sur le domaine du Web invisible par BrightPlanet.com, qui édite le site CompletePlanet.com (www.completeplanet.com) et l'outil de veille Lexibot (www.lexibot.com).

Dans Yahoo.com par exemple, des annuaires sélectifs tels Bubl Link et Librarians' Index to the Internet sont le plus souvent indexés avec l'une des deux arborescences :

- Home > Computers and Internet > Internet > World Wide Web > Searching the Web > *Indices to Web Documents* (environ 140 sites)
- Home > Computers and Internet > Internet > World Wide Web > Searching the Web > *Web Directories* (environ 100 sites)

Ces catégories donnent la liste alphabétique des sites avec, dans le meilleur des cas, deux lignes d'information sur leur contenu ; pour beaucoup cependant, seule la mention du nom est donnée. Difficile dans ce cas de séparer le bon grain de l'ivraie...

La sélection n'est pas plus facile dans Dmoz, qui propose une arborescence (très) similaire :

Top: Computers: Internet: WWW: Searching the Web: Directories

Et l'on obtient alors une liste alphabétique de plus de 160 sites, avec une description succincte pour chacun.

Plusieurs astuces et méthodes de recherche peuvent heureusement permettre d'identifier plus facilement des annuaires sélectifs sur le Web.

Interroger des annuaires... sélectifs

La méthode la plus simple consiste à interroger des annuaires sélectifs. Comme leur vocation est de sélectionner justement les sites de référence, il est logique de s'attendre à ce qu'ils identifient clairement d'autres annuaires sélectifs.

Librarians' Index to the Internet (www.lii.org) propose ainsi, dès l'écran d'accueil, la rubrique Searching the Internet. Celle-ci est constituée de plusieurs sous-rubriques : Best Search Engines ; Best Subject Indexes ; Evaluation of Resources ; Meta Search Engines ; Metadata ; Other Search Engines and Indexes ; Surfing the Internet.

La catégorie Best Subject Indexes affiche une sélection de 22 annuaires, classés selon leurs types (Best-of, Directories et Specific Resources).

Chaque outil est décrit en détail et, si cette sélection inclut bien sûr quelques grands annuaires généralistes (Yahoo, Open Directory, LookSmart...), elle fait la part belle aux annuaires sélectifs.

Avec **Bubl Link** (bubl.ac.uk/link/), l'identification de la « bonne » rubrique dès l'écran d'accueil est un peu plus délicate. Une astuce consiste alors à afficher la description d'un annuaire sélectif préalablement identifié, pour voir dans quelle classe et avec quels sujets il est indexé.

La fiche descriptive de LII indique :

Librarians' Index to the Internet
Searchable annotated subject directory of more than 4000 Internet resources selected and evaluated by librarians. Subject headings include distance learning, food, safety, religion and environment.
Author: Carole Leita

Subjects: internet resource directories
DeweyClass: 025.04
ResourceType: index
Location: usa

Deux modes de recherche sont alors possibles :
– identifier les autres sites indexés avec le sujet « internet resource directories ». Il suffit pour cela d'utiliser la recherche libre et de lancer une requête avec ces termes, en précisant qu'elle doit se faire uniquement sur les « Subject terms » ;
– consulter les sites indexés dans la classe Dewey 025.04, en partant de l'arborescence des grandes classes Dewey (choix « Dewey » sur l'écran d'accueil) et en choisissant des classifications de plus en plus fines dans les menus successifs :

- *000* Generalities. Includes: reference, computing, the Internet, library and information science, museums, news, publishing
- *020* Library and information sciences. Includes: library home pages, library operations, digital libraries. See also LIS catalogues
- *025.0* Digital libraries and online services
- *025.04* Internet resource directories

Dans les deux cas, on obtient une liste pertinente d'une vingtaine d'annuaires sélectifs. La recherche par sujets en sélectionne cinq de plus, qui sont indexés dans d'autres classes Dewey, ces annuaires étant spécialisés dans certains domaines.

Utiliser les fonctions avancées des moteurs de recherche

La fonction « like: » ou « related: »

Quelques moteurs de recherche (AltaVista, Google...) ont récemment ajouté, sur leur liste de résultats, l'option Related pages (ou Pages similaires), en face de chaque page sélectionnée.

Cette option permet d'afficher d'autres pages que le moteur identifie comme similaires, sur la base de critères qui sont rarement donnés de façon précise. Cette fonction peut être utilisée pour identifier, par exemple, des sites ayant une offre concurrente à un site donné, ou pour recenser plusieurs sites concernant un domaine particulier.

AltaVista explique ainsi cette fonctionnalité, dans sa page d'Aide Searching Web Elements (doc.altavista.com/help/search/search_web_elements.html)

like:URLtext
Finds pages similar to or related to the specified URL. For example, *like:www.abebooks.com* finds Web sites that sell used and rare books, similar to the www.abebooks.site. *like:sfpl.lib.ca.us/* finds public and university library sites. *like:http://www.indiaxs.com/* finds sites about culture on the Indian subcontinent.

Google parle plus en détail de cette fonction (baptisée à l'origine GoogleScout, puis Pages similaires), dans la version française de sa page Astuces de recherche (www.google.com/intl/fr/help.html#M).

> « GoogleScout
> Quand vous cliquez sur le lien GoogleScout pour un résultat spécifique, Google explore automatiquement Internet à la recherche des pages relatives à ce résultat. Généralement, GoogleScout trouvera environ une douzaine de pages de haute qualité. Lors de son exploration, GoogleScout essaie de trouver des pages présentant un même niveau de généralité. Par exemple, si la page de départ est la page d'accueil d'une université, GoogleScout retournera la page d'accueil des autres universités. Mais si la page de départ est le département d'informatique de l'université, GoogleScout trouvera les départements d'informatique relatifs, et non pas les universités.
> GoogleScout a de nombreux usages. Si vous aimez le contenu d'un site particulier, mais souhaitez obtenir plus d'informations sur le sujet, GoogleScout peut trouver des sites similaires dont vous ignorez peut-être l'existence. Si vous cherchez des informations sur un produit, GoogleScout vous montre les informations des concurrents, et vous permet ainsi de trouver la meilleure offre. Si vous voulez faire des recherches dans un domaine particulier, GoogleScout peut vous trouver un grand nombre de ressources très rapidement, et sans perdre de temps à vous demander quels sont les mots-clés appropriés pour ces sites.
> GoogleScout trouve les pages relatives de millions de pages Web. Cependant, plus la page est spécialisée, plus rares seront les résultats affichés par GoogleScout. Par exemple, GoogleScout peut ne pas être capable de trouver des pages relatives à votre page personnelle, s'il n'a pas assez d'informations pour associer de façon autorisée d'autres pages à la vôtre.
> De plus, si des entreprises utilisent de nombreuses URLs pour leurs pages (comme entreprise.com et www.entreprise.com), GoogleScout peut n'avoir que peu d'informations pour une URL, mais beaucoup pour l'autre. Toutefois, en général, GoogleScout fonctionne bien pour la majorité des pages Web ».

Et, aussi étrange que cela puisse paraître, la fonction Pages similaires permet souvent d'identifier des sites pertinents, comme le montrent les exemples ci-après.

• **AltaVista** : la version internationale du moteur (www.altavista.com) propose, sur ses écrans de résultats, un lien vers les Related pages de chaque page sélectionnée. On peut aussi identifier directement les pages similaires à une page donnée, depuis la zone de saisie de l'écran d'accueil ; il suffit pour cela de taper « like: » directement suivie de l'URL. Cette fonction n'est pas disponible aujourd'hui sur la version française (fr.altavista.com).

Si l'on recherche des annuaires sélectifs de même type que Librarians' Index to the Internet, on peut tenter une requête sur AltaVista.com avec la stratégie « like:www.lii.org ».

like:www.lii.org
153 pages found
1. Welcome to INFOMINE: Scholarly Internet Resource Collections
INFOMINE is being offered as a comprehensive showcase, virtual library and reference tool containing highly useful Internet/Web resources including…

URL: infomine.ucr.edu/Main.html
Translate Related pages Facts about: University Of Cal…

2. No Title
CanadaOne Directory:Divided into Resources and Business Listings for easier searching. Where Canadians search for success! Search for the best online…
URL: www.canadaone.com/business/index.html
Translate Related pages

3. Resources by Subject
Resources by Subject. | Browse Complete Subject List | Ethnic, Gender, Area Studies | General Interest | Government Documents | Humanities |…
URL: www.library.ucsb.edu/subj/resource.html
Translate Related pages Facts about: University Of Cal…

• **Google** (www.google.com) offre, de la même façon, un lien Pages similaires (ou Similar pages) à droite de chaque résultat identifié. Sinon, il faut inscrire « related: » immédiatement suivi de l'URL dans la zone de saisie de l'écran d'accueil.

related:www.lii.org
Pages relatives 1-10 sur environ 14 pour www.lii.org. GoogleScout a pris 0.11 secondes.
Pages similaires à www.lii.org:

• *Britannica.com*
Animation. MARKETPLACE, NEW Britannica 2001 … and much more. …
Description: The internet guide by Encyclopaedia Britannica. Contains a reviewed site index with an optional search…
Category: Computers > Internet > Resources > Research
www.britannica.com/ - 40k - Cached - Similar pages

• *The Argus Clearinghouse*
… Arts and Humanities Business and Employment. Communication. Computers and Information Technology. … Recreation. Science and Mathematics. Social Sciences and Social Issues. …
Description: Internet research library. Selective link guides and directories to topics and issues.
Category: News > Current Events > … > Forums and Resources > Directories
www.clearinghouse.net/ - 4k - Cached - Similar pages

• *The Internet Public Library*
Orca Search Learn … detailed descriptions. [menu of the
IPL – see text links below] Collections …
Description: Online public library features directories of online texts, newspapers, magazines, reference materials…
Category: Arts > Literature
www.ipl.org/ - 8k - Cached - Similar pages

On notera que les premiers résultats obtenus avec Google contiennent à la fois une description et une catégorie, signe qu'ils sont tirés de l'Open Directory Project (ODP) ; Google lance en effet ses recherches à la fois sur son index et sur les sites de l'ODP (ww.dmoz.org).

La fonction « link: »

Les annuaires sélectifs constituent des sites de référence. Ils sont, à ce titre, recensés par d'autres annuaires sélectifs, mais aussi par de nombreux guides de recherche, sites fédérateurs et autres listes de ressources, qu'il peut être intéressant de consulter.

Un lien vers un annuaire spécialisé comme Bubl Link ou Librarians' Index to the Internet est en effet rarement proposé « au hasard », mais répond le plus souvent à une tentative de classement des ressources jugées les plus utiles (sur un sujet, pour certaines activités...). Or, toute sélection de ressources basée sur des critères qualitatifs est susceptible de permettre des découvertes intéressantes.

Il est possible d'identifier les pages qui pointent vers un site donné avec certains moteurs de recherche.

• **AltaVista** (www.altavista.com ou fr.altavista.com pour la version française) permet de distinguer les pages contenant un lien vers une URL spécifique.

Il suffit pour cela d'utiliser l'opérateur « link: » directement suivi de l'URL. On peut en complément limiter la sélection aux pages contenant un terme donné, ou aux pages dans une langue particulière (dans une liste de 25).

Si l'on écrit par exemple la requête « link:bubl.ac.uk/link » et que l'on limite la sélection aux pages en français, on identifie théoriquement les pages en français qui pointent vers l'annuaire sélectif Bubl Link.

AltaVista France identifie 77 pages, dont les premières sont les suivantes :

Chercher : link:bubl.ac.uk/link
Langue : Français
PAGES WEB : 77 pages trouvées.

1. Référence sur le Web - Bases de données bibliographiques/BUP8
Bases de données bibliographiques sur l'internet. Nous recensons ici les sites donnant accès gratuitement à des bases de données ou à des listes...
http://www-bu.univ-paris8.fr/Ref/DocBdd.html
Dernière modification le : 6 juill. 2000 - 58.3 K - Français

2. GIRI - 2.2 Exploration de répertoires ou index par sujets
GIRI - Guide d'initiation à la recherche dans Internet 2.0
La recherche par navigation 2.2 Exploration de répertoires ou index par sujets. 2.2.1...
http://web2.cnam.fr/giri/mod2/2ex1.htm
Dernière modification le : 23 juin 1999 - 9.2 K - Français

3. Cyber-documentaliste
cyber-documentaliste.com, le Web des professionnels de l'Info-Doc...
http://www.cyber-documentaliste.com/traitement/DC%20Type.htm
Dernière modification le : 6 déc. 1999 - 32.5 K - Français

4. Liens
Liens professionnels : Recherche scientifique : GOOGLE, DB and LP(Univ. De Trier), AI (Bubl Information Service) Associations : ALP AFPLC DB and LP COMPULOG...
http://www.sciences.univ-nantes.fr/info/perso/permanents/dikovsky/dikpw6.html
Dernière modification le : 22 sept. 2000 - 4.4 K - Français

Les pages identifiées proposent toutes un recensement intéressant de sites.

• L'écran de Recherche avancée d'**All The Web** (www.alltheweb.com) offre également la possibilité d'identifier les pages pointant vers une URL spécifique.

Il faut pour cela, dans les deux menus déroulants, choisir les options « Must include » et « In the link to URL », puis indiquer l'adresse choisie. On peut aussi préciser la langue des documents à sélectionner (dans une liste de 46).

Language: French
Word Filters :
« Must include » bubl.ac.uk/link « in the link to URL »
102 documents found - 0.3944 seconds search time
Search Restrictions: Offensive content reduction = On Language = French

1. Types de ressources utilisés pour la description des sites et documents de CISMeF
Menu général] Types de ressources utilisés pour la description des sites et documents de CISMeF [CISMeF] [guide d'utilisation] [English List] Pour en savoir plus sur le pourquoi et le comment de l'élaboration de cette liste, consulter CISMeF
http://www.chu-rouen.fr/documed/typeressource.html

2. Ressources
Catalogue de sites web concernant la pédagogie, les multimédias et le WWW: B C D E F G H I J L M N O P Q R S T U V W Acrobat (format pdf) Fournisseur : des fichiers de textes au format pdf peuvent être téléchargés et examinés sur votre
http://www.ipm.ucl.ac.be/jpm/themes.htm

3. Les liens W3
Liens WWW Archéologie Amérique du Sud | Argentine Bolivie Chili Colombie Équateur Pérou Généralités Mégalithisme Amérique centrale et Mésoamérique | Généralités Belize Costa Rica El Salvador Guatemala Honduras Mexico Nicaragua Panama Caraïbes
http://biant.unige.ch/~chevalie/liens.html

4. Intervenir : l'essentiel de l'intelligence économique de net
Annuaire francophone www.yahoo.fr Annuaire anglophone www.dmoz.org Métaportail www.drapo.com Moteur de recherche francophone www.voila.fr Moteur de recherche anglophone www.google.com Métamoteur de recherche francophone anglophone gratuit www.copernic
http://www.intervenir.com/outils.htm

Si le premier résultat cite uniquement Bubl Link comme un exemple de classification, les autres proposent tous une sélection d'outils de recherche jugés intéressants ; on apprend au détour des résultat que Bubl Link est aussi considéré comme un répertoire de ressources académiques concernant l'Amérique latine…

On notera que d'autres moteurs (HotBot…) offrent la fonctionnalité « link: ».

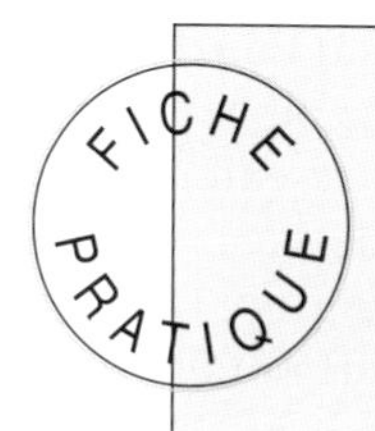

Annuaire sélectif

BUBL LINK / 5:15

bubl.ac.uk/link/

Objectifs et contenu

Réalisé par la Bibliothèque Andersonian de l'université de Strathclyde en Écosse, Bubl Link 5:15 est un répertoire de plus de 12 000 banques de données et sites de référence sur le Web ; les ressources sont sélectionnées, évaluées, cataloguées et décrites par l'équipe éditoriale et couvrent tous les domaines traités dans les universités. La validité des liens est vérifiée tous les mois, de façon automatique.

L'origine de Bubl Link remonte à 1993. Le service d'information Bubl (*Bulletin Board for Libraries*) qui existait depuis 1990, était alors le premier service du Royaume-Uni à offrir un répertoire thématique des ressources sur l'Internet. Disponible sur un site gopher, l'arborescence a été développée sur un site Web et a donné naissance à Bubl Link (Link, pour Libraries of Networked Knowledge).

L'objectif de Bubl Link 5:15 est clairement précisé dès les premières lignes de l'écran « About Bubl 5:15 » (link.bubl.ac.uk/about515.htm) : « The aim of this service is to make it very easy to locate Internet information about a large number of subjects, and to guarantee at least five relevant resources on each of these subjects. »

L'arborescence du site est donc conçue de façon à ce que la sélection finale comprenne, en moyenne, entre 5 et 15 sites (d'où le nom de Bubl Link 5:15), mais certains thèmes peuvent en rassembler jusqu'à 35. Quand le nombre de sites sur un thème devient trop important, l'équipe éditoriale supprime les sites qu'elle juge mineurs ou rajoute des sous-catégories supplémentaires pour affiner les choix.

L'écran d'accueil de Bubl Link 5:15 affiche une liste de rubriques, à l'instar des grands annuaires classiques. Les grands thèmes offerts sont : General reference ; Creative arts ; Humanities ; Langage, literature and culture ; Social sciences ; Engineering and technology ; Health studies ; Life sciences ;

Mathematics and computing ; Physical sciences. En cliquant sur l'un des thèmes, on obtient, non une liste de sous-rubriques, mais la liste alphabétique des sujets de la catégorie, souvent très détaillés (engineering research, engineering news...). Chaque sujet donne accès à une sélection de sites.

Contrairement aux annuaires généralistes, la couverture de Bubl Link est uniquement professionnelle. Les grandes catégories de départ ont été définies par le Content Working Group of the JCEI [3] et sont la synthèse d'un certain nombre de classifications. Une rubrique supplémentaire a été ajoutée : Library and Information Science qui correspond au domaine de spécialisation de Bubl Link.

Pour les sujets, les éditeurs sont partis de la classification des Library of Congress Subject Headings (LCSH). Mais ils se sont vite aperçus qu'il était difficile d'utiliser cette indexation de façon rigide. Une nouvelle terminologie a donc été définie ; elle s'inspire à la fois de la classification des LCSH et de la classification Dewey ; les sujets ont été fortement personnalisés et se développent constamment, de manière à pouvoir suivre la croissance du service. Chaque site est indexé avec un ou plusieurs sujets.

Plutôt que de partir des grandes rubriques de l'écran d'accueil, on peut aussi utiliser les différents onglets proposés, qui donnent accès à divers modes de recherche par choix successifs :

– l'onglet Dewey affiche ainsi les grandes divisions de cette classification (philosophy and psychology, religion...) ; des clics successifs permettent d'affiner les catégories, pour aboutir aux sujets et aux sites sélectionnés ;

– Subject Menu donne accès à la liste des grands sujets, dans une liste alphabétique de plus de 150 termes (accounting, acquisitions, advertising...). En cliquant sur un sujet, on affiche ses sous-classes (plus de 1 100 aujourd'hui, comme accounting : general resources, accounting : companies...), puis la liste des sites ;

– Types offre un premier classement des sites par type de ressources : bibliographies, collections d'ouvrages et de textes, guides, collections de journaux, proceedings, dictionnaires, collections de cartes... ;

– Countries offre, pour sa part, un premier classement à partir de la localisation du site ;

– A-Z permet enfin de rechercher les sites à partir d'une liste alphabétique.

En complément de ces recherches par choix successifs, il est possible de lancer une requête par mots sur les descriptions des sites.

La grille de saisie offerte sur l'écran d'accueil permet de rechercher un ou plusieurs mots, sur certains champs (titre, auteur, sujets...) ou sur l'ensemble de la description.

L'option Advanced Search, quant à elle, également accessible via l'onglet Search, offre un formulaire plus détaillé permettant d'utiliser les opérateurs AND, OR, NOT et de combiner plusieurs critères.

3. JCEI : Joint Information Systems Committee (JISC) Committee for Electronic Information (CEI) (www.jisc.ac.uk/cei/)

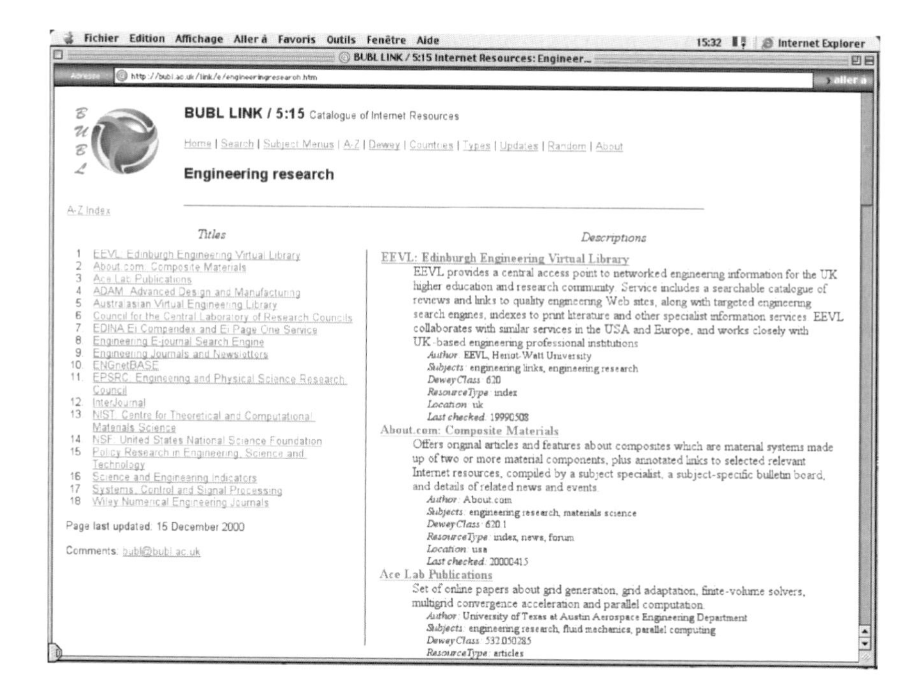

Quel que soit le mode de recherche, l'écran de résultats affiche la liste des sites sur la gauche de l'écran et, sur la droite, une description plus ou moins précise de leur contenu.

À savoir pour optimiser sa recherche

Comment bien interroger

Recherche guidée : Plusieurs possibilités de recherche par choix successifs sont proposées, avec, comme point de départ :
- les grands thèmes, puis sujets, indiqués sur l'écran d'accueil ;
- les grandes classes, puis sous-classes de la classification Dewey (onglet Dewey) ;
- une liste de 150 sujets, puis sous-classes (onglet Subject Menus) ;
- la localisation du site, dans une liste de plus de 200 pays (onglet Countries) ;
- le classement par type de ressources (onglet Types) ;
- la liste alphabétique des sites (onglet A-Z).

Recherche libre : Deux formulaires de recherche permettent de lancer une requête par mots sur l'ensemble de la base :
- la grille de saisie offerte sur l'écran d'accueil permet d'inscrire un ou plusieurs termes, en précisant si la recherche doit se faire sur le titre, l'auteur, la description ou les sujets ;

– l'option Advanced Search, également accessible via l'onglet Search, offre un formulaire plus détaillé ; ce dernier permet de saisir plusieurs mots en utilisant les opérateurs AND, OR, NOT et en combinant plusieurs critères : recherche sur nom, résumé, auteur, sujets, classification Dewey, type de site, localisation, date de mise à jour. On peut aussi lancer la recherche sur l'ensemble de la description.

Opérateurs booléens : Oui. Dans la Recherche avancée, il est possible d'utiliser les opérateurs AND, OR, NOT.

Opérateurs de proximité : Non.

Mots composés/phrase : Non.

Recherche sur champs : Oui. On peut limiter la recherche à de nombreux champs (en Recherche avancée : nom, résumé, auteur, sujets, classe Dewey, type de ressource, localisation, date de mise à jour).

Autres critères : Non.

Troncature : Oui, en utilisant le symbole ? (Recherche simple et avancée), pour la troncature à droite ou à gauche.

Ordre des mots : Une recherche avec deux termes donne les mêmes résultats quel que soit l'ordre des mots.

Caractères admis : Le logiciel interprète indifféremment les majuscules et les minuscules ; en revanche, il ne comprend pas les caractères accentués.

Présentation des résultats

Critères de classement : Par ordre alphabétique.

Format de visualisation : Pour chaque site, Bubl Link indique son nom (avec un lien), une description relativement précise du contenu, le nom de l'auteur ou de l'éditeur, les sujets, la classe Dewey, le type de ressource et sa localisation.

La date de mise à jour de la page est indiquée.

Paramétrage de l'affichage : Non.

Navigation entre les pages de réponses : Les résultats sont affichés sur une page unique.

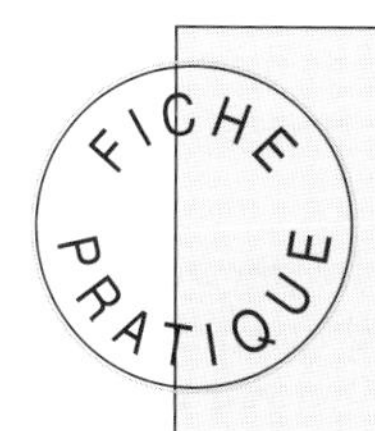

Annuaire sélectif

INFOMINE

infomine.ucr.edu

Objectifs et contenu

Née en 1994 à la Bibliothèque de l'université de Californie à Riverside, Infomine était à l'époque l'une des premières bibliothèques universitaires virtuelles ; elle offrait un système combinant les avantages de l'hypertexte et les capacités multimédias du Web aux possibilités de recherche d'une réelle banque de données.

Infomine est aujourd'hui alimentée par un réseau de plus de 20 bibliothèques californiennes (d'universités, de collèges...) et recense plus de 20 000 ressources Internet qui ont été sélectionnées, évaluées, indexées et décrites par des professionnels de l'information.

Les sites recensés couvrent tous les domaines et peuvent être de plusieurs types : banques de données, journaux électroniques, sites fédérateurs, guides, ouvrages, proceedings, listes de diffusion, articles, annuaires de chercheurs, etc.

Les ressources sont sélectionnées parmi celles qui sont susceptibles d'être les plus utiles à des universitaires, étudiants, professeurs ou chercheurs.

Les sites sont répartis dans plusieurs « collections » :

– *Electronic journals* : 2 400 journaux électroniques dans tous les domaines ;
– *Biological, agricultural and medical sciences* : plus de 4 400 ressources ;
– *Government information* : 4 200 ressources ;
– *Instructional resources : K-12* : 1 500 ressources d'enseignement couvrant les besoins des enfants, des enseignants, des parents... ;
– *Instructional resources : university* : 270 ressources sur l'impact de l'apprentissage des technologies de l'information sur les université et les collèges ;
– *Internet enabling tools* : 940 ressources pour devenir un utilisateur professionnel de l'Internet ou un webmaster ;
– *Maps and GIS* : 1 350 ressources ;
– *Physical sciences, engineering, computing and math.* : 2 800 ressources ;

– *Social sciences and humanities* : 2 400 ressources ;
– *Visual and performing arts* : 1 000 ressources.

Plusieurs possibilités de recherche sont proposées :

• Multiple Database Searching permet de faire une recherche par mots sur l'ensemble de la base, en utilisant les opérateurs AND et OR, et en limitant éventuellement la requête à certains champs du document. Il est par ailleurs possible de choisir les collections sur lesquelles doit porter la recherche.

• On peut aussi lancer une requête dans une seule des collections, choisie depuis l'écran d'accueil. Pour chacune, les mêmes choix sont proposés :

– recherche par mots sur les références, avec les mêmes possibilités que pour la recherche multibases ;
– what's new : liste annotée des ressources ajoutées dans la catégorie depuis 20 jours ;
– recherche guidée pour identifier les ressources à partir de différentes listes alphabétiques : sujets, mots-clés, titres, ou encore sujets et titres (choix Table of Contents).

Des liens sont également proposés vers des sites complémentaires (Library, Featured resources, Educational resources, Recommending search/Finding tools…).

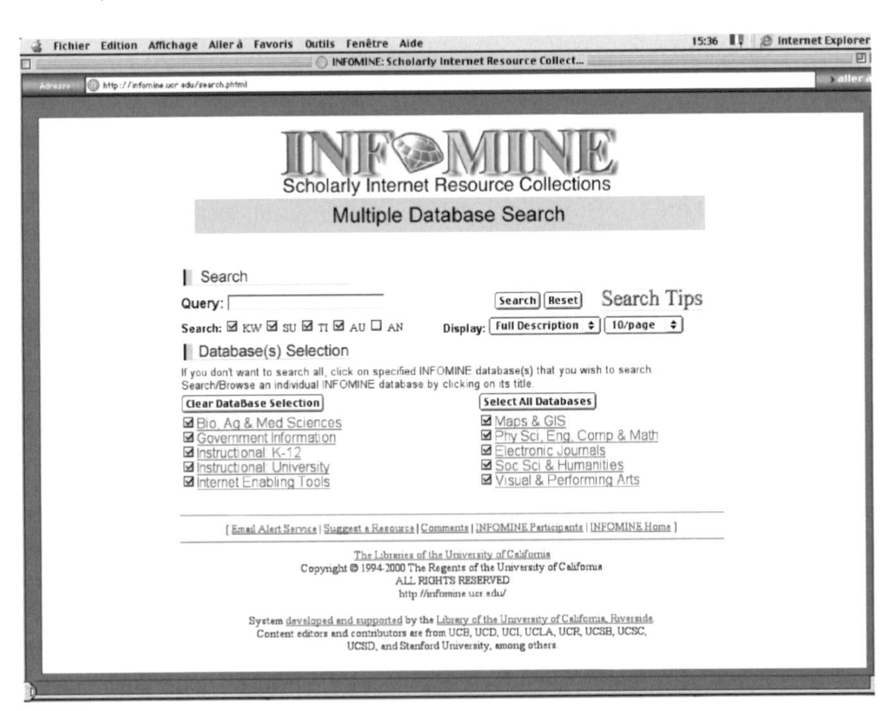

Quel que soit le mode de recherche, la liste des résultats indique, pour chaque site, son titre (avec un lien), une description relativement précise du contenu, l'URL et un lien vers « terms leading to related resources ».

En cliquant sur ce lien, on obtient une fiche donnant des informations complémentaires sur le site, comme le nom de l'auteur, les sujets et les mots-clés. Un clic sur une des informations permet d'afficher la liste des autres sites du même auteur ou concernant le même sujet.

Exemple de fiche descriptive sélectionnée avec les termes « electronic commerce » :

- *Electronic Commerce Research Laboratory: Vanderbilt University Project 2000*

Also known as « Research in Electronic Marketing: Useful Links to Academic Knowledge », REMULAK is an extensive, very useful virtual library of links to a great number of topics in its general area. these include: Measuring the Net; Online Consumer Behavior; Marketing Resources; Of More Than Academic Interest (List of Business Schools with Programs in Electronic Commerce, Jobs, Research Centers, Resource Lists); Papers and Articles.
[Terms leading to related resources]
http://ecommerce.vanderbilt.edu/eli/eli.cgi
CLICK ON TERMS TO SEARCH FOR RELATED RESOURCES

- Title: Electronic Commerce Research Laboratory: Vanderbilt University Project 2000
- Related Subjects: ELECTRONIC COMMERCE ; WEB SITES –DIRECTORIES
- Related Keywords: E-COMMERCE ; ELAB ; REMULAK ; SUBJECT GUIDES ; VIRTUAL LIBRARIES ; VIRTUAL LIBRARY
- Related Title Words: ELECTRONIC COMMERCE RESEARCH LABORATORY: VANDERBILT UNIVERSITY PROJECT 2000
- Related Authors: OWEN GRADUATE SCHOOL OF MANAGEMENT ; PROJECT 2000
- URL: http://ecommerce.vanderbilt.edu/eli/eli.cgi

À savoir pour optimiser sa recherche

Comment bien interroger

Recherche par thème : Pour chaque collection, il est possible de faire une recherche à partir de la liste alphabétique des sujets (Library of Congress Subject Headings), des mots-clés, des titres, ou encore des sujets et des titres : le choix Table of Contents affiche ainsi la liste alphabétique des sujets avec, pour chacun, la liste des titres ; en cliquant sur le titre, on accède directement au site.

Recherche libre : Elle se fait par mots sur les références ; il est possible de lancer une requête sur l'ensemble de la base, ou sur la collection de son choix.

Opérateurs booléens : Oui. Il est possible d'utiliser les opérateurs AND et OR, et les parenthèses pour préciser sa stratégie.

Opérateurs de proximité : Non.

Mots composés/phrase : Oui. Les mots doivent être tapés "entre guillemets".
Recherche sur champs : Oui. Il est possible de faire la recherche sur l'ensemble des références, ou de la limiter aux titres, aux mots-clés, aux sujets (LCSH) et/ou aux auteurs.
Autres critères : Oui. Il est possible de préciser que les documents sélectionnés doivent contenir *uniquement* le mot (ou la phrase) dans les champs sujets ou mots-clés, en tapant les termes |entre deux barres|. Ex. : |states| sélectionnera les références ayant le mot states comme mot-clé ou sujet, mais pas celles ayant le mot United States.
Troncature : Oui. Le logiciel utilise la troncature de façon implicite. Pour une recherche exacte, il faut taper le terme "entre guillemets".
Ordre des mots : Une recherche avec deux termes donne les mêmes résultats quel que soit l'ordre des mots.
Caractères admis : Le logiciel interprète indifféremment les majuscules et les minuscules. En revanche, il prend en compte de façon stricte les caractères accentués. Pour une recherche sur un mot accentué, il est donc prudent de comparer les résultats en écrivant le mot avec et sans accent(s).

Présentation des résultats

Critères de classement : Les résultats sont classés par ordre alphabétique des titres.
Format de visualisation : Format « full description » : titre (avec lien), description relativement précise du contenu, URL et « terms leading to related resources » : indication des mots-clés, subject headings et auteur, avec liens vers la liste des sites du même auteur, du même domaine…
Paramétrage de l'affichage : Oui. Au choix : 5, 10, 20, 50, 100 ou tous les résultats sur une page.
Navigation entre les pages de réponses : Oui.

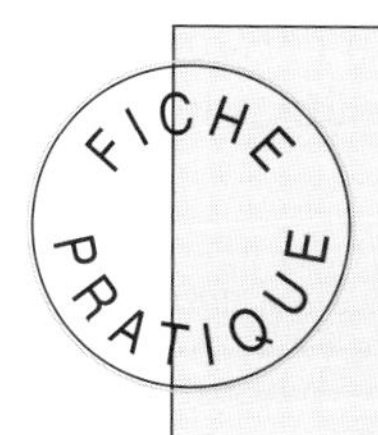

Annuaire sélectif

INVISIBLEWEB.COM

www.invisibleweb.com

Objectifs et contenu

Le catalogue InvisibleWeb.com a été lancé à grand renfort de communiqués de presse en juillet 1999, dans le cadre d'un partenariat entre la société IntelliSeek et le portail Lycos (www-english.lycos.com). Pour le consulter, il fallait alors choisir la rubrique Reference sur l'écran d'accueil de Lycos, puis la sous-rubrique Searchable Database. Réalisé par la société IntelliSeek, qui produit l'outil de recherche offline BullsEye, ce catalogue était alors le premier site à s'intéresser spécifiquement aux ressources du Web invisible.

Depuis, IntelliSeek a décidé d'exploiter elle-même ce répertoire, qui est devenu un site à part entière ; le contenu reste par ailleurs toujours accessible sur Lycos.com, mais avec des possibilités de recherche moins sophistiquées.

InvisibleWeb.com recense plus de 11 000 sites du Web invisible, en accès libre ou non. IntelliSeek espère élargir rapidement la couverture de son catalogue pour couvrir 50 % du Web invisible et identifier 100 000 ressources.

Ces ressources couvrent tous les domaines et peuvent être de plusieurs types : banques de données, journaux électroniques, listes de discussion, revues de produits, sites fédérateurs, thesaurus, répertoires d'experts...

Les sources recensées sont, comme dans un annuaire classique, réparties par rubriques et sous-rubriques. Les grandes rubriques proposées sont : Arts and Humanities ; Business ; Computers ; Directories ; Entertainment ; Education ; Finance ; Government ; Health ; Jobs ; Legal ; Living ; News ; Reference ; Science ; Sports and travel...

Après plusieurs choix successifs dans les rubriques et sous-rubriques, on obtient la liste des ressources sélectionnées avec, pour chacune, son nom et la première ligne de la description. L'option « more », à droite de chaque titre, affiche une présentation relativement complète du site, avec notamment des indications sur les possibilités de recherche et le type d'accès (libre ou abonnement).

Un lien vers le formulaire de recherche est proposé et, pour certains sites, il est même possible de lancer une requête directement depuis InvisibleWeb.com

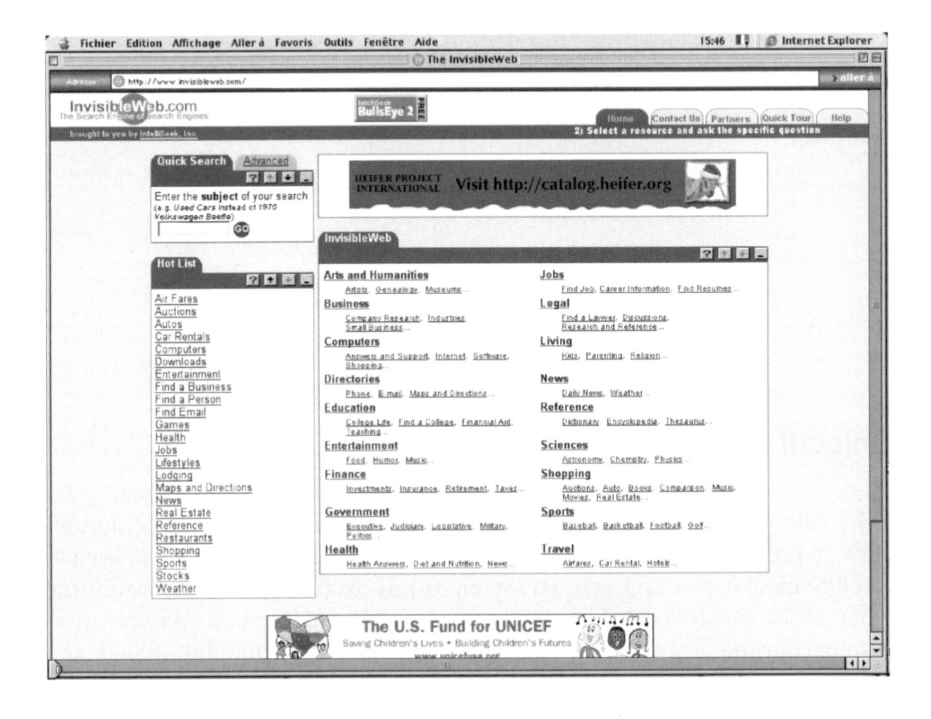

Une colonne sur la gauche de l'écran affiche d'autre part une série de thèmes, sous la rubrique Hot List.

Ces thèmes, plus précis que les grandes catégories (Air fares, Auctions, Find a business, Find a person...), correspondent en fait à une liste alphabétique des rubriques les plus populaires, de Air Fares à Yellow pages. En cliquant sur l'un de ces thèmes, on affiche une liste des banques de données les plus utilisées.

Depuis l'écran d'accueil, on peut également faire une recherche par mots sur l'ensemble des descriptions et des catégories.

Le choix Advanced permet de spécifier que la requête doit se faire avec tous les mots, un des mots, la phrase exacte, ou avec des opérateurs booléens (AND, OR, NOT).

À savoir pour optimiser sa recherche

Comment bien interroger

Recherche guidée : Elle se fait par choix successifs, en cliquant sur un des thèmes, puis sur le sous-thème choisi.

Recherche libre : Elle se fait par mots sur les descriptions des sites.
Opérateurs booléens : Oui. En mode Advanced Research, il est possible de spécifier que la requête doit se faire avec All the Words (AND) ou Any of the Words (OR), ou en utilisant les opérateurs booléens AND, OR, NOT.
Opérateurs de proximité : Non.
Mots composés/phrase : Oui. En mode Advanced Research, il est possible de spécifier que la requête doit prendre en compte « the Exact Phrase ».
Recherche sur champs : Non.
Autres critères : Non.
Troncature : Le logiciel sélectionne automatiquement les formes singuliers/pluriels d'un mot, mais il tient compte de la requête pour le classement des résultats. L'ordre des pages sélectionnées sera donc différent selon que le terme est écrit au singulier ou au pluriel. Le symbole * n'est pas reconnu par le logiciel.
Ordre des mots : Une recherche avec deux termes donne les mêmes résultats quel que soit l'ordre des mots.
Caractères admis : Le logiciel interprète indifféremment les majuscules et les minuscules, les caractères accentués ou non.

Présentation des résultats

Critères de classement : Lors d'une recherche par rubriques et sous-rubriques, les résultats sont classés par ordre alphabétique des titres. Lors d'une recherche par mots, les sites sélectionnés peuvent être classés, au choix, par pertinence ou par ordre alphabétique.
Format de visualisation : L'écran de résultat indique, pour chaque site, son nom et la première ligne de la description. En cliquant sur l'option « more », on affiche une présentation plus détaillée. Un lien est généralement proposé vers le formulaire de recherche du site. Pour certains sites, une zone de saisie permet de lancer la requête depuis InvisibleWeb.com.
Paramétrage de l'affichage : Non.
Navigation entre les pages de réponses : Non. Uniquement page immédiatement antérieure ou postérieure.

Objectifs et contenu

Librarians' Index to the Internet (LII) est un répertoire qui recense et décrit plus de 7 100 ressources Internet (banques de données, sites fédérateurs, listes de diffusion…), sélectionnées et évaluées par des professionnels de l'information.

Créé en 1990, ce répertoire était à l'origine le bookmark de la bibliothécaire Carole Leita, qui gère toujours le site. Hébergé en 1993 sur le serveur Web de la Berkeley Public Library, il a été baptisé Berkeley Public Library Index to the Internet.

Il a migré en 1997 sur le serveur de Berkeley Digital Library SunSite et est devenu le Librarians' Index to the Internet.

LII est alimenté par un réseau d'une centaine de bibliothèques en Californie.

Les ressources sont choisies parmi celles qui peuvent être les plus utiles dans une bibliothèque publique et sont sélectionnées en fonction de critères comme le contenu, la notoriété de l'auteur, la couverture, la convivialité…

Tous les domaines sont couverts. La mise à jour est hebdomadaire.

Carole Leita offre par ailleurs la possibilité de recevoir gratuitement, par e-mail, la lettre hebdomadaire *LII New This Week*, qui présente les vingt ressources les plus intéressantes ajoutées dans la semaine à LII.

L'écran d'accueil de LII affiche la liste des 42 thèmes que couvre le répertoire : Arts ; Automobiles ; Business ; California ; Internet information (Filtering ; Evaluation…) ; Law ; Libraries ; Religion ; Searching the Internet ; Seniors ; Surfing the Internet ; etc. En cliquant sur un thème, on affiche la liste des sous-thèmes puis celle des résultats.

Les sites sélectionnés sont classés par type de ressources (databases, specific resources, directories…) puis, dans chaque catégorie, par ordre alphabétique.

Pour chaque site, sont donnés son nom (avec un lien pointant vers le site), son URL, une description relativement détaillée, ainsi que les sujets couverts. Ceux-ci correspondent à peu près aux Library of Congress Subject Headings (LCSH).

Chaque description est accompagnée de deux initiales, qui permettent de connaître le nom et la fonction du rédacteur de la référence.

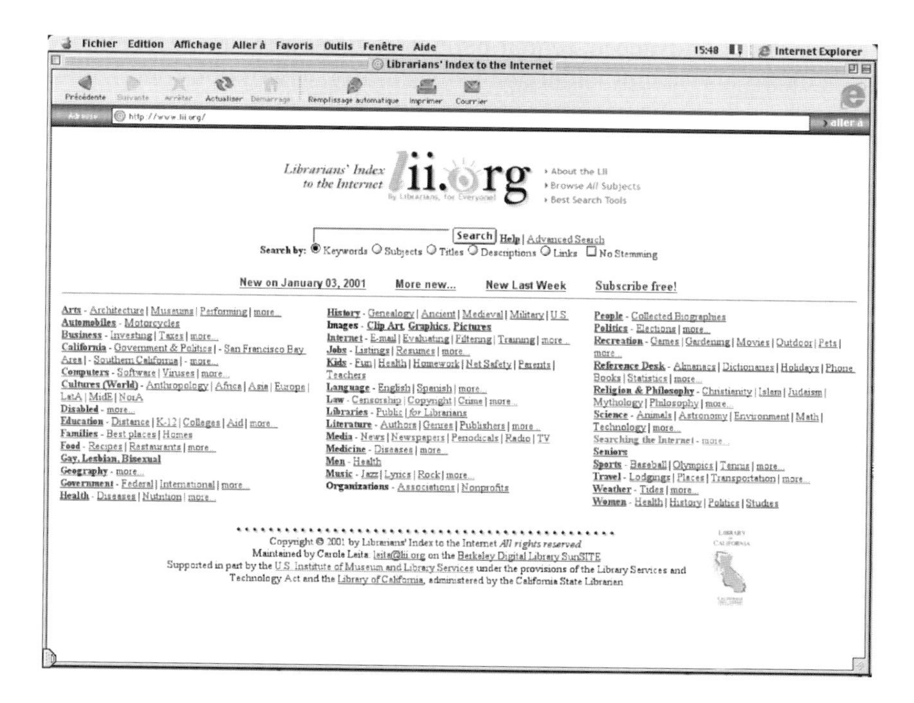

Il est d'autre part possible d'effectuer une recherche par mots sur l'ensemble des descriptions, en utilisant les opérateurs AND, OR, NOT et en indiquant le champ sur lequel doit porter la requête. L'option Advanced Search permet de combiner une recherche sur de nombreux champs, en se limitant éventuellement à certains types de documents (best of, directories, databases, specific resources).

La recherche peut enfin se faire à partir de la liste des sujets, que l'on peut visualiser en cliquant sur le choix *Browse list of subjects used* proposé sur l'écran d'accueil.

À savoir pour optimiser sa recherche

Comment bien interroger

Recherche guidée : Par arborescence, en cliquant sur le thème, puis le sous-thème choisi.

Recherche libre : Elle se fait par mots, sur les descriptions des sites.

Opérateurs booléens : Oui. Il est possible d'utiliser les opérateurs AND, OR, NOT.

Opérateurs de proximité : Non.

Mots composés/phrase : Oui. Les mots doivent être tapés "entre guillemets".

Recherche sur champs : Oui. La recherche peut se faire sur l'intégralité des références, ou être limitée aux sujets, titres, descriptions ou liens.

L'option Advanced Search permet de combiner une recherche sur différents champs : nom de l'auteur (~au:), description (~de:), mots-clés (~kw:), liens (~li:), sujets (~su:), titre (~ti:), nom de l'éditeur (~pu:), URL (~tu:).

Il ne doit pas y avoir d'espace entre le symbole et le mot. L'opérateur par défaut est AND. Ex.: ~ti:(internet law) ~de:library.

En complément de cette recherche par champs, il est possible de limiter la sélection à certains types de documents : best of, directories, databases, specific resources.

Autres critères : Non.

Troncature : Oui. En utilisant le symbole * après les premières lettres du mot.

Ordre des mots : Une recherche avec deux termes donne les mêmes résultats quel que soit l'ordre des mots.

Caractères admis : Le logiciel interprète indifféremment les majuscules et les minuscules. En revanche, il prend en compte de façon stricte les caractères accentués. Pour une recherche sur un mot accentué, il est donc prudent de comparer les résultats en écrivant le mot avec et sans accents.

Présentation des résultats

Critères de classement : Les résultats sont classés par type de sites (*directories, databases, specific resources…*) puis, à l'intérieur d'une catégorie, par ordre alphabétique.

Format de visualisation : Format unique : pour chaque site, sont donnés son nom (avec un lien pointant vers le site), son URL, une description relativement détaillée, ainsi que les sujets couverts ; ils correspondent, à peu près, aux Library of Congress Subject Headings. En cliquant sur l'un des sujets, on affiche la liste des autres sites qu'il indexe. Par ailleurs, le lien *Results by Subjects* proposé sur l'écran de résultats affiche la liste des sujets qui indexent les résultats sélectionnés.

Les initiales du nom du rédacteur de la fiche sont également indiquées ; elles permettent de connaître le nom, la fonction et la société de chaque contributeur.

Paramétrage de l'affichage : Non.

Navigation entre les pages de réponses : Les résultats sont affichés sur une page unique.

Objectifs et contenu

The Scout Report est une publication hebdomadaire de The Internet Scout Project. Éditée depuis 1994, elle décrit les ressources Internet (sites, listes de discussion…) jugées les plus intéressantes par l'équipe éditoriale, composée de bibliothécaires, d'enseignants et de chercheurs. Chaque description donne des informations critiques sur le contenu du site, la notoriété de l'auteur, la mise à jour, la présentation, l'accessibilité, les coûts…

En complément de *The Scout Report*, qui sélectionne les ressources d'intérêt général, il existe des éditions spécialisées de la publication : *The Scout Report for Science and Engineering ; The Scout Report for Social Sciences ; The Scout Report for Business and Economics.*

Il est possible de recevoir chaque semaine *The Scout Report* par e-mail, en s'inscrivant sur le site (http://scout.cs.wisc.edu/misc/lists/) ou en envoyant un e-mail à l'adresse listserv@cs.wisc.edu avec, dans le corps du message, la mention « subscribe SCOUT-REPORT-html ».

De 1996 à 2000, les archives de ces publications étaient offertes sur le site Scout Report Signpost, développé dans le cadre d'un projet de recherche ; son principal objectif était de démontrer que les ressources Internet pouvaient être cataloguées et indexées en utilisant les classifications qui existent, telles que les Library of Congress Subject Headings (LCSH). Ce site était accessible, jusqu'à la fin de l'année 2000, à l'adresse www.signpost.org/signpost/.

Les enseignements tirés de ce projet de recherche ont été appliqués à la base Scout Report Archives. Certaines caractéristiques du site original ont été conservées, comme la consultation depuis la classification LCSH et de nouvelles possibilités ont été ajoutées.

The Scout Report Archives propose aujourd'hui l'ensemble des fiches descriptives parues dans les éditions générale et spécialisées de *The Scout*

Report depuis 1996, soit les descriptions de plus de 10 500 sites et listes de discussion. Les ressources recensées sont, pour la plupart, en accès libre et gratuit. Les descriptions et URLs sont régulièrement vérifiées.

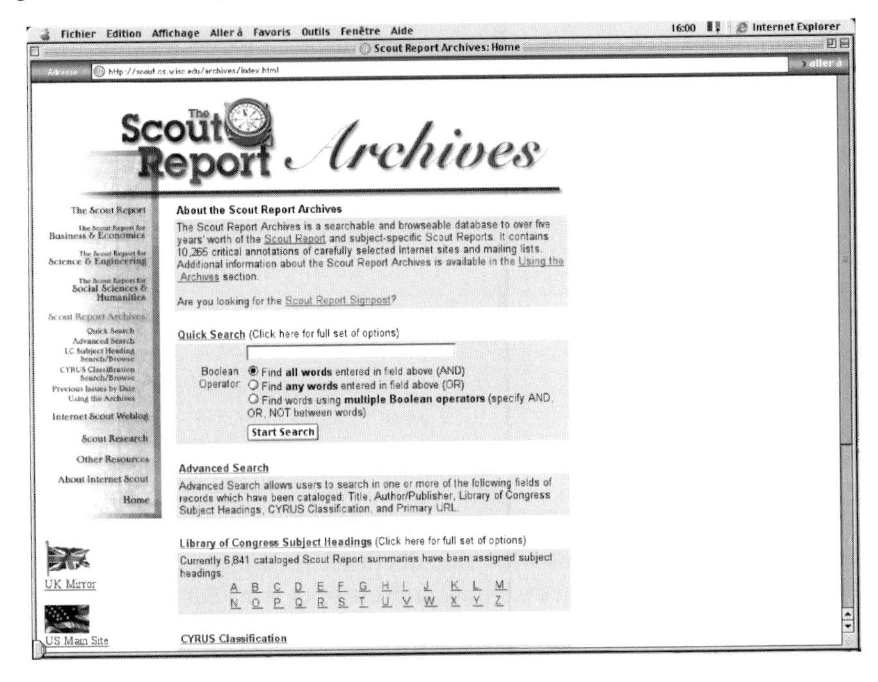

Plusieurs possibilités de recherche sont proposées :

• **Quick Search** permet une recherche par mots sur les titres et les résumés de toutes les descriptions de sites. Les champs spécifiques des fiches (auteur, éditeur…) ne sont pas cherchables.

Le logiciel sélectionne automatiquement les références dans lesquelles apparaissent les termes indiqués, puis les approximations, incluant les pluriels et les mots ayant la même racine. Ainsi, une requête sur le terme « labor » sélectionnera les occurrences des mots labor, labors, laboring, mais aussi laboratory. Il est impossible pour l'instant de faire une recherche sur un terme ou une expression « à l'identique ».

Les résultats peuvent être classés par pertinence, date de publication dans *The Scout Report* ou ordre alphabétique.

Pour chaque ressource sont indiqués, au choix, le titre uniquement ou le titre et le résumé. En cliquant sur le titre, on affiche la description complète du site.

• **Advanced Search** permet de limiter la requête à certains champs des fiches descriptives : titre, auteur/éditeur, Library of Congress Subject Headings, classification Cyrus, URL.

• **Library of Congress Subject Headings Browse and Search** permet d'identifier des ressources à partir des subject headings de la Library of Congress ; la recherche peut se faire par mots ou depuis la liste alphabétique des LCSH.

• **Cyrus Classification Browse and Search** enfin, permet une sélection à partir des grandes catégories proposées par la classification Cyrus (Classify Your Resources Using Scout Classification), développée par Internet Scout Project : Anthropology ; Business and Economics ; Demography and Population Study ; Journalism and Communications ; Reference ; Agriculture and Food Science ; Internet ; Computing and Information Technology ; Engineering...

La recherche peut se faire par mots ou par choix successifs.

Pour chaque ressource, une fiche descriptive est proposée avec son nom, son URL, un résumé détaillé du contenu, les dates de rédaction de la fiche et de validation de l'URL, les classifications LCSH et Cyrus, le nom de l'auteur/éditeur...

On trouvera ci-après un exemple de fiche obtenue dans The Scout Report Archives, répondant à la question « electronic commerce » en mode Quick Search.

The Electronic Commerce Guide
Appeared in the *Scout Report for Business and Economics* on: March 26, 1998
The Electronic Commerce Guide
http://ecommerce.internet.com/
The Electronic Commerce Guide web site is provided by Mecklermedia, a publisher of Internet-related magazines. The site features news, articles and web links related to electronic commerce on the World Wide Web. In the library section, visitors can find links to articles on Advertising and Marketing, Electronic Money, Electronic Payment Systems, and Smart Cards from various online sources. The site also contains a database of companies providing electronic commerce services and list of Internet links arranged by category.

Author:	no information available
Publisher:	Mecklermedia Corp.
Subject Headings:	Electronic commerce -- Computer network resources -- Directories Internet marketing
CYRUS Classification:	Business and Economics: Business: Commerce: Electronic Commerce
Date URL last verified:	2/28/2000
Catalog data updated:	9/25/98
Additional information	(not available for all resources):
Contributor:	Sponsored by IBM Software e-business
LC Classification:	HF
Language:	English
Resource Location:	Commercial
Resource Type:	Document

À savoir pour optimiser sa recherche

Comment bien interroger

Recherche guidée : Deux possibilités de recherche par choix successifs sont proposées :
- à partir de la liste alphabétique des subject headings (LCSH) ;
- à partir des grandes rubriques de la classification Cyrus.

Recherche libre : Plusieurs possibilités de recherche par mots sont offertes :
- Quick Search porte sur le titre et le résumé de tous les sites référencés (plus de 10 500). La recherche se fait automatiquement sur le mot indiqué, puis sur ses approximations (pluriels, mots ayant la même racine).
- Advanced Search permet de limiter la requête à certains champs des fiches descriptives.
- On peut aussi faire une recherche par mots sur les classifications Cyrus ou LCSH.

Opérateurs booléens : Oui. En mode Quick Search, il est possible de préciser que la requête doit prendre en compte tous les mots (AND) ou un des mots (OR) ; l'option Multiple Boolean operators permet d'utiliser les opérateurs AND, OR, NOT, et les parenthèses pour préciser sa stratégie. En mode Advanced Search, on doit indiquer si la recherche doit porter sur « all words » (AND) ou sur « any words » (OR).

Opérateurs de proximité : Non.

Mots composés/phrase : Non. Il est impossible de rechercher une expression à l'identique.

Recherche sur champs : Oui. En mode Advanced Search, un formulaire permet de lancer une requête par mots sur le titre, le nom de l'auteur/éditeur, les classifications Cyrus ou LCSH et l'URL.

Autres critères : Non.

Troncature : Oui. Le logiciel utilise la troncature de façon implicite.

Ordre des mots : Une recherche avec deux termes donne les mêmes résultats quel que soit l'ordre des mots.

Caractères admis : Le logiciel interprète indifféremment les majuscules et les minuscules, les caractères accentués ou non.

Présentation des résultats

Critères de classement : En mode Quick Search, les sites sélectionnés sont classés par défaut par pertinence, on peut choisir également un classement par date de publication dans *The Scout Report* ou par ordre alphabétique des titres. En mode Advanced Search, il est possible de trier les documents par ordre alphabétique des titres ou date de mise à jour.

Format de visualisation : En mode Quick Search, la liste des résultats indique, pour chaque site, son score (symbolisé par des étoiles), son titre et un résumé du contenu. En cliquant sur le titre, on obtient la fiche descriptive du site.

Paramétrage de l'affichage : Oui. En mode Advanced Search uniquement.

Navigation entre les pages de réponses : Non. Uniquement page immédiatement antérieure ou postérieure.

Objectifs et contenu

Proposé sur le site de la Bibliothèque nationale de France, le module *Les Signets* offre une sélection d'environ 2 000 ressources accessibles sur l'Internet, choisies par les bibliothécaires de la BNF pour leur qualité et leur utilité ; sont sélectionnées principalement les ressources utiles au public de l'université et de la recherche.

Ces ressources sont majoritairement disponibles sur le Web, mais peuvent aussi aussi comprendre des listes de discussion, des services Telnet... La couverture est internationale. Les sites entièrement payants ne sont pas retenus.

Plusieurs possibilités de consultation sont offertes.

• **La liste alphabétique des thèmes couverts** : l'écran d'accueil affiche, sur la gauche, un pavé alphabétique permettant d'accéder à la liste des thèmes traités, à partir de la lettre de son choix.

Les sujets abordent tous les domaines, de l'agronomie à l'architecture, en passant par la démographie, les dictionnaires biographiques, les entreprises, l'informatique... En cliquant sur l'un des thèmes, on affiche sur une page les descriptions des sites sélectionnés, classés selon leur nombre dans des rubriques et sous-rubriques.

En complément de ces sites de référence, un lien « Fenêtre sur... » est quelquefois ajouté. Il affiche d'autres pages qui peuvent compléter les pages Références, en fonction des besoins propres à chaque domaine thématique.

• **La section Catalogues de bibliothèques** regroupe par commodité une sélection de catalogues, parmi les plus consultés : BNF, bibliothèques parisiennes, nationales, universitaires, publiques françaises, catalogues collectifs français et étrangers... Des catalogues de bibliothèques spécialisées sont aussi signalés dans d'autres pages thématiques.

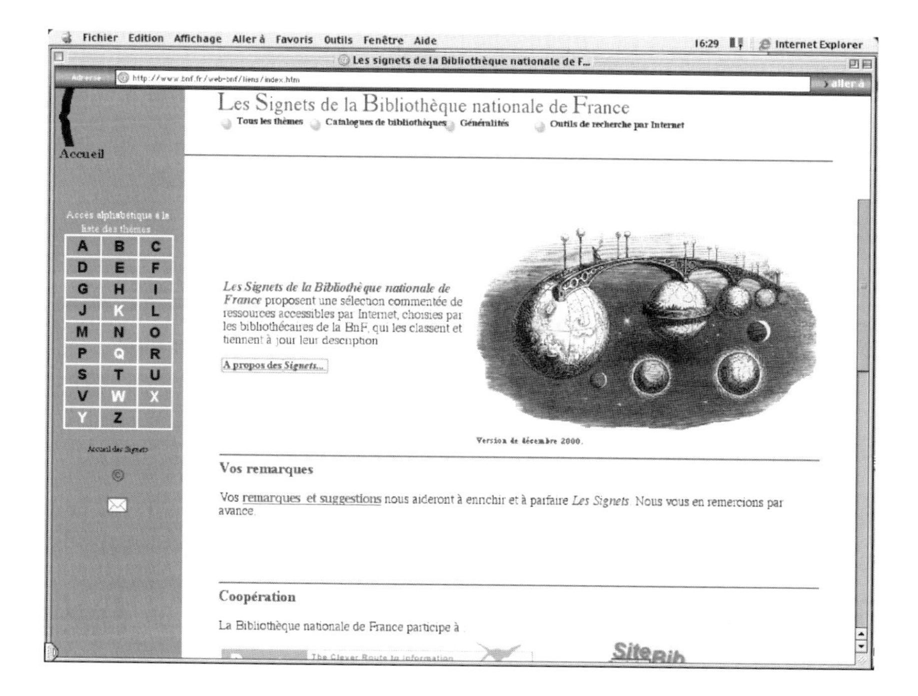

• **La section Généralités** présente des outils de référence généralistes ne s'appliquant pas à un domaine particulier, et qui complètent utilement les classiques moteurs et annuaires. Sont recensés, en particulier, des répertoires d'adresses (administration française et internationale, éditeurs, organismes de recherche...), des outils de référence (biographies, dictionnaires et encyclopédies, recueils de données), des sources de presse (journaux et revues en ligne, références d'articles...), des bases de données et des collections de textes en ligne.

• **La section Outils de recherche par Internet** regroupe des outils de recherche généralistes sélectionnés parmi les plus utiles. On y trouve, notamment, des répertoires de sites Web (multilingues, francophones ou sélectifs), des moteurs et métamoteurs, les outils pour la recherche de personnes, sur les forums et listes de discussion, des guides méthodologiques, des agents pour la veille, des utilitaires... Une page Nouveautés aide à suivre l'évolution rapide de ces outils.

• **Une recherche libre** par mots sur l'ensemble de la base est possible, avec le moteur de la BNF. Il faut pour cela aller sur la page Outils de recherche sur le Web de la Bibliothèque nationale de France (www.bnf.fr/web-bnf/outils/RECH.html), limiter le champ de la recherche aux Signets de la BNF (dans un menu déroulant), puis saisir les termes de sa requête.

Des solutions de recherche plus commodes sont à l'étude.

Quel que soit le mode de recherche, la liste des ressources sélectionnées donne, pour chacune, son nom (avec un lien pointant vers le site), une description du contenu précise et critique et l'URL. L'icône Nouveau signale les ressources ajoutées lors de la dernière mise à jour.

Chacune des pages est en principe revue au moins tous les deux mois. La date de la dernière mise à jour est indiquée en bas de chaque page.

À savoir pour optimiser sa recherche

Comment bien interroger

Recherche guidée : La recherche peut se faire à partir de la liste alphabétique des thèmes traités, ou par rubriques dans l'une des grandes sections Catalogues de bibliothèques, Généralités ou Outils de recherche par Internet.

Recherche libre : Elle se fait par mots sur l'ensemble de la base (www.bnf.fr/web-bnf/outils/RECH.html).

Opérateurs booléens : Oui. Une recherche sur deux termes doit se faire impérativement en utilisant les opérateurs ET ou OU, sans quoi le logiciel lance la requête sur l'expression.

Opérateurs de proximité : Non.

Mots composés/phrase : Oui. Il suffit de saisir deux termes côte à côte. Ils sont automatiquement recherchés comme une expression.

Recherche sur champs : Non.

Autres critères : Non.

Troncature : Oui. Le logiciel utilise la troncature de façon implicite.

Caractères admis : Le logiciel interprète indifféremment les majuscules et les minuscules ; en revanche, il ne comprend pas les caractères accentués.

Présentation des résultats

Critères de classement : Lors d'une recherche par mots, les résultats sont classés par ordre alphabétique. Lors d'une consultation par rubriques, les sites sont le plus souvent répartis dans des sous-rubriques, puis classés par ordre alphabétique.

Format de visualisation : Lors d'une recherche par mots, la liste des résultats donne les titres des pages sélectionnées (chacune présentant plusieurs sites), avec les premières lignes, l'URL, la taille et la date de mise à jour. Chaque site est décrit de façon détaillée avec son nom, une description du contenu précise et critique, et l'URL.

Paramétrage de l'affichage : Non.

Navigation entre les pages de réponses : Les résultats sont affichés sur une page unique.

Outils de recherche thématiques : des sites fédérateurs aux « vortails »

Les annuaires et moteurs généralistes couvrent tous les domaines, grand public comme professionnels.

Les annuaires sélectifs tentent pour la plupart de répondre à toutes les questions que peuvent se poser enseignants et étudiants et concernent l'ensemble des matières universitaires.

Il était donc logique que d'autres outils se développent avec une politique inverse : offrir toute une gamme d'informations et de services sur un secteur particulier.

Outils thématiques : une approche verticale

L'approche verticale de certains outils de recherche n'est pas un phénomène nouveau, loin s'en faut. Dès le début de l'Internet, on a vu apparaître un certain nombre de sites fédérateurs, proposés le plus souvent par des experts dans leurs domaines ou des passionnés d'un sujet, mettant à la disposition de tous des listes de liens concernant un thème précis.

Les sites fédérateurs

Les sites fédérateurs sont souvent créés dans l'optique qui a prévalu à la naissance de l'Internet : partager ses connaissances avec la communauté des netsurfers.

Ils peuvent être réalisés par des professionnels de l'information, des experts dans leur domaine, des organismes à but non lucratif ou encore des passionnés d'un sujet et sont l'exemple-type des bonnes surprises que peuvent réserver les pages personnelles.

Si certains constituent une rubrique d'un site plus important, site associatif ou universitaire par exemple, beaucoup sont lancés par des internautes qui souhaitent tout simplement mettre à disposition les résultats de leurs recherches ou de leur expérience.

Ces sites offrent souvent, c'est leur qualité première, des informations validées par un expert du domaine ou, tout au moins, un recensement, qui peut être important, de ressources concernant un sujet particulier.

Ils se présentent fréquemment sous la forme d'une collection de liens, avec une description succincte de chaque site. Ils peuvent ainsi constituer de gigantesques signets sur un thème.

Les ressources sélectionnées sont souvent diversifiées et l'on peut trouver dans le recensement des banques de données du Web invisible, comme des sous-ensembles de sites Web, difficilement identifiables avec les annuaires classiques.

Les sites fédérateurs ont toutefois leurs limites. Beaucoup en effet ne fournissent aucune information sur le contenu des sites sélectionnés et se contentent de les répertorier à l'intérieur de grandes rubriques. Il est fréquent que les URLs des sites ne soient pas indiquées, ce qui nécessite un fastidieux travail si l'on souhaite ultérieurement exploiter les résultats [1].

Les possibilités de recherche sont souvent très limitées ; de nombreux sites fédérateurs affichent la totalité des liens sur une page unique et les temps de chargement de cette page peuvent être importants. Enfin, les sites fédérateurs qui sont le résultat d'initiatives personnelles disposent rarement de système de vérification des liens. Il en résulte un pourcentage quelquefois non négligeable de liens « morts ».

Malgré ces limites, les sites fédérateurs peuvent rendre des services inestimables.

Search Engine Colossus *(www.searchenginecolossus.com)*

Search Engine Colossus est un site réalisé par Brian Strome, un internaute passionné qui a décidé d'identifier tous les outils de recherche concernant plus spécialement un pays ou une région géographique.

Son site recense aujourd'hui plus de 800 annuaires et moteurs, classés par pays.

L'écran d'accueil donne accès à la liste alphabétique des 120 pays couverts (de la Bosnie à l'Afrique du Sud, en passant par le Honduras, Panama ou la Papouasie Nouvelle-Guinée !), ainsi qu'à 17 rubriques thématiques (Academic, Business, Law and Order, Medical...). Chaque catégorie, pays ou thème, affiche la liste des outils qui lui sont dédiés ; leur nombre peut être très variable.

1. Lorsque l'URL d'un site n'est pas indiquée, il est possible de la connaître en pointant le curseur de sa souris sur le lien hypertexte (qui correspond le plus souvent au nom du site), sans cliquer. L'URL s'affiche alors dans le bas de l'écran. Si l'on souhaite garder une trace écrite d'une liste de liens, il faut pour chaque site répéter l'opération et noter son URL.

Chaque outil est représenté par son logo, qui permet d'accéder directement à l'écran de recherche du moteur ou de l'annuaire ; lorsqu'il existe plusieurs versions d'un outil, en anglais et dans la langue nationale par exemple, des liens sont proposés pour chaque version.

La langue ou les langues utilisées sur le site sont précisées (c'est fort utile !) ; une courte description est ensuite donnée en une ou deux lignes ; la ville d'origine du moteur est indiquée entre parenthèses.

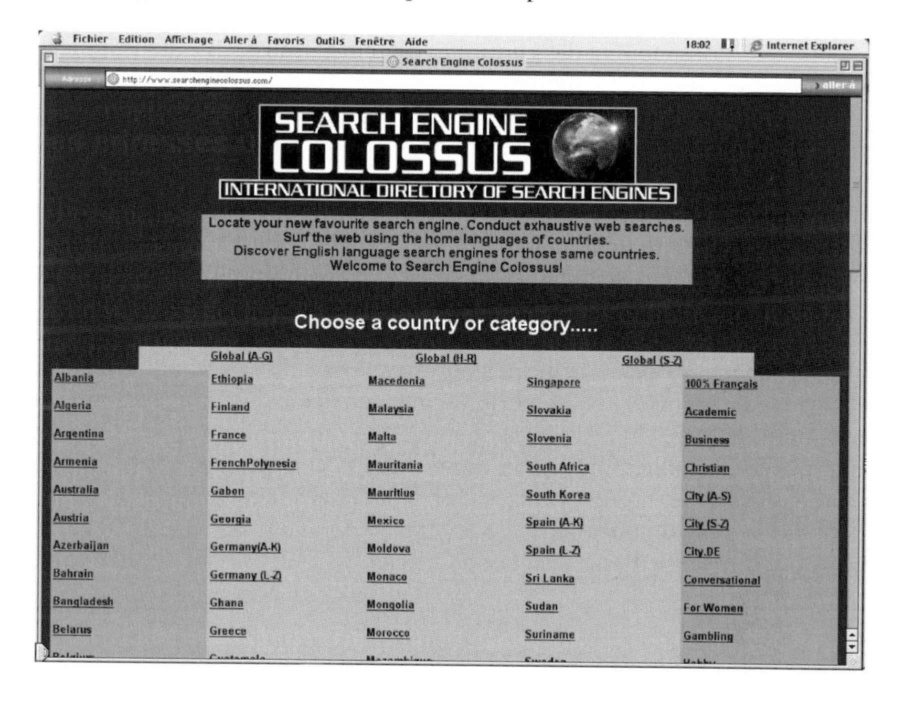

On notera que Search Engine Colossus cherche à être aussi exhaustif que possible. Pour la France par exemple, il répertorie 35 outils, dont Site Cantal (annuaire du Cantal !), Paris-Web, ou Click'in (Massif central)...

Cet annuaire permet de retrouver facilement des outils dédiés à certaines régions ou certains pays, peu ou mal couverts par les moteurs et annuaires internationaux. En effet, des outils comme AltaVista.com ou Yahoo.com ne couvrent pas le monde entier de façon homogène : les États-Unis sont privilégiés, puis les pays de langue anglaise.

Par conséquent, si l'on recherche par exemple le site d'une entreprise en Roumanie ou au Panama, les probabilités que ce site soit indexé par les grands annuaires seront fonction de la taille du site (et donc, souvent, de celle de l'entreprise) et de sa popularité (du nombre de liens qui pointent vers lui).

Autrement dit, le site d'une petite entreprise roumaine spécialisée dans le domaine de la veille, aura plus de chance d'être présent dans un annuaire roumain – qui aura pour objectif de recenser tous les sites de son pays – que d'être répertorié dans Yahoo.com.

C'est pour identifier ces outils nationaux que Search Engine Colossus prend toute sa valeur.

PresseWeb *(www.presseweb.ch)*

PresseWeb offre un recensement de plus de 8 000 titres de presse du monde entier, disponibles sur le Web. Réalisée par Gérald Verdon, la base constituait à l'origine une des rubriques du journal suisse *Webdo* et tous les titres recensés figuraient sur une même page. Avec le développement de l'offre, PresseWeb a été victime de son succès ; les connexions étaient nombreuses et les temps d'affichage tellement longs qu'un message d'excuse était présenté en page d'accueil. La rubrique a donc pris son indépendance ; si elle est toujours hébergée par Webdo, c'est désormais un site à part entière, avec un nom de domaine propre.

La recherche peut se faire par choix successifs (continent > pays > liste alphabétique des titres), ou directement par titre, lieu (ville, région, pays), URL ou numéro ISSN. PresseWeb indique, pour chaque média, son titre, la ville, la langue, la périodicité et l'adresse e-mail. Un symbole spécifique signale les sites nouveaux ou modifiés, ainsi que ceux jugés les plus intéressants par l'éditeur. On regrettera, mais c'est là une des limites de ce type de site, qu'aucune indication ne soit donnée sur le contenu des titres. Or tous n'ont pas le même intérêt : certains donnent accès à leurs archives et constituent des sources d'information de premier ordre, alors que d'autres se limitent à offrir le texte d'une sélection d'articles du jour.

Il est intéressant de noter que de nombreux sites fédérateurs couvrent le domaine de la presse [2].

La société australienne Web Wombat par exemple réalise **Online Newspapers.com** (www.onlinenewspapers.com), qui recense plus de 10 000 journaux du monde entier accessibles sur le Web.

Si l'on compare Online Newspaper.com et PresseWeb, ce dernier a toutefois comme atout, pour les netsurfers européens du moins, d'être réalisé par une entreprise suisse ; sa couverture de l'Europe est donc bien meilleure.

Strategic Road (www.strategic-road.com)

Réalisé par la société française Maya Concept, Strategic Road est un site fédérateur consacré à l'intelligence économique et stratégique. Il offre ainsi des liens vers plus de 40 000 ressources classées dans diverses rubriques et sous-rubriques.

La page d'accueil affiche, dans une colonne sur la droite, les grands thèmes couverts par le site : Actualité ; Économie ; Finance ; Géopolitique ; Industrie ; Institutions ; Intelligence ; Internet ; Juridique ; Management ; Opportunités ; Pratique ; Recherche. La partie centrale de l'écran reprend plusieurs de ces thèmes en les développant avec, selon l'actualité, des liens vers des dossiers, des articles, etc.

En cliquant sur un thème, on affiche une liste de sous-thèmes, souvent plus précis que ceux des annuaires généralistes. « Management » par exemple propose les sous-rubriques Achats et logistique ; Alliances et fusions ; Benchmarking ; E-Commerce ; Éthique des affaires ; Gestion de crise ; Gestion de projets ; Management des connaissances ; Management stratégique ; Marketing et communication ; Relation client ; Ressources humaines ; Systèmes complexes ; Systèmes d'information.

Pour chaque catégorie, Strategic Road propose des liens vers :

– une sélection de sites d'intérêt, le cas échéant classés par type : portails et sites essentiels, sites sectoriels, journaux et publications, événements… Une liste de mots-clés permet d'étendre la recherche ;

– des articles, documents, rapports et *white papers* sur le sujet.

La rubrique Géopolitique pour sa part offre, pour chaque pays du monde, une sélection de sites concernant l'actualité, l'économie, les institutions, le contexte juridique, les opportunités d'affaires…

---

2. Il suffit, pour s'en convaincre, de consulter un annuaire comme Yahoo!.

Les rubriques et sous-rubriques Home > News and Media > Newspapers > Web Directories permettent d'obtenir une liste de 21 sites offrant un recensement de titres de presse, dont quatre ont la mention « Most Popular Sites »

• AJR NewsLink: Newspapers – from the American Journalism Review.

• Internet Public Library: Online Newspapers – international links browsable and searchable by title and geographic location.

• Paperboy, The – searchable directory of newspapers from around the world.

• Newspapers Online – links to local, state-wide, university, business, religious, nation-wide, trade journals, and industry newspapers.

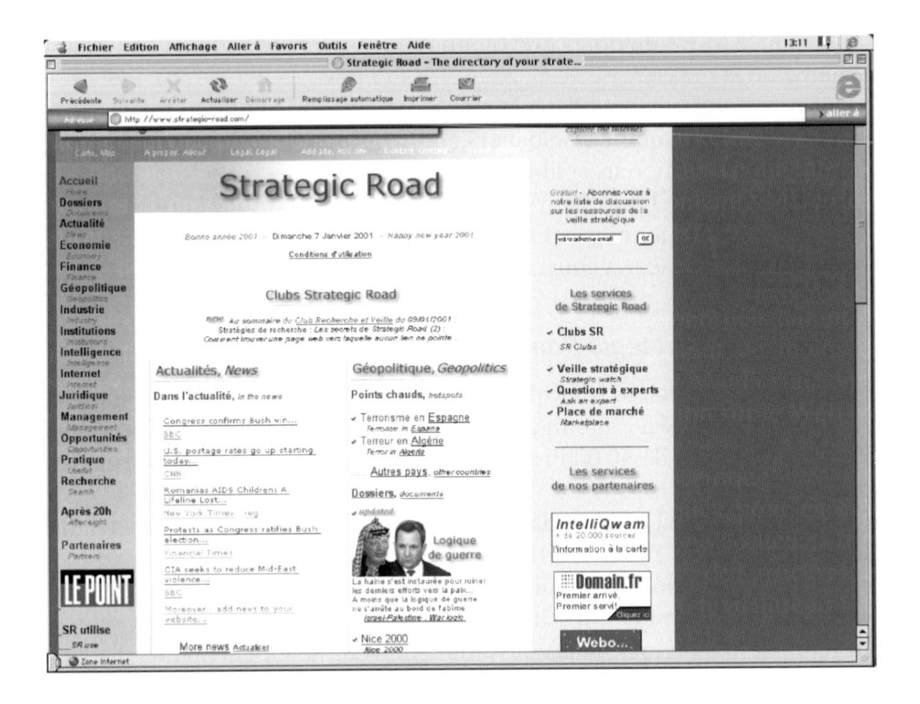

En plus de cette partie Annuaire, Strategic Road propose plusieurs dossiers thématiques, offrant des listes de liens sur des sujets d'actualité : « Qui gouverne Internet ? », « Israël-Palestine : logique de guerre » ; « Nice 2000 » ; « Net-Diffamation »...

Jérôme « #1 » Rabenou *(www.rabenou.org)*

Conçue par un étudiant en droit, passionné par le droit et les nouvelles technologies de l'information et de la communication, la page de Jérôme Rabenou a été lancée en 1995 alors que les ressources juridiques françaises sur le Net étaient pratiquement inexistantes ; elle est devenue une porte d'entrée sur le droit français et international.

Elle propose aujourd'hui des liens vers :

– des codes : Code civil, Code pénal, Code de la route, Code de commerce, Code de procédure pénale, Code des débits de boisson, Code de déontologie médicale, Code de la consommation, Code de l'organisation judiciaire, Code de santé publique (Ordre Médecins), Code de la propriété intellectuelle, Code des postes et télécommunications ;

– des textes juridiques : textes internationaux (Déclaration des droits de l'homme, Conventions internationales...), mémoires et articles, textes de loi, décrets, règlements, circulaires, statuts-types... ;

– des ressources diverses : adresses utiles, locutions et citations, associations... ;

– des ressources Internet : de très nombreux liens sont offerts vers des sites juridiques, des groupes de discussion, des listes de diffusion, des journaux électroniques.

Direct Search *(gwis2.circ.gwu.edu/~gprice/direct.htm)*

Réalisée par Gary Price, de l'université Georges Washington aux États-Unis, Direct Search est une liste impressionnante de plus de 1 000 liens vers des ressources du Web invisible, généralement non indexées par les moteurs de recherche classiques.

Les sites sont regroupés par grandes catégories : archives et catalogues de bibliothèques, ouvrages en texte intégral, sites gouvernementaux, sciences humaines, sources d'actualités, sciences sociales, bibliographies, business et économie, droit, références et sciences.

À l'intérieur d'une catégorie, les sites sont classés par thèmes (commerce extérieur, finances, études de marché, catalogues de produits...). Pour chaque site cependant, les informations sont très succinctes ; elles se limitent à son nom, avec un lien vers le site et, dans le meilleur des cas, une ligne de commentaire.

*

* *

L'intérêt des sites fédérateurs est évident : ils rassemblent sur quelques pages un nombre souvent important de liens validés, vers des sites concernant un sujet particulier. Le thème peut être généraliste – la presse en ligne par exemple –, ou très précis, comme la chasse à la baleine au Japon ou les voitures électriques.

« Existe-t-il des sites fédérateurs sur ce sujet ? » est donc la première question que l'on doit se poser, lorsque l'on souhaite réaliser un panorama des sites Web traitant d'un thème donné. Il est inutile en effet de se lancer dans une recherche qui peut vite prendre plusieurs heures, alors qu'il existe peut-être déjà une sélection validée de ressources sur le même sujet, ou sur un thème proche, qui constituera un point de départ très utile.

Les sites fédérateurs offrent le plus souvent leurs informations gratuitement, sans pour autant afficher de lassants bandeaux publicitaires. En contrepartie, l'usage – et la Nétiquette – veulent que l'on avertisse l'auteur lorsque l'on découvre dans sa liste des liens morts (erreur 404...), ou lorsque l'on identifie sur le thème des sources non recensées. Cette contribution permet au site d'être à jour et à tous les netsurfers de profiter des découvertes de chacun.

Des annuaires thématiques aux « vortails »

La croissance rapide du nombre de sites Web a rapidement montré les limites des annuaires généralistes.

Avec déjà plus de deux millions de sites dans tous les domaines, des annuaires comme Yahoo!, LookSmart ou Dmoz ne pourront continuer à rajouter indéfiniment toutes les nouveautés ; ils risqueraient de se transformer en gigantesques répertoires à l'arborescence tentaculaire, dans lesquels le netsurfer aurait toutes les chances de se perdre, avec de gros risques d'identifier une partie seulement des sites qui l'intéressent.

Pour permettre une fragmentation du contenu de ces portails, les outils de recherche thématiques se sont développés.

Ces outils sont construits sur le même principe que les annuaires généralistes (description de sites Web et indexation dans des rubriques et sous-rubriques), mais avec une approche thématique.

Contrairement aux sites fédérateurs, qui offrent souvent l'ensemble de leurs liens sur une ou quelques pages Web – ce qui ralentit quelquefois le temps de chargement des pages –, les annuaires thématiques sont construits autour d'une réelle arborescence.

La consultation se fait par choix successifs dans des listes de rubriques et de sous-rubriques ; quelquefois, une recherche par mots sur l'ensemble de la base, c'est-à-dire sur l'ensemble des descriptions de sites et sur les catégories, est également offerte. Rares sont en revanche les annuaires thématiques qui permettent de limiter la requête à certains champs du document, à l'instar de Yahoo! [3].

Ces annuaires thématiques ont le même « objectif » que les sites fédérateurs : recenser les ressources dans un domaine donné ; mais ils s'en différencient de façon notable. Le nombre de sites sélectionnés est en général bien plus important, et chacun fait l'objet d'une description plus ou moins complète et non d'un simple lien.

Les conditions de sélection des sites peuvent être souples et n'obéissent pas forcément à des critères de qualité. Comme les annuaires généralistes, les annuaires thématiques cherchent à être aussi exhaustifs que possible dans leur domaine.

Si les premiers annuaires thématiques étaient souvent le fait d'organismes institutionnels (associations, universités...), les entreprises commerciales ont rapidement vu tout l'intérêt qu'elles pouvaient tirer de ce type de sites.

Un annuaire thématique de qualité, sur le knowledge management, la veille ou le référencement par exemple, peut rapidement devenir le site de référence des entreprises du domaine. Pour peu que son éditeur sache mettre discrètement en valeur ses offres de service, il a toutes les chances de voir croître sa notoriété comme sa clientèle.

3. Sur Yahoo! (www.yahoo.com et les versions nationales), il est possible de limiter une recherche aux titres ou aux URLs des sites décrits. Il faut pour cela taper « t: » (pour titre) ou « u: » (pour URL) juste devant le terme, sans espace entre le symbole et le terme recherché. Ainsi par exemple, si l'on recherche le site du cabinet FLA Consultants, plutôt que d'essayer les différents domaines possibles (« flaconsultants », « fla.consultants », « fla-consultants »...), on peut tenter sa chance en écrivant « u:fla » ; ne seront alors sélectionnés que les sites qui contiennent le mot « fla » dans leur URL (le premier site est bien www.fla-consultants.fr).

Les mêmes raisons qui ont conduit la plupart des annuaires généralistes à se transformer en portail ont fait évoluer nombre d'annuaires thématiques vers le portail thématique, que l'on appelle quelquefois « vortail ». Cette francisation du terme anglais « vortal », employé pour « vertical portal » [4], est encore récente et est utilisée essentiellement par les journalistes du domaine. Les éditeurs de sites lui préfèrent le terme de « portail », plus connu du public.

L'appellation de « portail » est toutefois souvent employée de façon abusive. Alors qu'à l'origine, elle désigne un outil de recherche qui s'est enrichi d'autres rubriques et services, on voit apparaître de très nombreux sites Web, qui se définissent comme « le portail sur tel thème », alors que leur offre est constituée par quelques rubriques d'information, un forum et des chaînes de commerce électronique, mais ne comprend pas de répertoire de sites.

Un vortail est construit, au départ, autour d'un annuaire thématique. Un site spécialisé sur les logiciels, avec un annuaire des sites du domaine, peut ainsi s'enrichir de rubriques offrant les comparatifs de produits réalisés par des laboratoires de tests, un annuaire des fournisseurs, des articles de la presse spécialisée, un forum de discussion pour les utilisateurs… Avec une telle abondance de renseignements, le visiteur pourra être tenté par l'achat en ligne.

Des services comme Kelkoo.com, qui comparent les prix d'un même produit sur les sites de différents revendeurs, viennent alors utilement compléter le service.

Et l'annuaire de sites informatiques est devenu vortail…

Les vortails constituent d'ailleurs un excellent support pour les insertions publicitaires comme pour les chaînes de commerce électronique, puisqu'ils attirent une clientèle ciblée. Un bandeau publicitaire sur une marque de voitures par exemple risque fort d'avoir un impact plus important sur un site spécialisé sur l'automobile que sur un annuaire généraliste, même si le nombre de visiteurs y est plus faible [5].

Les vortails préfigurent sans doute l'évolution des sites Web. C'est à cette famille qu'appartiennent aujourd'hui la majorité des nouveaux outils de recherche.

On trouvera ci-après la description de quelques portails thématiques, choisis dans des domaines très différents.

---

4. Danny Sullivan, « The Vortals Are Coming! The Vortals Are Coming! », The Search Engine Report, April 4, 2000 (searchenginewatch.com/sereport/00/04-vortals.html).

5. Dans un article paru le 15 avril 2000 dans Internet World, Dale Buss écrit « Recent research by Giant Step, an interactive marketing agency, confirmed the spending power of some vortal visitors, says Eric Heneghan, CEO. The research found that while just 0.31 percent had clicked on a particular ad on one of the largest travel-related vortals, compared to a 2.14 percent clickthrough rate with the same ad on a portal, the 400 consumers delivered by the vortal outspent the 14,000 portal consumers. »

Dale Buss, « The Big 'Vortal' Payoff », *Internet World*, April 15, 2000 (www.internetworld.com/print/2000/04/15/business/20000415-vortal.html)

Des « vortails » dans tous les domaines

Business.com *(www.business.com)*

La société Business.com a rapidement compris l'intérêt des vortails ; elle n'a pas hésité à acheter ce nom de domaine, on ne peut plus mémorisable il est vrai, pour la modique somme de 7,5 millions de dollars [6], comptant bien faire de son site le point d'entrée incontournable de tout netsurfer à la recherche d'information économique.

Business.com est construit autour d'un annuaire qui répertorie plusieurs centaines de milliers de sites relatifs au business, sélectionnés par l'équipe éditoriale et classés dans plus de 25 000 catégories. La page d'accueil affiche donc, comme la plupart des annuaires, une liste de rubriques et de sous-rubriques.

Mais la spécialisation sectorielle de Business.com lui permet de classer ses rubriques, forcément plus homogènes que celles d'un annuaire généraliste, dans deux grandes familles, selon le type d'information proposé :

• la section *Departments* regroupe les sites qui offrent des informations destinées à certaines fonctions de l'entreprise, quel que soit le secteur d'activité. On y trouve huit rubriques dont Accounting and Finance ; Human Resources ; Information Technology ; Legal ; Research... ;

• *Industries* rassemble au contraire les sites spécifiques pour 22 secteurs industriels : Advertising ; Aerospace and Defense ; Agriculture ; Automotives...

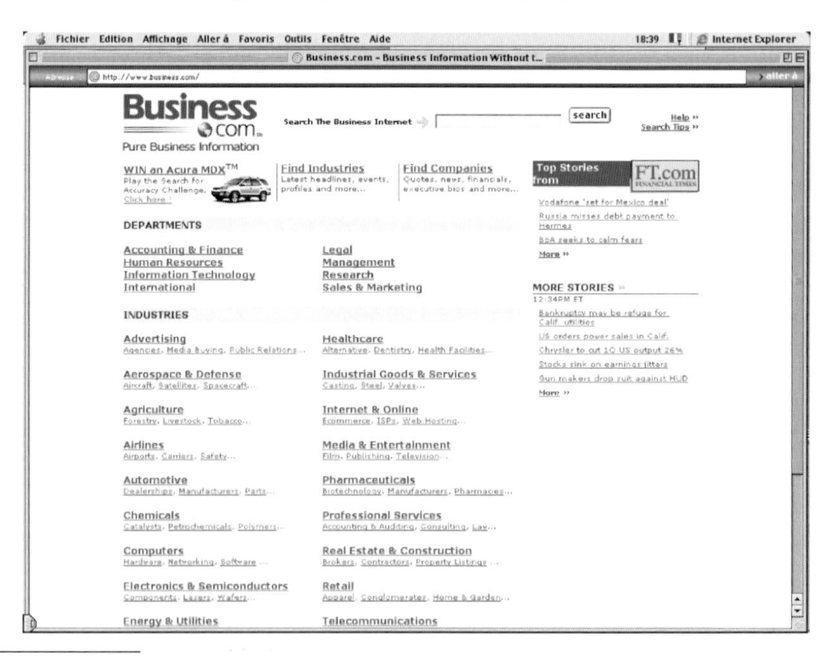

6. • Paul Shread, « What's in a Name? », *Internet VCWatch*, September 20, 2000 (www.internetvcwatch.com/vcwatch/article/0,2112,2601_464691,00.html)

• Arlene Weintraub, « The Be-All and End-All of B2B Sites? That's Business.com's goal, but getting there won't be easy », *Business Week*, June 5, 2000 (www.businessweek.com/reprints/00-23/b3684115.htm)

Selon les rubriques, la page de résultats peut afficher :
– une liste de sous-rubriques ;
– les actualités concernant le secteur, issues de trente sources dont Reuters, le *Wall Street Journal*, le *Financial Times*... ;
– les ressources utiles au domaine : conférences, associations, rapports sur le secteur industriel... ;
– la liste des sites Web sélectionnés par l'équipe éditoriale avec, pour chacun, son nom et un lien, une description concise et son URL. Contrairement aux annuaires généralistes, Business.com ne recense pas uniquement les sites, mais référence également certaines parties de certains sites, comme le texte d'une conférence, ou une bibliographie particulière dans un site universitaire.

La recherche peut également se faire par mots, en utilisant l'opérateur booléen AND. Elle s'effectue dans l'annuaire de sites Web. La page de résultats affiche alors la liste des rubriques suivie de la liste des sites pertinents.

Business.com propose enfin, en complément de l'annuaire :
– une revue de presse quotidienne de l'actualité business, classée par secteurs ;
– des informations sur 58 secteurs industriels : influence du Web sur le secteur, actualités, statistiques, événements, analyses réalisées par Business.com ;
– le profil de 10 000 sociétés et de leurs dirigeants...

Toutes ces informations sont offertes gratuitement. Le site compte vivre uniquement des revenus publicitaires.

ChemIndustry.com *(www.chemindustry.com)*

Lancé en avril 1999, mais avec au départ une version bien plus limitée, ChemIndustry.com est destiné aux professionnels de l'industrie chimique au sens large ; il concerne en effet aussi bien la chimie que l'agrochimie, la biochimie et la biotechnologie, la pétrochimie, l'industrie pharmaceutique, les plastiques et les polymères.

La page d'accueil se présente comme celle d'un annuaire classique : elle offre une série de rubriques et de sous-rubriques, permettant une consultation par choix successifs. Les grands thèmes sont : Chemical manufacturers ; Equipment and software ; Chemical resources ; Portals and news ; Organizations ; Industry services ; Career and community ; Chemical technology ; Events, Academic institutes.

Un clic sur une catégorie affiche la liste des sous-rubriques, avec le nombre de sites indexés. On accède ensuite, pour chaque sous-rubrique, à la liste des sites classés par ordre alphabétique avec, pour chacun, son nom (et un lien vers le site), le type d'information (business info, distributor, industry service...), le pays, une brève description du contenu, l'URL, la langue et la catégorie.

Plus de 59 000 liens sont offerts.

Une recherche par mots est également proposée. Ici cependant, cette recherche se fait non seulement sur les descriptions de sites, mais aussi sur leur contenu (plus de 5 millions de pages en texte intégral).

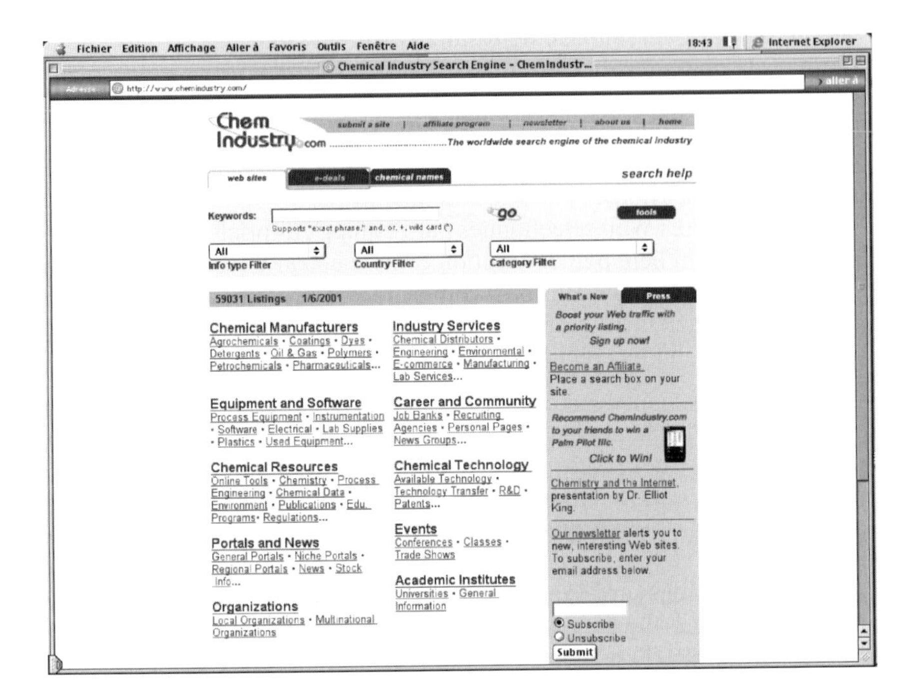

La page de résultats affiche la description des sites sélectionnés, suivie pour chacun de l'option « More relevant pages from this site » ; on obtient alors des liens vers les pages pertinentes de chaque site (titre, premières lignes, URL, pertinence, date de modification, volume, langue).

Cette utilisation simultanée des fonctions d'un annuaire et d'un moteur de recherche est l'un des points forts de ChemIndustry.com. Il est possible d'utiliser les opérateurs AND, OR et de limiter la requête selon le type d'information (business info, distributor, event...), le pays et la catégorie (en fait l'une des grandes rubriques).

En complément de son répertoire de sites, ChemIndustry.com offre une base d'opportunités (plus de 2 900) concernant la chimie et les industries liées. En cliquant sur l'onglet e-deals proposé sur l'écran d'accueil, on affiche les grandes rubriques des opportunités (chemicals, equipment, software, others) ; un clic sur une rubrique affiche une grille de recherche permettant de lancer une requête par mots sur les annonces, en précisant la catégorie, le pays et le type d'opportunité (achat, vente...).

L'onglet Chemical Names permet, quant à lui, d'accéder à une véritable base des composés chimiques (plus de 171 000 composés recensés).

La recherche peut se faire par le nom du composé, le CAS Number ou la formule moléculaire. Pour chaque composé, une fiche précise le nom, le CAS Number, la formule chimique, les synonymes et permet d'accéder aux opportunités ou aux sites Web concernant ce composé.

Enfin, pour permettre aux professionnels de suivre de près l'actualité du domaine, une lettre d'information est offerte gratuitement. Envoyée par e-mail, elle décrit les sites les plus intéressants découverts par les éditeurs.

Devant le succès de son site, ChemIndustry.com a lancé une version française (fr.chemindustry.com) et allemande (de.chemindustry.com). Si les rubriques semblent identiques, le nombre de liens proposés sur le site français est bien inférieur et l'on n'a pas accès, du moins pour le moment, aux opportunités ni à la base des composés chimiques. Les descriptions des sites recensés sont par ailleurs souvent en anglais ; la version française semble se contenter aujourd'hui d'une traduction des rubriques et des sous-rubriques.

@brint.com *(www.brint.com)*

Lancé bien avant que le concept de « vortail » ne soit clairement défini, le site @brint.com se présente comme *« The Premier Business and Technology Portal and Global Community Network for E-Business, Information, Technology and Knowledge Management »*. Il donne accès à une vaste collection de ressources gratuites, comprenant des milliers d'articles en texte intégral, des interviews, des dépêches d'actualité, des journaux et magazines électroniques, des forums de discussion, des communiqués de presse, des bibliographies, et recense plusieurs milliers de sites Web concernant ces domaines.

Quatre grands modules se détachent de l'ensemble de l'offre :

- *E-Business and Electronic Commerce Portal* donne accès à une véritable bibliothèque de ressources concernant un certain nombre de grands thèmes : e-business, ERP (Enterprise Resource Planning), publicité sur Internet, stockage des données, sécurité, data warehousing, EAI (Enterprise Application Integration)... ;
- *Internet Business Technology Portal* couvre près de quarante thèmes dont affaires internationales, magazines et journaux, propriété intellectuelle, recherche et enseignement, santé, intranets, outsourcing, commerce électronique, copyright... ;
- *Knowledge Management Portal* est un portail sur la gestion des connaissances : articles, white papers et interviews, perspectives, périodiques et publications, forums de discussion, communiqués de presse, analyses, bibliographies... ;
- *General Business and Technology Portal* est un véritable annuaire qui recense plusieurs milliers de sites Web concernant plus spécialement les affaires, l'informatique, l'actualité, la santé, les sciences, les documents de référence, le monde...

La consultation dans @brint.com se fait essentiellement de lien en lien, mais il est possible d'accéder directement à certaines rubriques via un menu déroulant, ou encore de faire une recherche par mots sur l'ensemble du site.

Les netsurfers sont par ailleurs encouragés à venir se joindre au réseau (inscription gratuite), ce qui leur permet de recevoir ensuite un magazine et d'accéder de façon privilégiée à certains services.

Paradoxalement, la richesse de @brint.com est son point faible. @brint.com a en effet été créé il y a plusieurs années et rassemble sur son site les articles les plus intéressants couvrant son domaine.

Lors d'une recherche, on obtient donc quelquefois le texte d'articles de grande qualité, mais qui ne sont pas forcément de la première fraîcheur… ce qui est gênant dans un domaine en constante évolution.

Pour compenser cela, une colonne propose, sur l'écran d'accueil, une sélection des derniers articles classés par domaines.

L'éditeur de @brint.com a d'autre part pris le parti d'afficher sur l'écran d'accueil un très grand nombre de rubriques et de sous-rubriques, sans doute pour éviter une étape de recherche supplémentaire. Mais cet accueil très riche peut désorienter le visiteur et rendre difficile sa consultation.

Si @brint.com est indiscutablement un site de référence dans son domaine, un temps d'adaptation est nécessaire pour se familiariser avec son offre.

LexisOne *(www.lexisone.com)*

LexisOne est un autre exemple de vortail, cette fois-ci dans le domaine juridique. Il a été créé par Lexis Publishing, une division de Reed Elsevier, à destination des petits cabinets d'avocats américains.

Pour devenir le site de référence de la profession, LexisOne propose un guide annoté de plus de 20 000 liens relatifs au domaine juridique. Il offre d'autre part un accès gratuit à plus de cinq ans de jurisprudence et permet de télécharger plus de 1 100 formulaires juridiques. Ces deux rubriques, destinées plus spécialement aux netsurfers américains, constituent une habile promotion de l'offre juridique de Lexis (www.lexis.com), accessible, quant à elle, avec abonnement.

L'écran d'accueil de LexisOne propose trois grandes rubriques :

• *Free Case Law* permet d'accéder gratuitement à la collection complète des décisions de la Cour suprême des États-Unis depuis 1789, et à une sélection des jurisprudences fédérales et des États depuis janvier 1996.

Il est possible de faire une recherche rapide sur l'ensemble des jurisprudences à partir de la citation (ex. 509 U.S. 579), ou de lancer une requête spécifique sur les jurisprudences au niveau fédéral ou au niveau des États. On affiche dans ce cas un formulaire permettant d'écrire sa stratégie, en utilisant les opérateurs AND, OR, AND NOT et différents opérateurs de proximité, ainsi que la troncature.

Il est également possible de limiter la requête à certaines sources (par État...), à certaines dates, et à des informations comme le nom des parties, du juge...

Une aide relativement détaillée est disponible.

Après avoir lancé sa requête, on obtient un écran avec la liste des jurisprudences sélectionnées. L'affichage du texte intégral des jurisprudences est gratuit, mais il est nécessaire d'avoir au préalable rempli un formulaire d'identification et d'avoir choisi un mot de passe. À partir de la liste des résultats, les abonnés au service Lexis.com peuvent accéder, de façon payante, à différentes informations complémentaires tirées des multiples sources de Lexis, comme les rapports Sheppards... Il est également possible d'accéder à ces sources et de payer par carte bancaire.

• *Legal Forms* permet de télécharger plus de 1 100 formulaires juridiques, classés dans 33 rubriques (Investment securities ; Trademark ; Sales ; Patent forms...).

Ces documents comprennent des formulaires officiels et des formulaires provenant des recueils Matthew Beder et HotDocs.

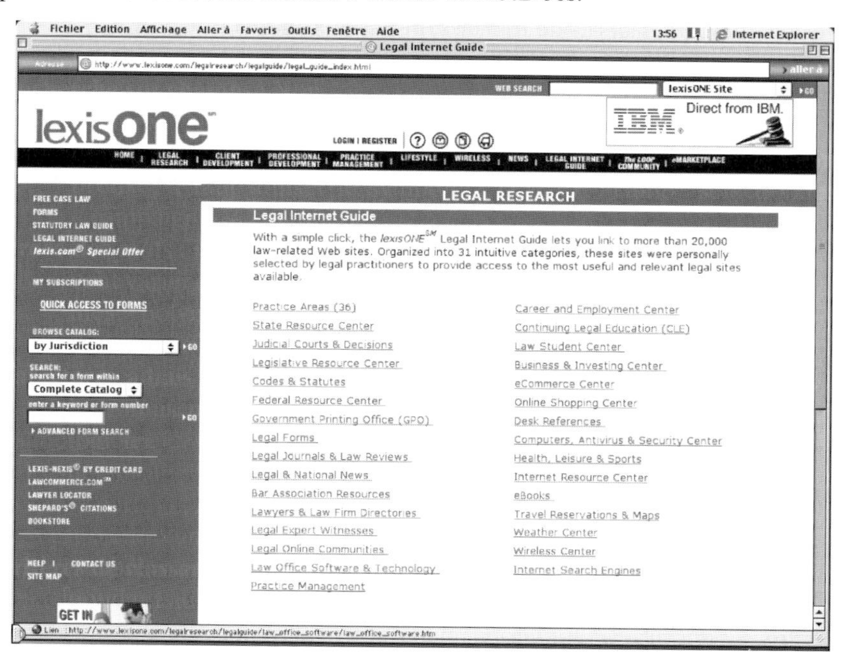

• *Legal Internet Guide Index* est un guide annoté de plus de 20 000 liens relatifs au domaine juridique ; c'est là un des atouts majeurs de LexisOne, du moins pour les netsurfers français, moins concernés par la jurisprudence américaine.

Comme dans la plupart des annuaires, les sites sont classés par rubriques (31) et sous-rubriques concernant le domaine juridique au sens large : Practice areas ; Legislative resources ; Legal journals ; Legal and national news ; mais aussi Business and investing ; Computers and securities ; Internet search engines ; Internet resources ; etc.

LexisOne propose une description concise de chaque site et donne son URL.

On regrettera cependant qu'il ne soit pas possible de faire une recherche par mots sur l'ensemble des descriptions.

*

* *

De nombreux annuaires thématiques ont ainsi étoffé leur offre au fil des mois ou des années, pour devenir des « vortails », des portails spécialisés sur un domaine.

Tous les secteurs professionnels ou presque sont aujourd'hui couverts par un ou plusieurs vortails. Il en naît chaque jour, sur des thèmes quelquefois inattendus, du bricolage (www.mapeinture.com) au cyberconsommateur (www.e-fr.com), en passant par la noix (www.noyoo.com) ou la Haute-Savoie (www.web74.com).

Alors que les annuaires thématiques représentent une étape en amont de la recherche – ils permettent l'identification des sites susceptibles de répondre à la question, mais ils ne fournissent pas eux-même la réponse –, les vortails sont devenus des sites d'information à part entière ; ils proposent, en plus d'un répertoire de sites, divers types de données : références bibliographiques ou articles, dépêches d'actualité, annuaire de fournisseurs...

Mais tous n'ont pas la même richesse, loin s'en faut.

Quand le commerce électronique n'est pas la seule justification de cet enrichissement de l'offre, les vortails peuvent constituer des points d'entrée incontournables pour les professionnels d'un domaine.

Outils généralistes et thématiques : comparaison des résultats d'une même recherche

Pour illustrer les différences et les complémentarités qui existent entre les annuaires généralistes et les portails thématiques, il nous a semblé utile de comparer les résultats d'une même recherche sur les deux familles d'outils.

Question 1 : typologie des sites spécialisés sur la veille économique

Le thème choisi pour la première question est celui de la veille économique : quels sont les principaux sites sur le thème ? Peut-on dresser une typologie des sites du domaine ?

Pour répondre à cette question, il est nécessaire d'interroger des annuaires : un moteur de recherche identifiera un nombre trop important de pages – 33 469 pages pour AltaVista.com, plus de 57 400 pour Google… –, et ces dernières ne permettront pas, de toute façon, de se faire une idée du type de sites.

La question a donc été posée aux annuaires généralistes les plus importants (Yahoo.com et Open Directory Project) et à Business.com, portail spécialisé sur l'économie.

La requête a été lancée dans chaque annuaire de la même façon, avec l'expression « competitive intelligence » [7]. On trouvera ci-après les premiers résultats fournis par chacun.

Yahoo.com *(www.yahoo.com)*

Search Result Found 0 categories and 27 sites for "competitive intelligence"

Yahoo! Site Matches (1-20 of 27)
Business and Economy > Organizations > Professional
• *Society of Competitive Intelligence Professionals* – SCIP provides educational and networking opportunities to competitive intelligence professionals around the world.
Regional > U.S. States > Florida > Cities > Naples > Business and Shopping > Business to Business > Marketing and Advertising

• *Competitive Intelligence Services, Inc.* - offering confidential research on the competition, markets and customer attitudes, using primary and secondary sources.
(…)

Avec Yahoo.com, on a clairement l'impression que le domaine de la veille n'a pas été pris en compte de façon spécifique. Les catégories des sites sélectionnés sont très diversifiées, mais aucune ne contient l'expression « competitive intelligence ».

Les sites sélectionnés sont, en grande majorité, des sites d'entreprises ou de consultants offrant des services de veille.

Pour un tour d'horizon plus complet, il faudrait identifier au préalable, sur un autre annuaire éventuellement, un des acteurs-clés du domaine et voir

7. Cette recherche est faite à titre d'illustration. Sans quoi, pour obtenir un réel panorama de l'offre, il faudrait comparer les résultats avec les différents synonymes utilisés pour la veille : « competitive intelligence », mais aussi « business intelligence », « monitoring », etc.

dans quelle catégorie cet acteur est référencé dans Yahoo!. On pourrait alors identifier facilement les autres entreprises indexées dans la même catégorie.

Open Directory Project *(www.dmoz.org)*

Search results for: "competitive intelligence"

Open Directory Categories (1-4 of 4)

1. Business: Consulting: Research Services (7 matches)
2. Business: Marketing: Market Research Suppliers (7)
3. Reference: Knowledge Management: Information Assets: Business Intelligence (6)
4. Business: Management: Consulting (3)

Open Directory Sites (1-20 of 53)

1. Competitive Intelligence Resource Index - Competitive Intelligence (CI) search engine and directory of CI resources on the Web
-- *http://www.bidigital.com/ci/*
Business: Consulting: Research Services (7)
2. Win Loss Solutions, Inc. - We deliver competitive intelligence, win/loss analysis, benchmarking, competitor, product and market research solutions.
-- *http://win-loss-solutions.com*
Business: Marketing: Market Research Suppliers (7)

(...)

L'Open Directory répond mieux que Yahoo! à cette question précise. Les catégories proposées sont toutefois relativement proches et ne permettent pas de dresser une typologie des sites du domaine.

On notera que sur les quatre catégories, aucune ne contient l'expression « competitive intelligence » ; elles apparaissent car elles indexent les sites sélectionnés.

Les descriptions des sites sont claires et, en analysant la cinquantaine de résultats, on peut tout à fait se faire une idée des types de sites et des services et produits offerts dans le domaine.

Business.com *(www.business.com)*

La recherche par mots dans Business.com est lancée dans l'annuaire de sites Web. La page des résultats affiche, de façon non différenciée, la liste des catégories et des sites Web qui contiennent les termes de la requête. Chaque catégorie est comptabilisée comme un site et fournit une définition de son contenu et son arborescence dans l'annuaire.

1-10 shown of 69 web sites selected by our industry analysts

1. Competitive Intelligence
Research and investigation of competitors and competing products.
/directory/management/competitive_intelligence/
Management

2. Competitive Intelligence Associations
Associations and organizations for competitive intelligence professionals.
/directory/management/competitive_intelligence/associations_and_organizations/
Management > Competitive Intelligence

3. Competitive Intelligence Software
/directory/management/competitive_intelligence/software/
Management > Competitive Intelligence

4. Publications on Competitive Intelligence
/directory/management/competitive_intelligence/publications/
Management > Competitive Intelligence
(...)

En cliquant sur l'une des catégories, on obtient une page de résultats qui peut proposer, selon les rubriques : une liste de sous-rubriques, des actualités, des ressources utiles au domaine et la liste des sites Web indexés dans la catégorie.

YOU ARE HERE: Business.com > Management > Competitive Intelligence
– Consulting Services (25)
– Online Services (16)
– Publications (3)
– Software (8)

News
– Gaz de France set to agree new 3-yr plan – FT.com – Jan 4 11:11 AM
– Wal-Mart has plans to set up shop in Japan – FT.com – Jan 1 11:06 PM
– Gainsborough windfall may aid Equitable – FT.com – Dec 22 06:51 PM
(...)

Industry Resources
– Competitive Intelligence Associations
Associations and organizations for competitive intelligence professionals.
– Competitive Intelligence News NEW

Business Web Sites
– Analyzing Websites for Competitive Intelligence NEW
Article on tips and techniques on Internet intelligence-gathering.
www.freepint.co.uk/issues/220600.htm#tips
– Business Intelligence NEW
Provider of consulting services for predicting and tracking trends in management.
www.business-intelligence.co.uk/
– Business Intelligence Value Chain
Discusses the data resource foundation for business intelligence, and the quality of the support for business strategies from an intelligent learning organization.
www.dmreview.com/portal_ros.cfm?NavID=91 and EdID=115 and PortalID=1...

La présentation adoptée pour les résultats rend difficile l'estimation du nombre de sites sélectionnés, puisque les catégories sont comptées pour un site.

Le nombre de sources identifiées par Business.com semble légèrement supérieur à celui de l'Open Directory, mais de façon non significative.

Il faut toutefois noter que les sources sélectionnées par Business.com et par l'Open Directory ne sont pas forcément les mêmes. Dans chacune des sélections, on trouve à la fois des sites qui sont présents dans l'autre annuaire, mais qui n'ont pas été identifiés car leur description ne contient pas l'expression « competitive intelligence », et des sites qui ne sont pas recensés par l'autre répertoire.

Ces divergences illustrent la nécessité qu'il y a à optimiser les résultats en interrogeant plusieurs outils de recherche.

Les catégories proposées par Business.com sont quant à elles nettement plus précises que celles de l'Open Directory, dans cet exemple tout au moins ; elles donnent en effet des informations sur le sujet couvert, mais aussi sur le type de produit ou de service proposé (publication, logiciel, service en ligne…). Cette précision est logique, puisque Business.com recense des sites relativement homogènes : ils concernent tous l'économie et ont été sélectionnés pour des raisons qualitatives ; cette homogénéité permet une indexation à plusieurs niveaux : par type d'industrie, par fonction dans l'entreprise, par type de ressources…

Question 2 : comment identifier quelques sites de fabricants de « films barrière » ?

Comme second exemple, nous nous sommes intéressés à un sujet bien particulier, celui des « films barrière » ; ces films sont utilisés notamment dans le domaine agro-alimentaire et ont alors comme vocation d'empêcher l'oxygène de passer, permettant ainsi une meilleure conservation des aliments. Nous avons tenté d'identifier quelques sites de fabricants de films barrière.

Le traitement d'une telle question est délicat.

Si l'on interroge un annuaire, la requête est lancée sur les descriptions des sites ; les probabilités d'avoir très peu de réponses sont fortes, sauf si certaines entreprises sont spécialisées dans la fabrication de ce produit.

En revanche, si l'on interroge un moteur, la recherche se fait sur le texte intégral des pages. On risque alors d'avoir un grand nombre de réponses non pertinentes et de rencontrer certaines difficultés pour identifier, parmi les pages intéressantes, celles qui sont proposées par des fabricants du produit.

Yahoo.com *(www.yahoo.com)*

Search Result Found 0 categories and 2 sites for "barrier film"

Yahoo! Site Matches (1-2 of 2)
Regional > US States> Minnesota > Cities > Saint Paul > Business and Shopping > Business to Business > Packaging

• Permeation Technology, Inc. - barrier film testing laboratory, known throughout the industry as PermaTech.

Business and Economy > Business to Business > Packaging > Supplies > Manufacturers
• J-Flex International - provides line, standing, gusset, and coffee pouches, as well as roll stock, barrier film, and more.

Open Directory Project *(www.dmoz.org)*

Search results for: "barrier film"

Open Directory Sites (1-1 of 1)
1. Jalpac India Limited - Manufactures metallised polyester film and polyester paper, and metallic yarn. Also, window metallising and barrier film.
-- http://jalpacindia.com/
Business: Industries: Manufacturing: Packaging: Flexible (1 match)

Comme l'on pouvait s'y attendre, les réponses des deux annuaires (Yahoo.com et Open Directory) sont pauvres. Deux fabricants aux États-Unis et un en Inde sont toutefois identifiés.

Les rubriques de Yahoo sont trop larges pour permettre des investigations ; en fait, il faudrait repartir de la catégorie Packaging pour explorer les sous-rubriques proposées.

La rubrique offerte par l'Open Directory semble pertinente. Contrairement à ce que l'on pourrait penser, le « 1 match » indiqué correspond au nombre de sites de la catégorie contenant les termes demandés, et non au nombre de sites indexés. Cette rubrique regroupe en fait… 243 sites, qui mériteraient une exploration plus fouillée !

AltaVista.com *(www.altavista.com)*

Search for "barrier film"
1,139 pages found

1. Elecster Oyj, Homepage
Elecster Oyj Homepage, UHT-plants, filling machines, co-extrusion lines, film lines, printing machines, high barrier packaging materials,...
URL: www.elecster.fi/
Translate   Related pages

2. « F » product index
Up to: | 3M Home Page | 3M Product Information | « A-Z » Fabric, 3M(TM) Enclosed Lens Reflective Fabric, 3M(TM) Nextel(TM) Aerospace Fabric, …
URL: www.mmm.com/product/index_F.html
Translate   Related pages Facts about: 3m Corp

Sur AltaVista comme sur Google, les résultats sont trop nombreux pour tous les afficher (respectivement 1 139 et 1 950 pages), et trop imprécis pour permettre de deviner, d'après les premières lignes, lesquels appartiennent au site d'un fabricant.

Une alternative consiste à préciser la question en rajoutant le mot-clé « manufacturer ».

Google *(www.google.com)*

Searched the web for "barrier film" manufacturer
Results 1-10 of about 333. Search took 0.40 seconds

- OFFER:[KR]MULTI LAYER BARRIER FILM
... Multi Layer Barrier Film We are unique manufacturer in ...
www.locateindia.com/wwwboard/messages/769.html – 4k – Cached – Similar

- Medmall Online: Product: "No-Sting Barrier Film/foam"
... No-Sting Barrier Film / foam applicator Item Number: MMM3343...
... film between skin and adhésives. HCPCS Code: A5119 Manufacturer...
www.medmallonline.com/mall/product.asp?dept_id=3200 and pf_id=MMM3343 – 4k – Cached – Similar pages

L'utilisation du mot-clé « manufacturer » en plus de « barrier film » précise indiscutablement la question.

Le nombre de réponses tombe à 321 pour Google et 133 pour AltaVista ; mais les informations fournies par chaque moteur sont succinctes et permettent difficilement d'identifier les sites des fabricants sans se connecter aux pages sélectionnées.

Pour ce type de question, les spécificités de Northern Light peuvent s'avérer fort utiles.

Northern Light *(www.northernlight.com)*

Rappelons que ce moteur a deux caractéristiques importantes.

Lorsque l'on lance une requête sur Northern Light, le moteur interroge son index de pages Web, mais aussi et surtout sa Special Collection, qui contient le texte intégral de 25 millions de documents, issus de 7 100 sources.

Sa deuxième spécificité tient à la présentation des résultats.

Comme la plupart des moteurs de recherche, Northern Light affiche la liste des documents sélectionnés classés par pertinence, l'option par défaut étant ici 10 documents par page.

Mais, et c'est là toute son originalité, les résultats sont également classés dans une série de dossiers, dans une colonne sur la gauche de l'écran. Ces dossiers sont automatiquement générés pour chaque question et varient selon le nombre et le type de documents sélectionnés.

Ils peuvent offrir un classement par thème (industries agro-alimentaire, systèmes experts...), type de documents (communiqués de presse, résumés...), source (sites Web commerciaux, magazines...) ou langue des documents. En double-cliquant sur un dossier, on accède, selon le nombre de résultats, à d'autres dossiers affinant la question ou directement à la liste des résultats.

Ce classement par dossiers peut s'avérer utile pour le netsurfer, lorsque la requête est difficile à préciser, comme c'est le cas dans notre exemple. En lançant une requête avec la simple expression "barrier film", on identifie 3 565 documents.

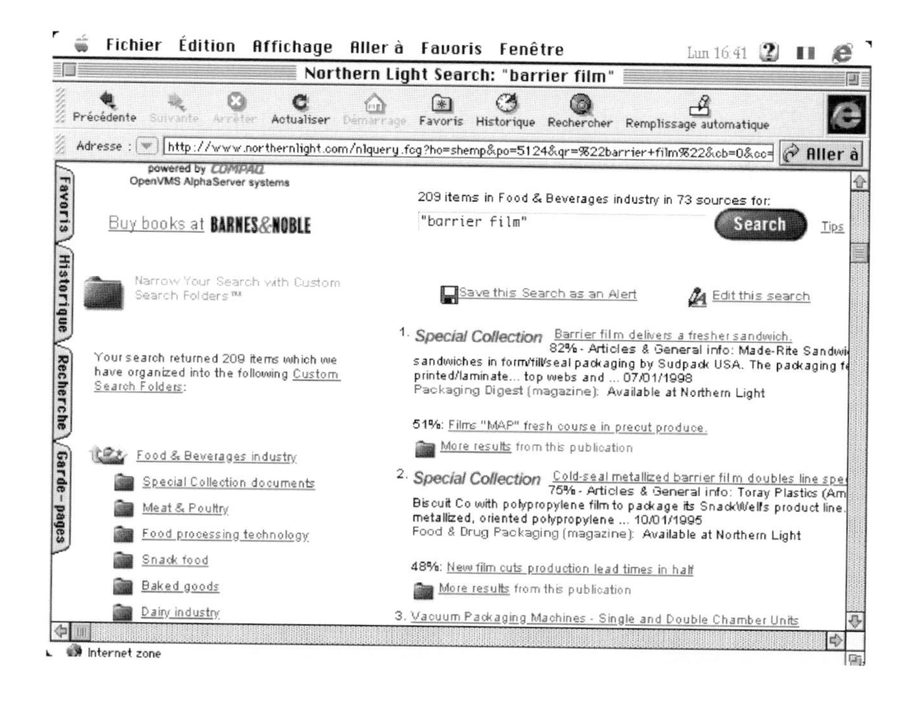

Les dossiers proposés pour cette question sont : Special Collection Documents ; Packaging industry ; Commercial sites ; Chemical and allied products industry ; Plastic and polymer industry ; Management ; Energy and power technology ; Strategic business planning ; Food and beverages industry ; Chemical engineering ; Movies ; Metals extrusion ; all others. Si l'on choisit par exemple le dossier « *Food and beverages industry* », on obtient 209 documents, issus de 73 sources, classés dans les sous-dossiers suivants : Special Collection Documents ; Meat and poultry ; Food processing technology ; Snack food ; Baked goods ; Dairy industry ; Bottled water ; Fruits and vegetables ; Soft drinks ; Spices, herbs and flavorings ; Commercial sites ; Company information ; all others.

Sur l'écran de résultats, les premiers documents, classés par pertinence, sont :

1. *Special Collection Barrier Film delivers a fresher sandwich.*
82% - Articles and General info: Made-Rite Sandwich Co packages its sandwiches in form/fill/seal packaging by Sudpack USA.
The packaging features high quality printed/laminate... top webs and ... 0701/1998
Packaging Digest (magazine): Available at Northern Light
51%: *Films « MAP » fresh course in precut produce.*
More results from this publication

2. Special Collection *Cold-seal metallized **barrier film** doubles line speeds for Nabisco*
75% - *Articles and General info*: Toray Plastics (America) Inc supplied Nabisco Biscuit Co with polypropylene film to package its SnackWell's product line. the Torayfan PC-1, metallized, oriented polypropylene ... 10/01/1995
Food and Drug Packaging (magazine): Available at Northern Light
48%: *New film cuts production lead times in half*
More results from this publication

3. *Pet Food*
46% - *Articles and General Info*: Now you can package your pet's food, treats, snacks, and entrees in high barrier films from America's premier polymer packaging materials provider. We ... 01/27/2000
Commercial site: http://www.curwood.com/pet%20food.html

Le troisième document est une page Web et semble tout à fait intéressante. On peut bien sûr s'y connecter en cliquant sur l'URL.

Les deux premiers en revanche appartiennent à la Special Collection.

Si l'on clique sur le titre, on obtient – toujours en accès libre – une fiche descriptive relativement détaillée de l'article :

Packaging Direct
The following is a free summary of a premium quality document from Northern Light's Special Collection. If you wish to purchase the entire document, please press the « Purchase Document » button.
Do you know if your organization provides access to Special Collection documents?
Ask us now.
Title: Barrier film delivers a fresher sandwich.
Summary: Made-Rite Sandwich Co packages its sandwiches in form/fill/seal packaging by Sudpack USA. The packaging features high quality printed/ laminated top webs and coextruded bottom webs which has extended the shelf life of Made-Rite products to 30 to 60 days.
Prolonged shelf life has enabled Made-Rite to reduce the costs of items that have passed their freshness date or stales to 5% to 6% or about $700,000 annually.

Source:	Packaging Digest
Date:	07/1998
Price:	$2.95
Document Size:	Short (1 or 2 pages)
Document ID:	PN19991215040841777
Subject(s):	Food industry--Packaging; Sandwiches--Packaging Food industry
Citation Information:	(ISSN: 0030-9117), Vol. v35 No. n8 Pg. p37
Author(s):	Steven Nix-Ennen
Copyright Holder:	1998, Cahners Publishing Company
Document Type:	Article.

Cet exemple montre que les résumés des articles de la Special Collection peuvent permettre d'identifier le nom de fabricants de film barrière et fournir, dans le même temps, des exemples d'utilisation. On peut alors interroger des annuaires comme Yahoo ou Open Directory avec le nom des entreprises identifiées, pour localiser leurs sites, quand ils existent. S'ils ont un site et si ce site est recensé, on peut aussi explorer les catégories dans lesquelles ces sites sont indexés et l'on a des chances raisonnables d'identifier d'autres entreprises…

La stratégie utilisée ici avait pour objectif d'illustrer les possibilités de Northern Light pour une question relativement large. Les résultats auraient été moins nombreux et plus précis si l'on avait combiné les mots-clés « barrier film » et « manufacturer ».

ChemIndustry.com *(www.chemindustry.com)*

L'intérêt de ChemIndustry.com pour ce type de question est qu'il lance la requête à la fois sur son annuaire de sites classés par domaines et sur le contenu de ces sites, dès lors que l'on n'a pas précisé le type de documents ou le pays (sans quoi seul l'annuaire est interrogé).

Keywords: "barrier film"
Info type Filter: All Country Filter: All Category Filter: All
Found 201 pages for "barrier film"

DuPont Manufacturer United States
DuPont is a science company, delivering science-based solutions that make a difference in people's lives in food and nutrition; health care; apparel; home and construction; electronics; and transportation.
URL: http://www.dupont.com in English in Categories
[More relevant pages from this site]

1. *DuPont Packaging: Dartek B-601 Barrier Film*
   Packaging Home. Dartek Index. Product Information. Dartek. (R) nylon film. B-601 Barrier Film. Characteristics. Dartek. (R) B601 is…
   URL: http://www.dupont.com:80/packaging/products/films/H-27767.html
   Relevance: 100% Last modified on 13-Sep-1997 - 18K bytes - in English
   (…)

Corrosion and Protection Centre Technical info. United Kingdom
The Centre has three main areas of activity in corrosion and protection, namely teaching, research and advisory and testing services for industry.
URL: http://www.cp.umist.ac.uk/CPC/in English in Category
[More relevant pages from this site]

2. *Corrosion and Protection Centre: Publications*
   ICC/UMIST Corrosion Information Server: Corrosion and Protection Centre UMIST, Journal of Corrosion Science and Engineering, Corrosion Services Directory
   URL: http://www.cp.umist.ac.uk:80/CPC/pubs99.htm
   Relevance: 30,00% Last modified on 21-Jun-2000 - 81K bytes - in English

Les données de Chemindustry.com sont facilement exploitables.

La liste des résultats affiche en effet des informations issues de deux sources :

– les descriptions des sites sont tirées de l'annuaire de ChemIndustry. Pour chaque site, sont indiqués son nom, le pays, l'URL et le type d'information, qui correspond souvent au type de produit/service (fabricant, distributeur, information technique…). On peut ainsi distinguer immédiatement les fabricants. Les descriptions des sites sont de réels résumés de l'activité, mais cette description est souvent trop générale pour permettre d'identifier la fabrication d'un produit comme le film barrière ; c'est là une limite propre aux annuaires ;

– la description de chaque site est suivie par un extrait d'une ou deux pages du site qui contiennent les mots-clés, avec pour chacune le titre, les premières lignes, l'URL, la pertinence, la date de modification, la taille et la langue. L'option [More relevant pages from this site] permet d'afficher les autres pages pertinentes.

Cette caractéristique de ChemIndustry.com, de proposer en quelque sorte un mixage des résultats de l'annuaire et du moteur de recherche, est un atout majeur pour ce type de question ; elle permet en effet de dépasser les limites propres à chaque famille d'outils.

Avec un annuaire, la recherche se fait sur les descriptions des sites, autrement dit sur les résumés des activités des entreprises ; on trouve donc rarement le nom des produits fabriqués, sauf si l'entreprise est spécialisée dans la fabrication d'un produit particulier.

Avec un moteur en revanche, on obtient toutes les pages dans lesquelles le produit est cité ; mais on ne peut pas savoir si ces pages sont tirées du site d'un fabricant, d'un fournisseur, etc.

Avec ChemIndustry.com, le moteur identifie les pages qui citent le produit ; mais les pages d'un même site sont regroupées et s'affichent après la description du site lui-même. Cette description, issue cette fois de l'annuaire, permet de distinguer instantanément les sites des fabricants.

ChemIndustry n'est bien sûr pas le seul outil de recherche thématique que l'on peut interroger pour une question de ce type.

Pour identifier les fabricants ou les distributeurs d'un produit donné, une autre approche peut être intéressante : la consultation d'annuaires d'entreprises.

Certains annuaires, et Kompass en particulier, se caractérisent en effet par une description très détaillée des activités de l'entreprise, et notamment des produits fabriqués ou distribués.

Kompass *(www.kompass.com)*

Kompass n'est pas un outil de recherche au sens ou nous l'entendons dans cet ouvrage ; il ne recense pas les sites Web des entreprises, même s'il précise pour de nombreuses sociétés l'adresse de leur site.

C'est en fait une banque de données qui existe depuis de très nombreuses années et qui est disponible à la fois sous forme papier, sur Minitel

(08 36 29 12 34 pour le monde, 3617 KOMPASS pour la France et l'Europe), sur les grands serveurs classiques Dialog et Data-Star et sur cédérom.

Avec le développement de l'Internet, les éditeurs ont lancé sur le Web une version internationale qui constitue sans doute l'un des annuaires d'entreprises les plus importants du Net ; il contient en effet des informations très détaillées sur près de 1,5 million d'entreprises, dans 70 pays. 23 millions de produits et services sont référencés, ainsi que 3 millions de noms de dirigeants et 700 000 marques.

Deux niveaux d'accès sont proposés pour ce site :

- une version en accès libre permet une recherche par choix successifs dans la nomenclature Kompass (50 000 codes) et une recherche libre sur les raisons sociales et les marques ou les produits et services. Il est possible de visualiser les fiches des annonceurs de l'annuaire ;
- les abonnés ont accès à l'ensemble des fiches entreprises ; ils peuvent effectuer des recherches en texte intégral sur toutes les fiches et disposent de nombreuses possibilités de recherche multicritères : raison sociale, année de fondation, effectif, type d'activité, nomenclature Kompass, CA, etc.

Pour chaque entreprise, les fiches de Kompass sont très détaillées et indiquent, outre les coordonnées postales et téléphoniques, l'adresse du site Web quand il existe, des informations générales (date de création, type d'établissement, numéro d'enregistrement...), le nom et la fonction des dirigeants, les chiffres clés, l'activité (producteur, distributeur, importateur, exportateur...), les produits et services selon la nomenclature Kompass, les marques et représentations étrangères...

Tous les produits ne sont bien évidemment pas référencés. Ainsi, « film barrière » ne figure pas dans la nomenclature Kompass. Mais la recherche peut être étendue aux textes d'activité et aux publicités des entreprises et permet d'identifier quelques annonceurs indiquant par exemple dans leurs activités « films coextrudés haute barrière », ou encore « multicouche barrière ».

Dans les fiches de ces entreprises, on trouve des produits (selon la nomenclature Kompass) comme emballages en polyéthylène ; emballages en plastique coextrudés ; plaques, feuilles et films en polyéthylène, etc.

Et l'on peut alors – après avoir vérifié, parmi ces nombreux produits, lesquels correspondent à des films barrière – lancer une requête à partir de la nomenclature, pour identifier d'autres entreprises qui fabriquent ou distribuent ces films.

*

* *

Ces comparaisons démontrent que, pour certaines questions, les vortails peuvent être une alternative intéressante aux annuaires généralistes. Pour un recensement exhaustif de sites sur un sujet cependant, la recherche dans les deux types d'outils reste indispensable. Si dans certains cas, les sites spécialisés peuvent se montrer plus performants que les outils généralistes, l'inverse est tout aussi vrai.

Aucune règle ne peut être donnée, car aucun annuaire, qu'il soit généraliste ou thématique, ne recense tous les sites répondant à une question ; si cela était, cet ouvrage n'aurait plus de raison d'être !

Comment identifier des outils thématiques

L'utilisation d'outils thématiques peut se révéler efficace pour certains types de recherche ; encore faut-il connaître des outils spécialisés sur le thème de sa question. Si ce n'est pas le cas, plusieurs astuces peuvent permettre d'identifier quelques sites fédérateurs, annuaires thématiques et vortails.

Les répertoires d'outils thématiques

Comme l'on pouvait s'y attendre, s'il existe des guides et des sites fédérateurs sélectionnant les sites Web les plus intéressants, il existe aussi des sites qui recensent ces sites fédérateurs. Leur consultation rajoute encore une étape à la recherche : ces sites permettent d'identifier des listes de sites qui permettront d'identifier des sites qui permettront de répondre à la question !, mais elle offre la possibilité de distinguer rapidement les sources les plus utiles pour démarrer son investigation.

Parmi ces « guides de guides », on citera, en particulier :

Alpha Search *(www.calvin.edu/library/searreso/internet/as)*

Géré par Greg Sennema, de la Hekman Digital Library du Calvin College (Grand Rapids, États-Unis), cet outil a pour objectif de recenser les meilleures sources d'information dans plus de 35 disciplines.

Il propose au total la description de près de 1 000 ressources Internet, dont la répartition par type est la suivante :

– sites fédérateurs ou « gateways » : 70 % ;

– sites répertoriant les documents en texte intégral, y compris livres : 15 % ;

– banques de données : 10 % ; cette catégorie comprend les bases spécialisées dans un domaine, les bases interdisciplinaires, les catalogues de bibliothèques et les bases réservées aux étudiants du Calvin College ;

– autres catégories : sites recensant les documents du gouvernement américain, journaux et périodiques, dépêches, annuaires et encyclopédies, moteurs de recherche.

Les sites sélectionnés par Alpha Search répondent à des critères très stricts.

Il leur faut, en particulier :

– être un site fédérateur, c'est-à-dire répertorier un nombre important de sites Web classés par domaines, par disciplines ou par concepts, et être réalisé « humainement » et non de façon automatique, ou être une banque de données ;

– être accessible gratuitement ;
– être mis à jour régulièrement ;
– être adapté aux besoins des étudiants de l'université.

D'une façon générale, l'équipe éditoriale ne sélectionne que 3 à 5 % des sites Web qu'elle visite. Ne sont pas retenus, entre autres, les documents aisément identifiables avec un moteur de recherche (la page d'accueil de The American Medical Association par exemple), les informations éphémères, les sites dont la consultation nécessite un logiciel spécifique (Quick Times...), les sites trop spécialisés (The Monarch Butterfly Watch) ou ceux qui ne proposent pas un nombre important de liens. Même si ces critères ne sont pas explicitement indiqués, les sites que nous avons identifiés lors de nos tests étaient tous en anglais et couvraient majoritairement les États-Unis.

Les possibilités de recherche sur AlphaSearch sont simples, mais suffisantes. L'écran d'accueil permet d'afficher rapidement les sites d'une discipline donnée (archaeology, art, astronomy, biology, chemistry, computer science...), que l'on choisit dans un menu déroulant. On peut aussi afficher la liste alphabétique des descripteurs (abnormal psychology, abortion, accountant, accounting, acting...) et, à partir de là, identifier les sites indexés par l'un d'entre eux.

L'onglet Search, quant à lui, donne accès à un formulaire qui permet de lancer une requête par mots sur l'ensemble de la base. La recherche peut se faire avec trois termes, reliés par les opérateurs AND, OR, NOT ; elle peut être limitée aux mots du titre, aux mots-clés ou aux descripteurs et ne concerner que les sites d'une catégorie (à choisir dans un menu déroulant).

Quel que soit le mode de recherche, la liste des résultats donne, pour chaque site, son nom avec un lien vers le site, le numéro de la référence et une description relativement détaillée du contenu. En cliquant sur l'option « more information », on obtient une fiche précisant : le titre, l'URL, le résumé, les mots-clés, les descripteurs, la date de création et de modification et la date de vérification de l'URL [8].

L'intérêt d'Alpha Search tient à la qualité des sites qu'il recense. Le nombre de sites répertoriés est certes très restreint, mais chaque site fédérateur identifié constitue une collection de liens choisie pour sa qualité.

Si l'on souhaite par exemple identifier les sites fédérateurs et les vortails concernant l'ingénierie, il suffit, sur le menu déroulant de l'écran d'accueil, de choisir le domaine Engineering et de cliquer sur Browse.

On obtient immédiatement une liste de 21 sites classés par types : Databases-by discipline ; Databases-interdisciplinary ; Gateways-humanities ; Gateways-sciences ; Gateways-social sciences ; Search Engines.

Le choix Gateways-sciences affiche une liste de 15 sites.

8. Fait contradictoire, de nombreuses fiches signalent « URL never checked », alors que l'écran d'accueil précise que tous les liens ont été vérifiés le 8 décembre 2000.

> • *Edinburgh Engineering Virtual Library (EEVL)*
> abstract
> Resource Number: 66
> More information…
>
> • *EE Compendium*
> The EE Compendium is a collection of Electronics Engineering information on the World-Wide Web.
> Resource Number: 67
> More information…
>
> • *Mechanical Engineering (WWW Virtual Library)*
> abstract
> Resource Number: 212
> More information…
> (…)

Pour chaque site, on peut afficher une description plus détaillée en cliquant sur More information…

> *Resource #66*
> *Title: Edinburgh Engineering Virtual Library (EEVL)*
> URL: http://www.eevl.ac.uk
> Abstract: abstract
> Keywords:
> Title Words: EEVL; LIBRARY; VIRTUAL; ENGINEERING; EDINBURGH
> Descriptors: ENGINEERING
> This record was created on 10/15/1997
> Modified on 01/16/1998
> URL never checked.

Il est également possible de lancer une requête avec le terme « engineering » sur les descriptions de bases ; on identifie alors 24 sites.

Pour des questions plutôt généralistes, couvrant notamment les domaines universitaires, AlphaSearch constitue un point de départ recommandé.

Search Engine Guide *(www.searchengineguide.com)*

La couverture de Search Engine Guide est bien plus large que celle d'Alpha Search. Ce guide recense en effet tous les outils de recherche thématiques et non seulement les sites fédérateurs et les guides ; d'autre part, les sites recensés ne sont pas sélectionnés uniquement sur des critères qualitatifs. Tout annuaire, même incomplet ou avec une couverture limitée, est susceptible d'être répertorié dans Search Engine Guide.

Plus de 3 660 moteurs, portails et annuaires sont au total identifiés et sont classés par rubriques et sous-rubriques (Onglet « Search Engines »). Les grandes catégories proposées sont : Arts ; Business ; Computing ; Education ;

Entertainment ; General ; Government ; Health ; News and media ; Recreation ; Reference ; Regional ; Science ; Social sciences ; Society et Sports.

Chaque rubrique donne accès à des sous-rubriques, puis à une liste de sites.

Pour chacun, sont indiqués son nom et une description en une ligne. On regrettera que l'URL ne soit pas précisée.

Une recherche par mots sur les catégories et les descriptions des sites peut également être faite dès l'écran d'accueil, en précisant si les termes doivent être reliés avec l'opérateur AND ou OR et si la requête doit se faire avec la racine du mot ou le terme exact.

En complément de cet annuaire, l'écran d'accueil de Search Engine Guide propose de nombreuses informations sur les outils de recherche en général : communiqués de presse, articles, ressources... On peut demander à recevoir par e-mail une lettre quotidienne sur les outils de recherche ; c'est en fait une revue de presse qui indique le titre des articles avec un lien vers le texte intégral.

Une recherche sur le thème Engineering (sous-rubrique de la catégorie Business), affiche une liste de six outils spécialisés sur le thème.

> Top: Business: Engineering
> Links:
> • EEVL E-journal Search Engine- Allows full-text searching of engineering e-journals.

• Engineer Search- Search for an engineer, locate an engineering firm, find sub-contract consulting engineers or identify an engineering employer in the region you wish to work.
• EngineerSupply.Com- Engineering portal featuring information, reference, products, services, and collaboration among the engineering community.
(…)

Alba36.com *(fr.alba36.com)*

Alba36.com est un portail très récent qui se définit comme « un portail de vortails multilingue ». Ce « métaguide » répertorie 50 000 portails verticaux dans le monde entier, répartis dans 36 rubriques et 700 sous-rubriques. Il couvre relativement bien la France, l'Allemagne, l'Italie, l'Espagne et le Royaume-Uni ; une interface est d'ailleurs proposée dans chacune des langues de ces pays.

Sa couverture est bien plus large que celle de SearchEngineGuide, puisqu'il recense les sites professionnels, mais aussi grand public.

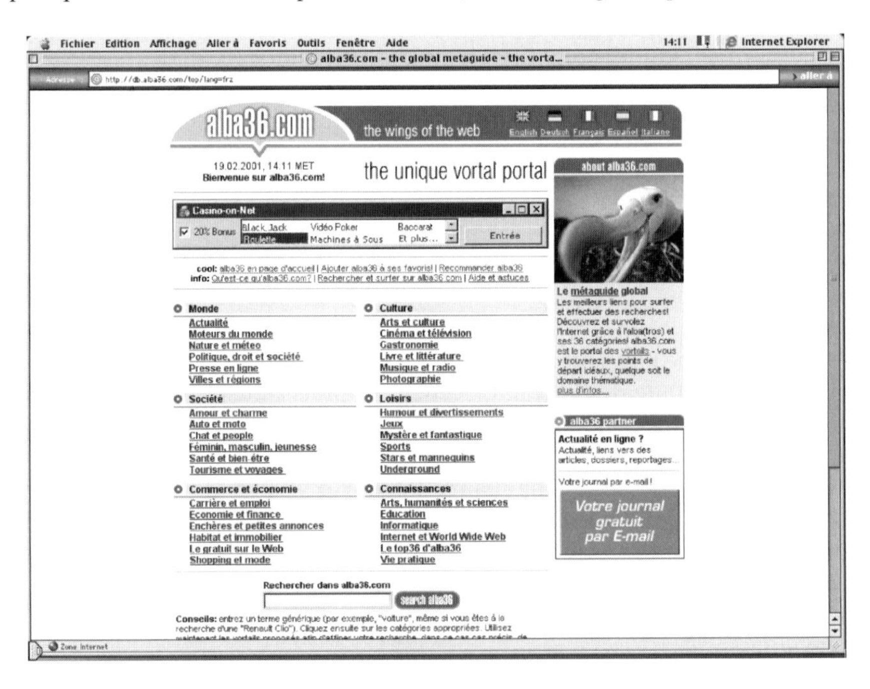

Les grandes rubriques de l'écran d'accueil sont à ce titre sans ambiguïté : Monde (actualité, météo et nature…) ; Société (amour et charme, automobile et moto…) ; Commerce et économie (enchères et petites annonces ; finance et économie…) ; Culture (arts et culture, film et télévision…) ; Loisirs (humour et loisirs, jeux…) ; Connaissances (études, écoles et formation…).

Une recherche par mots sur l'ensemble du site est également proposée. Alba36.com affiche dans un premier temps les rubriques qui contiennent des sites pertinents. En cliquant sur une rubrique, on obtient la liste des sites sélectionnés, qui peuvent être classés par nom ou par popularité (nombre de clics).

Pour chaque site, sont indiqués son nom (avec un lien vers le site), la langue et une description écrite dans la langue du site. Option originale, Alba36.com utilise la technologie Quick/Browse ; elle permet de sélectionner les sites de son choix puis, dans une deuxième fenêtre, d'afficher sur une page unique les écrans d'accueil de chacun des sites.

Le concept d'Alba36.com est intéressant, mais ce métaguide souffre de certaines faiblesses, qui ne sont peut être que des péchés de jeunesse. En voulant éviter les arborescences quelquefois trop complexes des annuaires généralistes, Alba36.com est tombé dans l'excès inverse : la répartition de 50 000 sites dans 700 catégories conduit à des listes de résultats quelquefois trop importantes (plus de 200) et difficilement exploitables.

Malgré ces faiblesses, Alba36.com peut toutefois réserver de bonnes surprises.

Ainsi, une recherche avec le terme « engineering » [9] sélectionne :

> Catégories *1-10* de *37* pour le sujet de recherche *engineering* | Search took 0,001 seconds.
>
> *Votre sujet de recherche a été trouvé dans les catégories suivantes :*
> Sciences : *Ingénerie*
> Sciences : *Annuaires, magazines et répertoires*
> Actualité : *Médecine, sciences et technologie*
> Sciences : *Physique*
> Sciences : *Architecture*
> Sciences : *Géographie et géologie*
> Météo et nature : *Géographie et géologie*
> Internet et World Wide Web : *Annuaires et guides*
> Sciences : *Biologie*
> Finance et économie : *De professionnels á professionnels (B2B)*

La rubrique Science : Ingénerie (avec une faute d'orthographe) affiche quant à elle :

> Vous êtes ici : alba36 home : Résultats de recherche : Sciences : Ingénerie
>
> Résultat 1-10 de 113 | sort by name | sort by clicks | Envoyez ces résultats à vos amis !
>
> 1. *Wer baut Maschinen in Deutschland*
> Die Datenbank des deutschen Maschinen - und Anlagenbaus. -Who makes machinery in Germany? Mechanical engineering product database.

9. La recherche sur Alba36 se fait sur les descriptions des sites, qui sont rédigées dans la langue du site ; une requête sur des termes en français et en anglais ne donnera donc pas les mêmes résultats.

2. *TWI*
Engineering resources: materials, industry, patents, standards, libraries and databases...

3. *Civil Engineering Library*
The Civil Engineer's Mega Bookmark of 1000+ valuable and useful web resources

4. *Byrne's Electrical Engineering Hotlinks*
Electrical Engineering and Electronics Industry information, FREE data sheets and employment (jobs)

5. *Chemical Engineering URL´s Directory*
International Directory of Chemical Engineering URLs

6. *EELS*
Engineering Electronic Library, Sweden. The Swedish Universities of Technology Libraries

7. *The WWW Virtual Library*
Software Engineering: Languages and Notations, Design, CASE (Computer Aided Software Engineering), Process, Government, Industrial Organizations...

8. *Systems Engineering Sites*
Internet resources. Department of Systems Engineering, University of Virginia

9. *EEVL*
Edinburgh Engineering Virtual Library. The UK gateway to quality engineering on the www.

10. *The WWW Virtual Library*
Engineering: Acoustics, Aerospace, Ceramics, Chemical Engineering, Civil Engineering, Electrical Engineering...

*
* *

Ces répertoires ont permis dans cet exemple d'identifier très rapidement le site EEVL, qui est à notre avis l'un des plus performants pour démarrer une recherche dans le domaine de l'ingénierie ; c'est là tout l'intérêt de ce type d'outil.

Comme ces répertoires ont une couverture généraliste – ils recensent des sites fédérateurs ou des vortails dans tous les secteurs d'activité –, ils sont particulièrement adaptés à des questions relativement larges, comme « engineering » par exemple, mais ils ne permettront pas forcément d'identifier des outils de recherche sur des sujets très pointus.

Certes, les sites identifiés par ces répertoires sont souvent recensés par les grands annuaires généralistes. Mais ils peuvent être difficiles à localiser parmi les multiples rubriques et rien ne les distingue d'autres sites sur le même thème.

Ainsi par exemple, le site EEVL est recensé par Yahoo.com. Mais il est indexé dans la rubrique :

Home > Regional > Countries > United Kingdom > Science > Engineering.

Quel netsurfer, à la recherche d'un site fédérateur sur l'ingénierie, aura l'idée de débuter sa consultation en cliquant sur la rubrique « Regional » ?

Sauf, bien sûr, s'il sait que le site recherché est britannique ; auquel cas il serait préférable d'interroger directement Yahoo Royaume-Uni...

Quant à l'Open Directory, l'identification n'est pas plus simple.

EEVL est en effet indexé avec 39 autres outils dans la rubrique

Top: Science: Technology: Internet Directory.

Cette rubrique n'est pas forcément celle que choisira l'utilisateur.

S'il hésite, une recherche par mots avec le terme « engineering » ne lui sera d'aucune aide ; on obtient rien moins que 217 catégories et 3 281 sites...

Des adresses utiles au détour d'articles

Lorsque la recherche dans les « guides de guides » est infructueuse, on peut essayer d'identifier les sites de référence au détour d'articles.

On peut en effet partir du principe que s'il existe des outils de référence sur un sujet particulier, il y a de fortes chances pour qu'ils aient été signalés dans un article de la presse spécialisée du domaine, voire qu'ils fassent l'objet d'un article détaillé, dans une revue spécialisée sur Internet notamment.

L'avantage de ce procédé est qu'il peut permettre d'identifier rapidement les quelques sites les plus performants et de disposer dans le même temps d'un avis critique ou d'un témoignage d'utilisateur ou d'expert.

About.com *(www.about.com)*

Anciennement baptisé The Mining Company, About.com est un bon point de départ pour ce type de recherche. Ce site, qui se définit comme « The Human Internet », est en effet composé de plus de 700 guides dans tous les domaines, chaque guide pouvant proposer une sélection commentée de liens, mais aussi et surtout des articles rédigés par un expert (voir p. 115).

Ainsi par exemple, si l'on recherche des ressources utiles dans le domaine de la veille, on peut tenter sa chance sur About.com. En posant la question « competitive intelligence » dès l'écran d'accueil, on obtient parmi les résultats :

• *Competitive Intelligence On The Web*
Competitive intelligence resources let you sleuth out the most timely, useful business information on the Web.
URL: http://websearch.about.com/library/weekly/aa081498.htm -
More from the Web Search site

• *Competitive Intelligence*
Competitive intelligence resources to help you search for and find information about competitors and the market.
URL: http://sbinformation.about.com/cs/competitiveintel/index.htm -
More from the Small Business Information site

- *Competitive Intelligence Research on the Web*
Competitive intelligence resources provide exceptional business analysis, market research, and other key competitor intelligence information.
URL: http://websearch.about.com/cs/competitiveintel/index.htm -
More from the Web Search site

- *Feature Follow Up: Competitive Intelligence*
Intellifact is a business research portal specifically designed for competitive intelligence on the Web.
URL: http://websearch.about.com/library/insider/blfollow25.htm -
More from the Web Search site

Que demander de plus ? Un simple clic sur « Go » et l'on a obtenu une liste de résultats pertinents, chaque résultat permettant d'afficher immédiatement une sélection de sites, choisis par différents experts comme étant les ressources les plus utiles sur le sujet ! On notera que le dernier résultat ne propose pas une liste de ressources, mais décrit un portail sur la veille.

About.com regroupe donc un grand nombre d'articles sur les ressources Internet dans différents domaines, écrits par des experts spécifiquement pour ce site Web.

Mais on trouve aussi sur le Net des articles déjà – ou bientôt – publiés dans la presse imprimée, qu'elle soit nationale ou régionale, quotidienne ou hebdomadaire, généraliste ou spécialisée. Le Web est en effet un support qui se prête bien à l'édition, autant par ses caractéristiques techniques (liens hypertexte, support multimédia…) que par la facilité de création des pages Web. La presse a d'ailleurs compris l'intérêt qu'elle pouvait tirer d'Internet et de nombreux titres offrent aujourd'hui leurs articles sur la Toile, en accès libre ou sur abonnement, dès lors qu'ils ont résolu les problèmes de droits d'auteur. [10]

Pour identifier ces articles, qu'ils soient issus de journaux et de magazines ou qu'ils n'existent que sous forme électronique, la solution la plus simple est d'interroger un agrégateur, qui permet de lancer une recherche simultanée sur l'ensemble des titres qu'il héberge.

Ces agrégateurs sont pour la plupart accessibles sur abonnement et disposent de possibilités de recherche qui peuvent être très sophistiquées. Certains offrent un accès libre à la recherche et à la visualisation des titres et font payer l'affichage du texte intégral. On trouvera en cinquième partie de cet ouvrage une présentation détaillée de Pressed et de Europresse, deux des principaux agrégateurs pour la presse française.

Deux sites en accès libre, lancés récemment sur le Web, permettent pour leur part d'interroger la presse anglo-saxonne.

10. Aurélie Vathonne, Laurent Nio, « La presse française sur le Net », *Netsources, Hors-série n° 5*, février 2001.

MagPortal.com *(www.magportal.com)*

MagPortal.com permet d'identifier des articles issus de près de 150 magazines, essentiellement américains. Réalisé par la société Hot Neuron LLC, ce site a pour objectif de faciliter la recherche d'articles disponibles sur le Web en accès libre. Il indexe pour cela le texte intégral des articles de divers magazines, certains d'entre eux n'existant que sous forme électronique et permet de lancer une requête par mots sur l'ensemble de sa base ; mais il donne accès en fin de compte aux articles sur le site des éditeurs.

Les publications couvrent des domaines variés, comme l'économie, l'électronique, les finances, la santé, Internet, mais aussi les loisirs et les sports.

La liste des titres indexés est disponible, avec pour chacun la date du premier et du dernier numéro en ligne. Il est clairement précisé que les articles recensés se limitent à ceux qui sont en accès libre.

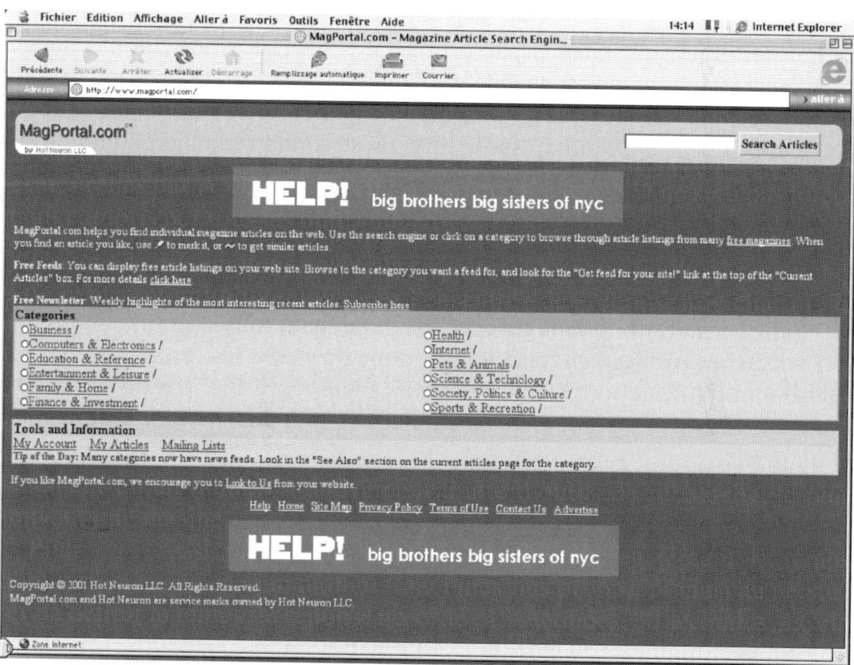

Ainsi par exemple, si des titres comme *Information Today* sont couverts, seuls sont indexés les articles offerts sur le site d'Information Today, c'est-à-dire une sélection des articles présents dans la publication papier. Mais MagPortal.com permet une recherche par mots sur le texte de ces articles, ce qui est impossible sur le site d'Information Today, où les articles sont consultables à partir des sommaires des numéros.

L'écran d'accueil de MagPortal.com propose une zone de saisie pour écrire les termes de sa requête, ainsi qu'une série de rubriques, à l'instar des grands annuaires classiques.

En cliquant sur l'une des rubriques (Business ; Computers and electronics ; Education and reference ; Health ; Internet…), on affiche une page avec :

– une définition de la rubrique (ex. : Categories /Internet : Magazine articles on the state and evolution of the internet) ;
– la liste des sous-rubriques (pour Internet : Broadband ; E-business ; Internet service providers ; Statistics and projections ; Marketing...) ;
– une liste d'autres catégories pouvant être intéressantes (pour Internet toujours : Computers and Electronics/Software Development/XML ; Education and Reference/Search Engines and Research Tools) ;
– la liste des articles les plus récents concernant le sujet.

Sont considérés comme récents les articles issus de mensuels datant de moins de 45 jours, et les articles d'hebdomadaires datant de moins de 18 jours ; la date est cependant celle de l'indexation par MagPortal.com – elle correspond le plus souvent à celle de mise à disposition sur le Web par l'éditeur –, et non celle de la publication papier.

Les articles plus anciens sont accessibles par un lien spécifique.

Les résultats sont classés par ordre ante-chronologique ; pour chacun, sont précisés le nom du magazine avec un lien vers sa page d'accueil, la date d'indexation par MagPortal.com, le nom de l'auteur, le titre de l'article et ses premières lignes. En cliquant sur le titre, on se connecte au texte intégral sur le site de l'éditeur.

La recherche peut également se faire par mots sur le titre, l'auteur et le texte de l'article. Lorsque la requête porte sur plusieurs mots ou sur une expression, MagPortal.com élimine automatiquement les mots vides et ceux qui donnent un résultat nul et sélectionne les articles comprenant tous les mots restants.

La liste des résultats précise, sous la zone de saisie, les termes qui ont été utilisés pour la sélection. On notera que le logiciel n'utilise pas de troncature implicite. Il est donc prudent de lancer une requête avec les mots au singulier et au pluriel.

Par défaut, le classement des documents se fait par pertinence. Il est toutefois possible d'obtenir un tri par date ou par titre de magazine, à partir de la liste des résultats.

Grâce à des icônes spécifiques, MagPortal.com offre d'autre part des options intéressantes :
– en positionnant son curseur devant le nom d'une catégorie, on affiche une définition de cette catégorie ;
– il est possible de « marquer » un article, et de l'ajouter, avec éventuellement une annotation, à une liste personnelle ;
– un symbole spécifique à la droite de chaque document permet d'afficher des articles « similaires ». Ceux-ci sont identifiés grâce au logiciel Hot Neuron Similarity, développé par l'éditeur du site. D'après les auteurs, le site constitue d'ailleurs une version-test de leur logiciel, utilisé pour calculer la similarité entre des articles.

Si l'on souhaite par exemple identifier des articles susceptibles de décrire des sites Web dans le domaine de la veille, on peut lancer une requête avec l'expression « competitive intelligence », qu'il faut ici compléter par un terme permettant de limiter la sélection aux ressources internet (par exemple : « web », ou encore « internet », « www », « http », « portal »...). On obtient parmi les premiers résultats :

> *Actual search terms used (see Search Engine Help): competitive intelligence web*
>
> *Related Categories*
> Business/Strategy and Management
> Internet/E-Business
>
> *Search Results*: 1-10 of 98 Next>
> • Red Herring, July 2000, Claire Tristram
> The tangled Web Spymastering the Web could prove very useful. But beware, it could also be counterintelligent. You can be flooded with so much intelligence that you drown in it and decision-making slows down, or develop a dangerous sense of complacency by assuming everything you need is on the Web.
>
> • The Industry Standard, August 7, 2000, Kathi Black
> Syllabus Course: Competitive Intelligence Online
>
> • Searcher, September 2000, Margaret Gross
> Competitive Intelligence: A Librarian's Empirical Approach Competitive intelligence within an organization serves as a catalyst in the decision-making process... Includes a list of useful web sites.
>
> • Searcher, August 2000, Amelia Kassel
> Web Wise Ways: Web Monitoring and Clipping Services Round-Up More and more these days, institutions want to know what the Net is saying, not only about themselves, but about their competitors or adversaries. How can searchers protect their clients from their greatest fear -- surprise?

Et l'on identifie très vite une série d'articles dont plusieurs semblent tout à fait pertinents.

FindArticles.com *(www.findarticles.com)*

Lancé en juin 2000 par la société LookSmart, qui réalise l'annuaire du même nom, FindArticles.com donne accès gratuitement au texte intégral d'articles publiés depuis 1998 dans plus de 300 publications (soit plusieurs centaines de milliers d'articles), une dizaine des revues ne donnant cependant que le résumé des articles.

Les informations sont fournies par la société Gale Group, agrégateur de presse en texte intégral, avec qui FindArticles.com a signé un accord exclusif.

Cet accord ne représente toutefois qu'une petite partie de l'offre de Gale Group, qui produit des bases comme Promt ou Business and Industry. Des accords ont bien sûr été pris avec les éditeurs qui participent à l'opération. Sur chaque article, un lien est ainsi proposé vers le site de l'éditeur et vers celui de Gale Group.

Les 300 publications, magazines et journaux, couvrent des domaines variés comme l'économie, la santé, la société, l'informatique, l'automobile...

Dans le domaine Business and Finance par exemple, on trouve des articles issus de titres comme *Beverage World International, Business Asia, Business Journal, Management Today, Marketing News, MediaWeek, Packaging Digest, Mergers and Acquisitions,* etc.

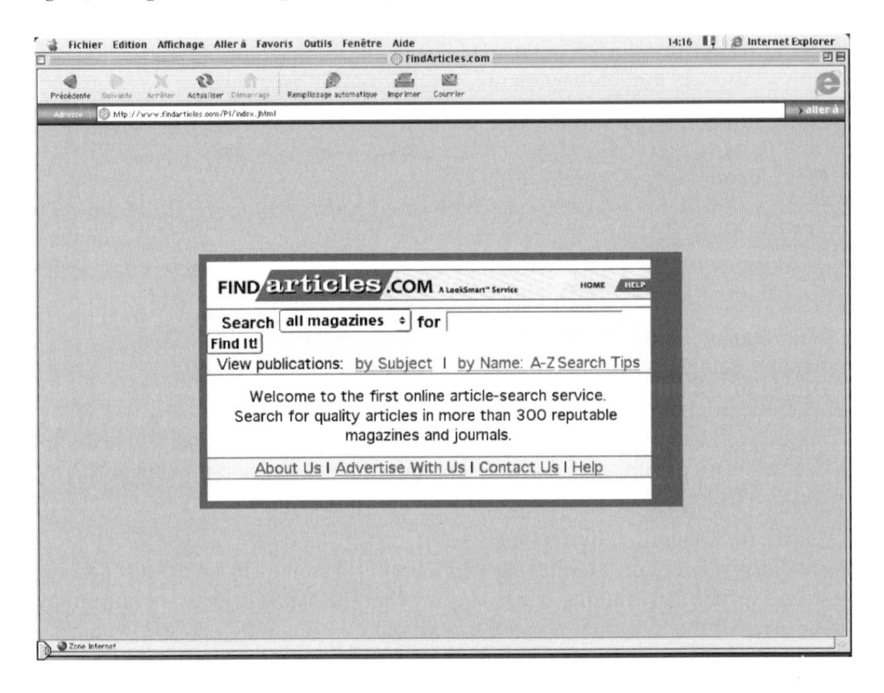

Suivant le principe adopté par les nouveaux outils de recherche (Google, All The Web...), FindArticles.com offre un écran d'accueil très dépouillé.

On y trouve uniquement la zone de saisie pour inscrire les termes de sa requête et un menu déroulant permettant de préciser si la recherche doit se faire dans tous les magazines ou dans les magazines d'un domaine particulier (automobile...).

Il est par ailleurs possible d'accéder à la liste des publications par sujets ou par ordre alphabétique. Pour chaque publication, un écran affiche le logo, une description du contenu en une ligne et permet de limiter la requête aux seuls articles du magazine.

La recherche peut se faire en utilisant les symboles + et – pour signifier la présence obligatoire ou l'exclusion d'un terme et les guillemets pour rechercher une expression.

Un certain nombre d'articles ont par ailleurs des indexations par type de document : book review, review, brief article, interview, column, cover story et letter to the editor. Il est possible de limiter la recherche à ces documents, en rajoutant un de ces termes à la suite des mots de la requête (ex. : "Hillary Clinton" –column +interview).

La liste des documents sélectionnés indique pour chacun le titre de l'article, la source, la date de publication et le nombre de pages.

On regrettera que les résultats soient classés uniquement par pertinence et non par ordre chronologique.

En cliquant sur le titre, on affiche le texte intégral de l'article avec la source, le nom de l'auteur et la date de publication. Une option permet d'imprimer le texte de l'article, sans avoir à consulter les différents écrans et sans les annonces publicitaires, ou de l'envoyer par e-mail à un correspondant.

Chaque article est indexé par l'équipe éditoriale et l'on trouve en bas de l'écran un certain nombre de termes relatifs au thème de l'article. En cliquant sur l'un des termes, on affiche la liste des autres articles qu'il indexe ; un moyen très simple d'étendre sa recherche.

Avec la stratégie + "competitive intelligence" +web, on obtient :

533 article(s) related to : + *"competitive intelligence" +web*

FROM THE EDITOR IN CHIEF.(a company's Web site)(Industry Trend or Event)(Editorial)
Stupid Web tricks: what you shouldn't post on your company's Web site
From InfoWorld, July 12 1999 by Sandy Reed
Page(s): 2

Privacy Perspectives for Online Searchers.(Internet/Web/Online Service Information)
Confidentiality with Confidence?
From Searcher, July 01 2000 by Michael Beaudet
Page(s): 21

FIRST CALL Web Now Available to ILX Customers Via ILXplorer.
Business/Technology Editors
From Business Wire, November 15 2000
Page(s): 2

FROM THE EDITOR IN CHIEF.(Internet/Web/Online Service Information)(Editorial)
So, maybe it's OK to post competitive information on your Web site after all
From InfoWorld, August 23 1999 by Sandy Reed
Page(s): 2

Avec leurs possibilités de recherche simplistes, ces deux sites ne se posent pas en concurrents sérieux des agrégateurs ; ils peuvent néanmoins rendre des services indéniables.

Northern Light *(www.northernlight.com)*

Le moteur Northern Light et sa Special Collection ne doivent bien évidemment pas être oubliés pour une recherche de ce type.

En mode Recherche avancée (onglet Power Search), il est possible de limiter la requête aux seuls documents de la Special Collection.

Avec la stratégie +"competitive intelligence" +web, on obtient 1 378 documents, dont les premiers semblent très intéressants :

Power Search found 1,378 items for : +"competitive intelligence" +web

1. Special Collection *The competitive intelligence edge*
72% – Articles and General info: CI is more than just keeping tabs on your competitors. CI is the systematic legal, moral, and ethical gathering of business information on competitors, customer… 09/25/2000
InfoWorld (magazine): Available at Northern Light
More results from this publication

2. Special Collection *Keeping An I On The Competition -- Internet resources have changed the landscape…*
69% – Article and General info: Internet becomes important part of competitive intelligence sector's information collection efforts; there is trend toward use of hybrid services, i.e., part free and … 09/25/2000
Information Week (magazine): Available at Northern Light
(…)

Quand ces diverses méthodes n'ont pas permis d'identifier au moins un site fédérateur ou un guide, on peut tenter sa chance avec les moteurs de recherche.

Les moteurs de recherche

D'une façon générale, les moteurs de recherche indexent plus facilement les pages des sites les plus populaires, c'est-à-dire celles vers lesquelles pointent de nombreux liens.

Or, si les sites fédérateurs et les guides offrent par définition un grand nombre de liens, ils sont également référencés par un grand nombre de pages. On a donc toutes les chances d'obtenir, parmi les résultats à une question, des pages issues de ces outils de référence. Mais il est difficile de les distinguer.

Une astuce permet cependant d'identifier quelques sites fédérateurs avec des moteurs comme All The Web, AltaVista ou Northern Light. Nombre de sites fédérateurs (mais pas tous) signalent en effet leurs spécificités dans leur URL, en ayant le mot bookmark, links ou liens ou encore resources ou ressources ou signets dans leur adresse.

Il suffit alors, avec les moteurs qui le permettent, de préciser que les pages sélectionnées doivent contenir le terme ou l'expression recherchée ET le mot bookmark, liens ou ressources dans l'URL ; pour une recherche exhaustive, il faut utiliser les différents termes et comparer les résultats obtenus.

• Sur **All The Web**, en mode Recherche avancée, la grille Word Filters permet de préciser que les termes saisis par l'internaute : peuvent/doivent/ne doivent pas (à choisir dans un menu déroulant) être contenus dans : le texte/le titre/l'URL/le nom du lien/les liens vers l'URL (à choisir dans un menu déroulant).

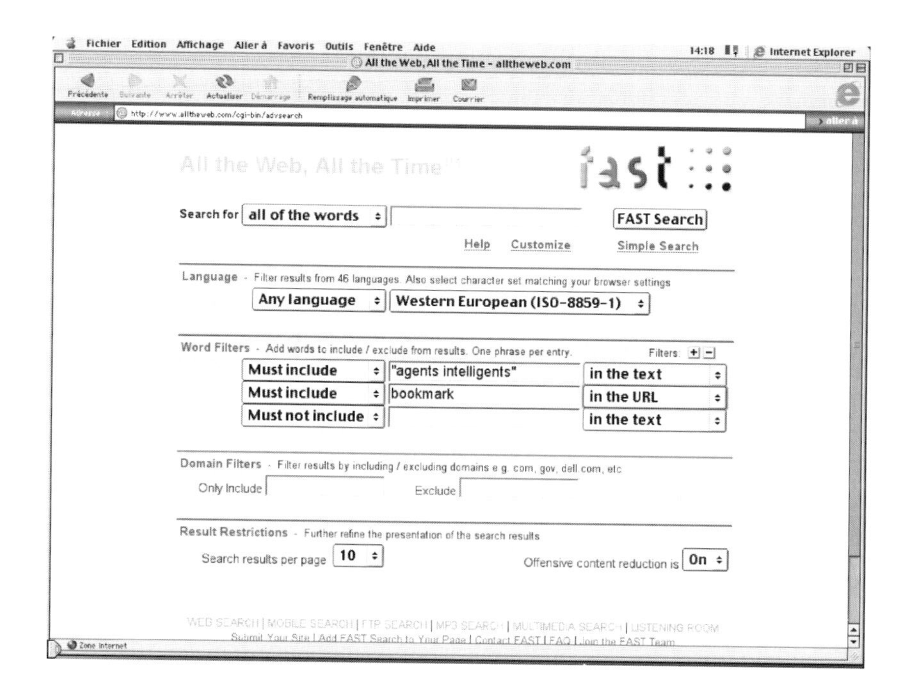

Pour identifier par exemple les pages qui proposent une liste de liens sur le sujet des agents intelligents, on peut demander :
« must include » "agents intelligents" « in the text » ;
« must include » bookmark « in the URL »
(le logiciel utilise implicitement un ET pour lier les deux requêtes).

• Sur **AltaVista**, en mode Recherche simple, il suffit de taper la requête +"agents intelligents" +url:bookmark.

Le mode Recherche avancée permet pour sa part de préciser la question, en utilisant les différents termes qui peuvent être employés comme synonymes de bookmark : "agents intelligents" AND url:(liens OR link OR bookmark OR ressources OR resources OR signets).

• Avec le mode Power Search de **Northern Light**, on peut aussi limiter la requête aux titres ou aux URLs des pages :
Search for: "agents intelligents"
Words in URL: bookmark

Quel que soit le moteur, on obtient des résultats (19 avec Northern Light ; 64 pour la Recherche avancée avec AltaVista), dont plusieurs semblent fournir des listes plus ou moins importantes de liens sur le sujet, comme :

• *Createam's Bookmark*
BOOKMARKS CREATEAM Telecharger le bookmark : en version Netscape ou Internet Explorer OUTILS DE NAVIGATION WWW recherche par index Thématiques Moteurs Francophones Meta-Moteurs recherche géographique News E-mail moteurs de recherche spécialisés SOURCES
http://www.createam-is.com/bookmark.htm

• *Les liens vers les outils d'IEC*
Bookmark sur les outils de l'intelligence économique A. Les ressources 1. Concepts, définitions Les agents semi-intelligents 1. Les agents de recherche « automates » 2. Les agents de recherche « imitateurs » 3. Les agents « veilleurs » 4. Les agents à la ...
http://shiva.istia.univ-angers.fr/~iec/bookmark.htm

Si le nombre de réponses est trop important, on peut affiner la recherche en la limitant aux pages ayant l'expression « agents intelligents » dans leur titre.

Sur AltaVista par exemple, la formulation est alors :
+title:"agents intelligents" +url:bookmark

Les annuaires généralistes

En ultime ressource, les annuaires généralistes peuvent permettre d'identifier des sites de référence.

En fait, la plupart sont recensés par ces annuaires, mais rien ne permet de les distinguer.

- **Nomade** par exemple propose les rubriques et sous-rubriques Informatique et télécom → Internet → Recherche sur le Web → Annuaires, guides de recherche → France, et recense dans cette catégorie 244 sites.
- **Yahoo! France** offre les catégories Informatique et multimédia → Internet → World Wide Web → Recherche sur le Web, puis les sous-sous-catégories Annuaires et guides (164 sites), Listes et sélections (39 sites) et Moteurs de recherche (34 sites).
- Quant au guide du Web de **Voila**, son classement est légèrement plus précis : Informatique, internet → Internet, réseaux → Recherche d'info. sur le Web → Sélection, guide de sites (616 sites) ; on a alors des sous-sélections comme guides généraux (88 sites), Entreprise, économie (54 sites)... Mais elles rassemblent des sites de qualité très variable.

La balade de lien en lien

La balade de lien en lien est une technique de recherche plus aléatoire et plus longue que les autres ; il ne faut toutefois pas la négliger, car elle permet souvent de découvrir des sites dignes d'intérêts. Elle prend tout son sens une fois que l'on a identifié un ou deux sites de référence sur un sujet.

Les sites fédérateurs et les guides décrivent en effet, pour la plupart, un certain nombre d'autres sites du même type, sélectionnés pour leur qualité. C'est alors la tâche du netsurfer de les consulter, de les tester et d'établir son propre bookmark en fonction de sa question.

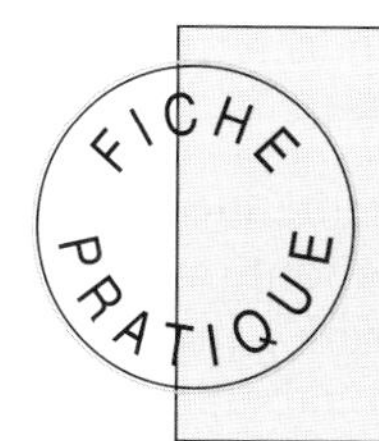

Répertoire de guides

ABOUT.COM

www.about.com

Objectifs et contenu

About.com est un outil de recherche un peu à part, qui n'a pas d'équivalent sur le Web. Il fonctionne pour une part comme un annuaire, tout en ayant des critères d'indexation et des possibilités de recherche bien spécifiques.

About.com offre en effet plus de 700 guides réalisés par des passionnés ou des experts de leur domaine, situés dans plus de 20 pays du monde. Leur biographie est proposée et il est possible de leur faire part de remarques, commentaires...

Cette validation par un expert fait toute la différence entre About.com et les annuaires classiques. L'objectif n'est pas ici l'exhaustivité du recensement, mais la qualité des liens et des articles proposés.

Les guides peuvent concerner des sujets aussi diversifiés que la comptabilité, l'adoption, l'agriculture, l'industrie publicitaire, la musique alternative, les réseaux informatiques, San Diego (CA), les aquariums d'eau de mer, la culture écossaise, le langage Pascal, l'industrie du satellite, sans oublier la recherche sur Internet.

Chaque guide est en général composé de plusieurs rubriques telles que :

– Welcome : actualités, annonces des mises à jour... ;

– Net links : sélection de liens utiles concernant le domaine avec, pour chacun, son titre et un commentaire bref mais critique. Pour certains guides, ces liens peuvent être très nombreux et sont alors classés par thèmes ;

– Features : articles, le plus souvent hebdomadaires, réalisés par l'expert et concernant son domaine ; ils peuvent offrir un panorama de l'offre, la description d'un produit, des commentaires sur l'actualité...

Chaque guide offre par ailleurs, le plus souvent, un calendrier des événements, la possibilité de recevoir par e-mail une lettre d'information, une sélection d'ouvrages utiles… ainsi qu'une zone de rencontre permettant aux netsurfers d'échanger leurs expériences et opinions sur le sujet.

La sélection d'un guide peut se faire par arborescence, par une succession de rubriques et de sous-rubriques. Trente-six grands thèmes sont proposés sur l'écran d'accueil, dont Computing/technology ; Food/drink ; Industry ; Internet/online ; News/issues ; Small business… La liste alphabétique des guides est également disponible, avec pour chacun le titre et le nom de l'expert.

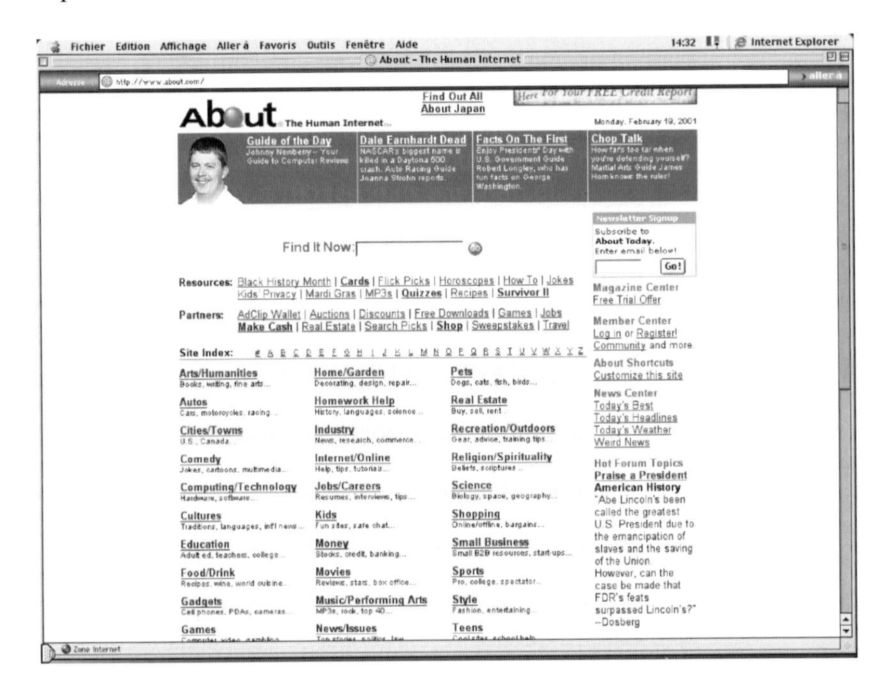

Tout comme Yahoo!, About développe des éditions nationales de son guide. Sont aujourd'hui proposées des versions pour l'Australie, le Canada, l'Inde, l'Irlande, le Royaume-Uni ; le Japon devrait prochainement être ajouté.

About.com permet d'autre part d'effectuer une recherche libre par mots, sur l'ensemble du site. L'écran de résultats affiche, successivement :

– des mots-clés permettant de relancer la requête sur des concepts similaires ; lors d'une recherche sur l'expression « Intelligent agent » par exemple, About.com suggère les termes Agent ; Intelligent Web Systems ; Intelligent Web Agents ; Shop Intelligent Agents ; Bots ; Intelligent Software Agents ; Agent Software… ;

– la liste des dix premiers résultats identifiés sur le site About.com, avec pour chacun leur titre, une description et l'URL. On trouve, parmi ces résultats, les guides consacrés au sujet, ainsi que des documents (articles, listes de liens…) concernant la requête. Il est bien sûr possible de visualiser les résultats suivants ;

– la liste des dix premiers résultats d'une recherche sur le Web, fournie par le moteur Sprinks. Ce moteur a été lancé en mai 2000 par About.com, qui utilisait auparavant les résultats d'Inktomi ; il a une caractéristique bien particulière : il classe les pages sélectionnées non en fonction de leur pertinence ou de leur popularité, mais selon les investissements publicitaires des annonceurs ! ;

– divers liens permettent par ailleurs de poser la question à d'autres sites partenaires, d'acheter en ligne le produit demandé, d'effectuer des comparaisons de prix...

À savoir pour optimiser sa recherche

Comment bien interroger

Recherche guidée : Par arborescence, en cliquant sur le thème, puis le sous-thème choisi, ou à partir de la liste alphabétique des titres des guides, en choisissant la première lettre.

Recherche libre : En utilisant de préférence deux ou trois mots du langage courant.

Opérateurs booléens : Oui. La présence obligatoire ou l'exclusion d'un mot peuvent être demandées avec les symboles + et – devant le mot. On notera qu'il ne doit pas y avoir d'espace entre le symbole et le mot. Il y a en revanche un espace entre les différents mots. L'opérateur AND est utilisé par défaut.

Opérateurs de proximité : Non.

Mots composés/phrase : Oui. Les mots doivent être tapés "entre guillemets".

Recherche sur champs : Non.

Autres critères : Non.

Troncatures : Oui. Pour retrouver tous les mots commençant par le même préfixe, il faut utiliser le symbole * (Par ex. : camp* sélectionnera « campaign », « camping »...).

Ordre des mots : Lors d'une recherche avec deux termes, les réponses peuvent varier selon l'ordre des mots (Par ex. : une recherche avec les termes « polymer » et « plastic » n'identifiera pas exactement les mêmes documents qu'avec « plastic » et « polymer »).

Caractères admis : Le logiciel interprète indifféremment les majuscules et les minuscules. Les caractères accentués sont pris en compte par le logiciel.

Présentation des résultats

Critères de classement : Les résultats affichent d'abord les mots-clés correspondant aux « related search », puis la liste des dix premiers résultats trouvés sur le site (avec pour chacun le nom, un résumé, l'URL et le nom du guide dont il est issu), la liste des dix premiers résultats identifiés sur le Web par le moteur Sprinks et enfin des liens vers des partenaires d'About.com permettant de compléter la question (achat en ligne, comparaison de prix...).

Format de visualisation : Un seul format. Pour chaque document sélectionné : titre (avec lien vers le site), description et URL.

Paramétrage de l'affichage : Non.

Navigation entre les pages de réponses : Non. Juste page immédiatement antérieure ou postérieure.

Objectifs et contenu

Argus Clearinghouse est un répertoire des meilleurs répertoires Web ; il recense les guides thématiques à valeur ajoutée, qui identifient, décrivent et évaluent les ressources Internet (sites Web, listes de diffusion...).

Les guides, qui peuvent couvrir tous les domaines, sont sélectionnés soigneusement en fonction de leur qualité par une équipe éditoriale composée de bibliothécaires et de professionnels de l'information. La sélection se fait à partir des soumissions des éditeurs de sites ; seuls 5 à 10 % des sites sont retenus.

Chaque guide fait l'objet d'une évaluation et est noté de 1 à 5 selon cinq critères :

– le niveau de description des ressources : description du contenu, de la cible, fréquence des mises à jour... ;

– le niveau d'évaluation des ressources : indications sur la qualité du contenu, les droits d'utilisation des informations, les auteurs... ;

– le graphisme du guide : images pouvant ralentir les temps de chargement, aides... ;

– les possibilités de recherche du guide et, en particulier, leur adaptation au thème (par auteur pour un guide sur la littérature...) ;

– les « meta-informations » du guide : objectifs, renseignements sur les auteurs, possibilité de les contacter...

Deux possibilités de recherche sont proposées :

• Recherche par thèmes et sous-thèmes : l'écran d'accueil offre une liste de 13 grandes catégories : Arts and humanities ; Business and employment ; Communication ; Computers and information technology ; Education ; Engineering ; Environment ; Government and law ; Health and medecine ; Places and peoples ; Recreation ; Science and mathematics et Social sciences and social issues.

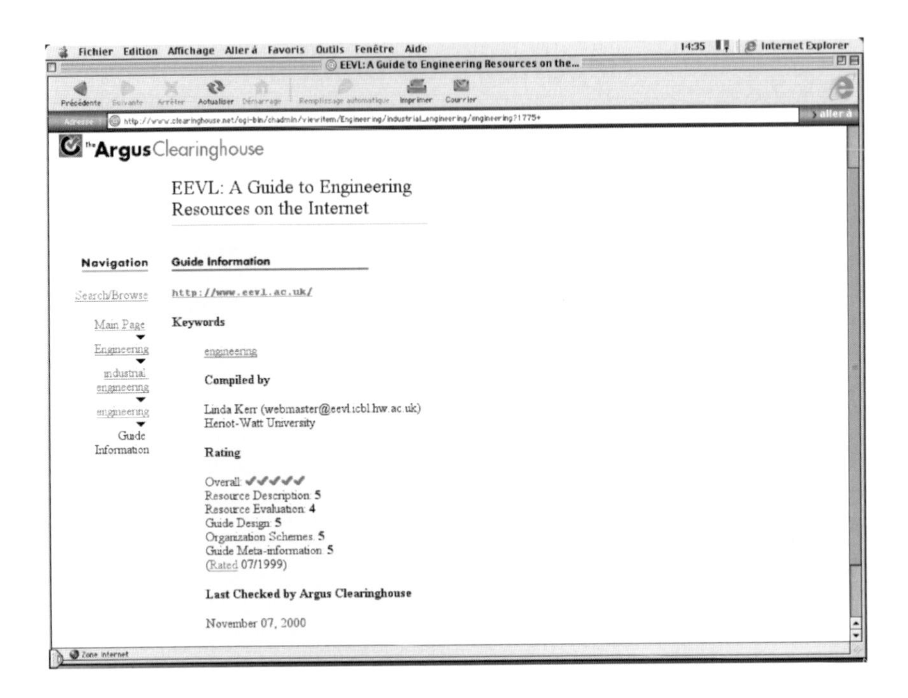

En cliquant sur un thème, on affiche la liste des sous-thèmes puis celle des mots-clés. Celle-ci donne accès à la liste des résultats. On notera que certains mots-clés ne sont attribués qu'à un seul site. Le choix Search/Browse proposé sur l'écran d'accueil permet par ailleurs d'afficher la liste de l'ensemble des rubriques et sous-rubriques.

• Recherche par mots sur les descriptions : en cliquant sur le choix Search/Browse, on affiche – en plus de la liste des rubriques – une zone de saisie permettant de lancer une requête par mots sur l'ensemble des descriptions des sites, en utilisant les opérateurs AND et OR et les parenthèses pour préciser sa stratégie.

À savoir pour optimiser sa recherche

Comment bien interroger

Recherche par thème : Elle se fait en choisissant une rubrique, puis une sous-rubrique.
On obtient alors la liste des mots-clés caractérisant le contenu des guides de la catégorie. En cliquant sur un mot-clé, on affiche la liste des sites sélectionnés.

Recherche libre : Elle se fait par mots sur l'ensemble des descriptions des sites.

Opérateurs booléens : Oui. Il est possible d'utiliser les opérateurs AND et OR et les parenthèses pour préciser sa stratégie. L'opérateur par défaut est AND. Quand la recherche se fait sur des mots avec troncature, l'opérateur par défaut est alors OR.

Opérateurs de proximité : Non.

Mots composés/phrase : Non.

Recherche sur champs : Non.

Autres critères : Non.

Troncature : Oui. Il faut taper le symbole * après les premières lettres du mot.

Ordre des mots : Une recherche avec deux termes donne les mêmes résultats, quel que soit l'ordre des mots.

Caractères admis : Le logiciel interprète indifféremment les majuscules et les minuscules. En revanche, il ne comprend pas les caractères accentués, ni les signes de ponctuation.

Présentation des résultats

Critères de classement : Les sites sélectionnés sont classés par pertinence.

Format de visualisation : La liste des sites sélectionnés indique, pour chacun, son titre, les mots-clés, et la note d'évaluation générale. En cliquant sur le nom, on obtient une fiche d'évaluation précisant l'URL (avec un lien vers le site), les mots-clés, le nom et l'adresse e-mail du webmaster, une évaluation de 1 à 5 pour le site en général et pour chacun des cinq critères, les dates d'évaluation et de vérification. Les thèmes et sous-thèmes dans lesquels le site est indexé sont indiqués lorsque la recherche a été faite par rubriques successives.

Paramétrage de l'affichage : Non.

Navigation entre les pages de réponses : Les résultats s'affichent sur une page unique.

Objectifs et contenu

Proposé sur le site de l'université du Michigan, le module Documents Center recense et décrit les multiples sources d'information gouvernementales – qui constituent souvent de véritables banques de données – accessibles sur le Web, dans le monde entier. Plus de 20 000 sources sont aujourd'hui recensées ; elles couvrent plus particulièrement les États-Unis, mais on trouve environ 2 000 sites internationaux ou issus d'autres pays que les États-Unis.

Plusieurs possibilités de recherche sont offertes.

• Les ressources sont regroupées selon leur contenu dans différents modules, accessibles depuis l'écran d'accueil par une liste alphabétique, par des icônes dans une colonne sur la gauche, ou encore par des rubriques et sous-rubriques.

Quel que soit le mode d'accès, on affiche au bout du compte une liste de sites, avec pour chacun une description en quelques lignes.

Parmi les modules proposés, on citera :

– **Statistical Resources**, qui recense les ressources statistiques sur le Web ; les chiffres peuvent concerner l'agriculture, l'industrie et les affaires, la consommation, le coût de la vie, la démographie, l'économie, l'emploi, l'énergie, l'environnement, les sciences, le transport, la politique, l'éducation… ;

– **Foreign Government** donne la liste des sites Web gouvernementaux dans le monde entier, ainsi que des ressources proposant des informations sur les constitutions et les lois, les ambassades, les sciences politiques… ;

– **Federal Government** sélectionne les sites concernant le gouvernement américain en général (bibliographies, documents historiques…), ainsi que le bureau exécutif, législatif, judiciaire, la législation, les Présidents (biographies, discours historiques…), etc. ;

– **Political Science Resources** recense les sites concernant les sciences politiques : théorie politique, périodiques, outils de référence (guides de citations, dictionnaires, encyclopédies...), relations internationales (droits de l'homme, traités...), politique étrangère (élections...), médias ;

– **International** liste les sites des divers agences et organismes internationaux.

Pour chaque module, une colonne sur la gauche de l'écran donne une liste impressionnante de mots-clés permettant d'accéder directement aux sites traitant du sujet ; pour les statistiques par exemple, on trouve aussi bien abortion qu'accidents, agriculture, AIDS, bridges...

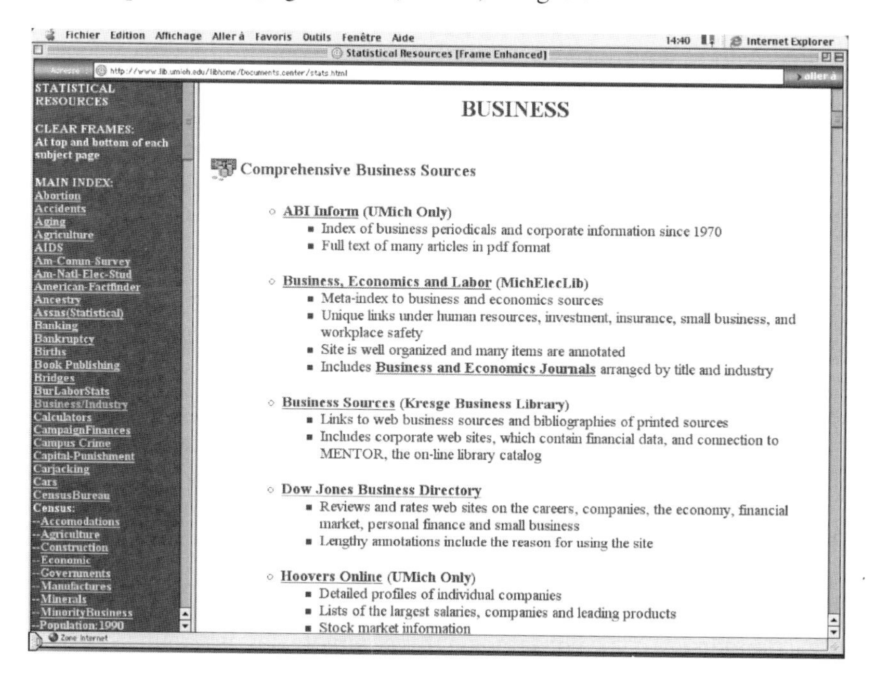

• Sous la liste des modules proposée sur l'écran d'accueil, l'onglet Directory permet d'identifier des sites à partir de la liste alphabétique très détaillée des différents sujets couverts : Abortion statistics ; Academy of political science ; Accidents/personal (statistics) ; Accidents/transportation...

• L'onglet Search enfin permet de lancer une recherche par mots sur l'ensemble de la base, en utilisant éventuellement les opérateurs AND, OR, NOT et les parenthèses pour préciser sa stratégie. On peut également limiter le champ de la recherche aux titres, aux débuts du texte ou aux descriptions complètes.

Documents Center est un site remarquable, qui permet d'identifier rapidement des sources intéressantes et validées, difficiles à localiser.

Si l'on recherche par exemple des statistiques sur l'évolution de l'utilisation d'Internet, il suffit, dans le module « Search » de taper les mots « internet » et « hosts ».

On obtient alors la liste des pages du site contenant ces termes :

Search Results for « internet hosts »

• Score: 1000 Statistical Resources on the Web/Science, Internet, and Telecommunications (18.5 Kb)
http://www.lib.umich.edu/libhome/Documents.center/stsci.html

• Score: 0357 Health Care Politics (94.2 Kb)
http://www.lib.umich.edu/libhome/Documents.center/healpol.html

• Score: 0357 U.S. Depository Library Program (35.9 Kb)
http://www.lib.umich.edu/libhome/Documents.center/gid/risbibl.html
(...)

Le premier document affiche la page « *Statistical Resources on the Web - Science, Internet, and Telecommunications* » avec comme grandes catégories : Comprehensive | E-Commerce | E-Government | Internet | Science | Telecommunications | Television.

Cette page identifie au total 43 sites, et donne pour certains une description détaillée. Pour repérer plus rapidement les sites pertinents, on peut utiliser la fonction « Rechercher » du navigateur, avec le mot « hosts ».

Deux sites contiennent ce terme dans leur description :

• *Global Internet Statistics by Language (Euro-Marketing)*
– Current internet use and projected use by language
– Includes percent of world speaking the language, GDP by language, and Internet hosts by language
– Per 1999 data, English accounts for only 55% of Internet use

• Hobbes Internet Timeline
– Timeline of Internet growth since the 1950s with hot links to more detailed information
– Annual statistics beginning 1969 on hosts, domains and networks.

Cette dernière source, hébergée sur le site très sérieux de l'ISOC [11], est réalisée par... Robert Hobbes' Zakon, Internet Evangelist !

En complément à une chronologie très complète des différentes étapes du développement de l'Internet, avec de multiples liens, cette page propose effectivement des statistiques semestrielles remontant à 1969 sur le nombre de serveurs, de domaines, etc.

Une mine de renseignements, extrêmement difficile à identifier autrement !

11. ISOC (Internet Society) (www.isoc.org)
L'ISOC est une organisation internationale créée en 1992 pour la gestion de l'Internet.

À savoir pour optimiser sa recherche

Comment bien interroger

Recherche guidée : Plusieurs possibilités de recherche guidée sont proposées :
- par rubriques et sous-rubriques à partir des grands modules ;
- à partir de la liste alphabétique des sujets traités ;
- à partir de la liste des mots-clés, lorsque l'on est sur un module.

Recherche libre : Elle se fait par mots sur l'ensemble de la base.

Opérateurs booléens : Oui. En cliquant sur l'onglet Search, on affiche une grille de recherche permettant d'utiliser les opérateurs AND, OR, NOT et les parenthèses pour préciser sa stratégie. L'opérateur par défaut est AND.

Opérateurs de proximité : Non.

Mots composés/phrase : Non. Le moteur de Documents Center ne permet pas la recherche d'expressions. Aussi, il offre en complément une zone de saisie pour lancer la requête via AltaVista, avec comme stratégie « url:lib.umich.edu/libhome/Documents.center/" +"expression à rechercher" » (afin de limiter le champ de la recherche au site de Documents Center).

Recherche sur champs : Oui. Il est possible de préciser que la recherche doit se faire sur les champs title, headers, body, ou sur l'ensemble des descriptions.

Autres critères : Non.

Troncature : Oui. Il faut taper le symbole * après les premières lettres du mot.

Ordre des mots : Une recherche avec deux termes donne les mêmes résultats quel que soit l'ordre des mots.

Caractères admis : Le logiciel interprète indifféremment les majuscules et les minuscules.

Présentation des résultats

Critères de classement : Lors d'une recherche par mots, les résultats peuvent être triés. Lors d'une consultation par rubriques, les sites sont classés par ordre alphabétique.

Format de visualisation : Chaque site est décrit de façon succincte en quelques lignes précisant ses caractéristiques.

Paramétrage de l'affichage : Oui. Il est possible de limiter le nombre de résultats obtenus.

Navigation entre les pages de réponses : Les résultats sont affichés sur une page unique.

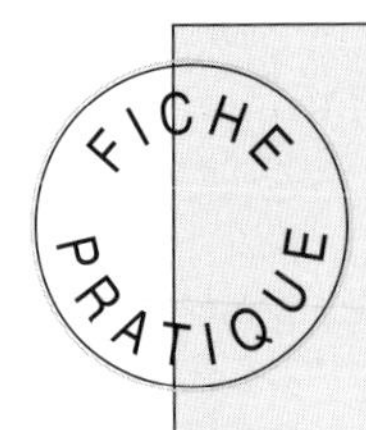

Portail thématique

EEVL

www.eevl.ac.uk

Objectifs et contenu

EEVL – Edinburgh Engineering Virtual Library – appartient à cette catégorie de sites Web qui donnent envie de s'exclamer, quand on les a consultés : « On trouve quand même des sources d'information remarquables sur Internet ! ».

Ce site se définit comme « la passerelle britannique vers l'information de qualité concernant l'ingénierie, sur Internet » et cette appellation n'est pas usurpée.

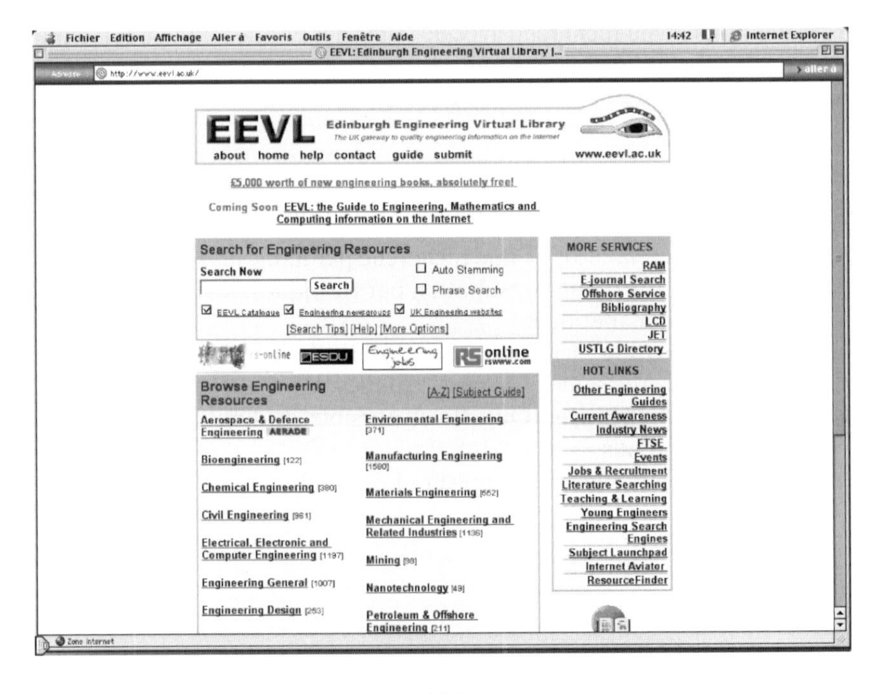

Réalisé dans le cadre d'un projet regroupant différents organismes d'enseignement supérieur, EEVL a été lancé en 1996 pour faciliter l'accès des chercheurs et des professeurs de l'enseignement supérieur et de la recherche aux sources d'informations professionnelles dans le domaine de l'ingénierie.Extrêmement complet et bien fait, il propose différentes ressources et outils de recherche concernant ce domaine.

On trouve ainsi, en particulier :

• Un **catalogue de plus de 8 000 ressources** concernant l'ingénierie, sélectionnées pour leur qualité, puis indexées et décrites par des experts du domaine. Les descriptions des sites sont accessibles en deux étapes.

La liste des résultats indique tout d'abord, pour chaque site, son nom, l'URL, le résumé détaillé et les mots-clés. Le netsurfer est invité à faire part de ses commentaires sur le site au webmaster d'EEVL.

En cliquant sur l'option [Full EEVL Record], on obtient ensuite une fiche plus détaillée avec, en complément, le type de ressource, la classification, la localisation et la langue.

Exemple de fiche descriptive

Title: Offshore Engineering Information Service
Alternative-Titles: OEIS
Description: The Offshore Engineering Information Service at Heriot Watt University offers information about publications and meetings dealing with oil and gas exploration and production, offshore structures and pipelines, subsea systems, offshore health and safety, marine environmental protection, underwater operations, diving and ROVs, resources of the seabed and renewable energy, petroleum economics and engineering.
Access to the service is free for all UK universities (.ac.uk domains) and by subscription for other sites. The service includes a bulletin of publications, a listing of forthcoming meetings, and a cumulative bibliography of petroleum and marine technology.
Accessible by: http://www.eevl.ac.uk/offshore/
Resource-Type: Database/Databank
Resource Guide/Directory
Classification: Petroleum and Offshore Engineering
Occupational Safety and Health
Location: UK based resource
Country-of-origin: United Kingdom
Language: English

La recherche dans le catalogue se fait par choix successifs, à partir d'une série de rubriques proposées sur l'écran d'accueil : Bioengineering ; Chemical engineering ; Civil engineering ; Engineering design ; Environmental engineering ; Manufacturing engineering ; Mining, Nanotechnology ; Petroleum and offshore engineering ; etc. Ce catalogue s'est récemment enrichi de la rubrique « Aerospace et Defence Engineering », fournie par AERADE, de l'université de Cranfield.

Un clic sur l'une des rubriques affiche la liste des sous-rubriques, ainsi qu'un formulaire de saisie permettant de lancer une requête par mots sur l'ensemble du catalogue, en utilisant les opérateurs booléens AND, NOT et la troncature.

Il est possible de limiter la sélection aux sites du Royaume-Uni, ou à certains types de ressources (journaux électroniques, sites universitaires, sites d'entreprises, banques de données, logiciels, documents en texte intégral, brevets, FAQ...).

• En complément du catalogue de sites Web, le **moteur de recherche** EASIER est proposé sur l'écran d'accueil, et permet de lancer une requête par mots sur trois banques de données (en choisissant la ou les bases à interroger) :

– le catalogue des ressources EEVL ;

– les archives des forums de discussion sur l'ingénierie (40 jours d'antériorité pour plus de 100 forums) ;

– le texte intégral de tous les sites du Royaume-Uni recensés dans le catalogue EEVL, soit plus de 100 000 pages Web concernant l'ingénierie.

Dans une colonne sur la droite de l'écran d'accueil, un certain nombre de services sont proposés, dont :

• **RAM** : Recent Advances in Manufacturing : banque de données bibliographiques concernant la fabrication et les domaines connexes. Les documents sont issus de journaux et de magazines, mais aussi de livres, de vidéos et de comptes-rendus de conférences.

• **E-journal Search** : permet de lancer une requête sur les pages Web de plus de 100 journaux électroniques concernant l'ingénierie, accessibles gratuitement et donnant accès, pour la plupart, au texte intégral des articles.

• **LCD** (Liquid Crystal Database) et **JET** (Jet Impingement Database) : deux banques de données bibliographiques.

• Plusieurs **listes de liens** sont proposées, sous la rubrique Hot Links. Elles donnent accès à d'autres guides Internet concernant l'ingénierie, à diverses sources d'information sur l'ingénierie (ouvrages, articles, conférences, ressources Internet...), à des annonces d'événements et de manifestations, à des articles et à des outils de recherche.

EEVL est un véritable « vortail » sur l'ingénierie. Il en a du moins toutes les qualités, sans les défauts, n'ayant pas cédé à l'attrait du commerce électronique et des multiples bandeaux publicitaires.

Il représente ce que l'on peut trouver de mieux sur Internet dans cette famille d'outils : des ressources validées par des experts du domaine (les descriptions des sites du catalogue sont quelquefois très détaillées), des possibilités de recherche relativement sophistiquées et de multiples services complémentaires autour d'un thème unique.

À savoir pour optimiser sa recherche

Comment bien interroger

Recherche guidée : Elle se fait en choisissant une rubrique sur l'écran d'accueil, puis une sous-rubrique. L'option [Subject Guide] permet d'afficher sur une même page l'ensemble des rubriques et sous-rubriques du guide. En cliquant sur l'option Topics Covered proposée pour chaque sous-rubrique, on affiche cette fois une liste de toutes les catégories du catalogue.
L'option [A-Z] affiche le thesaurus du catalogue.

Recherche libre : Sur l'écran d'accueil, une grille de saisie permet de lancer une requête par mots sur trois banques de données (en choisissant la ou les bases à interroger) :
– le catalogue des ressources EEVL (8 000 sites recensés) ;
– les archives des forums de discussion sur l'ingénierie (40 jours d'antériorité pour plus de 100 forums) ;
– le texte intégral de tous les sites du Royaume-Uni recensés dans le catalogue EEVL, soit plus de 100 000 pages Web concernant l'ingénierie.

Opérateurs booléens : Oui. Il est possible d'utiliser les opérateurs AND et NOT. L'opérateur OR est utilisé par défaut.

Opérateurs de proximité : Non.

Mots composés/phrase : Oui. Il suffit de cocher le choix Phrase search sur le formulaire de saisie.

Recherche sur champs : Non.

Autres critères : Oui. Si l'on clique sur l'une des rubrique du guide, on affiche un formulaire qui permet de lancer une requête sur la seule base du catalogue de ressources. On peut alors préciser le type de document recherché, parmi 21 propositions : journaux électroniques, sites universitaires, sites d'entreprises, banques de données, logiciels, documents en texte intégral, brevets, FAQ...
On peut aussi limiter la sélection aux seuls sites du Royaume-Uni.

Troncature : Oui. Il suffit de cliquer sur le choix Auto Stemming proposé sur le formulaire de saisie. Sinon, on peut utiliser le symbole * après les premières lettres d'un mot.

Ordre des mots : Une recherche avec deux termes donne les mêmes résultats quel que soit l'ordre des mots.

Caractères admis : Le logiciel interprète indifféremment les majuscules et les minuscules, les caractères accentués ou non.

Présentation des résultats

Critères de classement : Si l'on a lancé une recherche sur les trois bases, la liste des résultats affiche les vingt premiers sites issus du catalogue classés par pertinence, suivis par les dix premiers messages des forums de discussion classés par date, et enfin les dix premières pages des sites Web.

Format de visualisation : La liste des résultats affiche :

– pour chaque site du catalogue : son nom, s'il est ou non au Royaume-Uni, l'URL, une description détaillée du contenu et sa pertinence. Un lien permet d'envoyer des commentaires sur le site au Webmaster d'EEVL. En cliquant sur le lien [Full EEVL record], on obtient une fiche plus complète avec, en plus, le type de ressource (banque de données…), la catégorie dans laquelle il est indexé et sa localisation ;

– pour chaque message : son titre (avec un lien vers le texte), le nom de l'expéditeur et le nom du forum dans lequel il a été envoyé ;

– pour chaque page des sites Web : le nom et l'URL.

Paramétrage de l'affichage : Non.

Navigation entre les pages de réponses : Les réponses (20 premiers sites, 10 premiers messages, 10 premières pages) s'affichent sur une page unique. Des liens permettent bien sûr d'afficher les sites, les messages et les pages suivantes.

FICHE PRATIQUE

Annuaire thématique

ELECTRONIC JOURNAL ACCESS

www.coalliance.org/ejournal/

Objectifs et contenu

Lancé en 1995 par Colorado Alliance of Research Libraries (The Alliance), Electronic Journal Access est un site thématique d'un genre particulier : sa spécialisation ne concerne pas un domaine d'activité, mais un type de ressource.

The Electronic Journal Access a en effet pour objectif de recenser les publications périodiques électroniques accessibles sur le Net, telles que journaux, newsletters, magazines, e-zines et webzines. Plus de 6 000 titres sont aujourd'hui identifiés.

Tous les types de publication sont sélectionnés, quelle que soit la technologie utilisée : Web, gopher, ftp, telnet, e-mail ou listes de diffusion. Tous les domaines sont couverts.

Pour être recensés, les titres doivent avoir cependant une présence indépendante sur l'Internet, et être offerts directement par l'éditeur. Ne sont pas pris en compte les titres proposés par des agrégateurs tels qu'Ebsco, UMI...

Les sites sont sélectionnés, testés, décrits et indexés avec la collaboration de deux comités composés de bibliothécaires professionnels : Electronic Journal Advisory Team et Electronic Journal Serials Subcommittee.

Pour chaque publication, le site propose une fiche descriptive détaillée, avec l'URL, le contenu, la périodicité, l'éditeur..., et indique les thèmes couverts, d'après la classification de la Library of Congress. En cliquant sur l'un des subject headings, on obtient la liste des autres publications indexées avec ce mot-clé.

Plusieurs possibilités de recherche sont proposées :

- Sur l'écran d'accueil, une zone de saisie permet de lancer une **requête par mots** sur les descriptions des sites. La recherche se fait par défaut avec l'opérateur OR.

En cliquant sur le choix Searching tips and help, on affiche un autre formulaire permettant d'utiliser les opérateurs booléens AND et OR, et de choisir le format d'affichage des réponses (court ou long).

Le logiciel utilise implicitement la troncature et recherche les mots contenant la même racine.

La liste des résultats donne, pour chaque site, son nom avec un lien pointant vers la fiche descriptive, le score (de une à quatre étoiles), un extrait pertinent de la fiche et l'URL, avec un lien vers le site.

• Le choix **Electronic journals, alphabetically by Title** permet d'afficher la liste alphabétique des titres, en choisissant la première lettre, ou encore de lancer une recherche par mots sur les titres des publications uniquement.

• **Electronic journals, by LC Subject Headings** permet d'afficher la liste alphabétique des Library of Congress Subject Headings, en choisissant la première lettre, ou encore de lancer une recherche par mots sur les subject headings. On obtient alors la liste des sujets se rapportant à la question, puis la liste des publications.

On notera qu'un formulaire permet de soumettre un site aux éditeurs, pour recensement.

Si l'on souhaite par exemple se tenir au courant de l'actualité concernant la gestion des connaissances, ce site peut être une source utile pour identifier les lettres sur ce thème.

Une recherche sur l'expression « knowledge management » donne ainsi :

Search terms were '(knowledge or knowledges) and (management or managements)'

Documents 1 - 10 of 16 matches. More *'s indicate a better match.

• *Knowledge Management* ****
TITLE: KNOWLEDGE MANAGEMENT
URL: http://www.ktic.com/topic6/km.htm
ABSTRACT: News and information relating to all aspects of knowledge management. PUBLISHER: Knowledge Transfer International ISSN: FREQUENCY: irregular START DATE: END DATE: COST: Free PEER REVIEWED: No CONTACT: E-MAIL: km@ktic.com TELEPHONE ...
http://www.coalliance.org/ejournal/unitrec/ej008289.html
07/13/00, 1980 bytes

• *Journal of Systemic Knowledge Management* ****
TITLE: JOURNAL OF SYSTEMIC KNOWLEDGE MANAGEMENT
URL: http://www.free-press.com/journals/knowledge/
ABSTRACT: Covers current research relating to all aspects of knowledge management and its applications. PUBLISHER: Internet Free Press ISSN: FREQUENCY: irregular START DATE: January 1998 END DATE: ...
http://www.coalliance.org/ejournal/unitrec/ej011180.html
07/13/00, 2240 bytes

• *IEEE Transactions on Knowledge and Data Engineering* ***
TITLE: IEEE TRANSACTIONS ON KNOWLEDGE AND DATA ENGINEERING URL: http://computer.org/tkde/

ABSTRACT: "The IEEE Transactions on Knowledge and Data Engineering is an archival journal published bimonthly. The information published in this Transactions is designed to inform researchers, developers ...
http://www.coalliance.org/ejournal/unitrec/ej006033.html
07/13/00, 3097 bytes
(...)

Pour chaque publication, une fiche plus détaillée est disponible :

TITLE:	*Knowledge Management*
URL:	http://www.ktic.com/topic6/km.htm
ABSTRACT:	News and information relating to all aspects of knowledge management.
PUBLISHER:	Knowledge Transfer International
ISSN:	
FREQUENCY:	irregular
START DATE:	
END DATE:	
COST:	Free
PEER REVIEWED:	No
CONTACT:	
E-MAIL:	km@ktic.com
TELEPHONE:	212-355-8080
ADDRESS:	Knowledge Management c/o Knowledge Transfer International 747 Third Avenue New York, NY 10017
SUBJECT HEADINGS:	Information Science Information Transfer Information Transfer -- Management Information Technology

À savoir pour optimiser sa recherche

Comment bien interroger

Recherche guidée : La recherche peut se faire à partir de la liste alphabétique des Library of Congress Subject Headings, ou à partir de la liste alphabétique des titres.

Recherche libre : Elle se fait par mots, sur l'ensemble des références.

Opérateurs booléens : Oui. La recherche par mots sur l'écran d'accueil se fait par défaut avec l'opérateur OR. Mais en cliquant sur le choix Searching tips and help, on affiche un formulaire permettant d'utiliser les opérateurs AND et OR.

Opérateurs de proximité : Non.
Mots composés/phrase : Non.
Recherche sur champs : Oui. Il est possible de limiter la recherche aux mots du titre ou aux subject headings.
Autres critères : Non.
Troncature : Oui. Le logiciel utilise la troncature de façon implicite.
Ordre des mots : Une recherche avec deux termes donne les mêmes résultats, quel que soit l'ordre des mots.
Caractères admis : Le logiciel interprète indifféremment les majuscules et les minuscules, les caractères accentués ou non.

Présentation des résultats

Critères de classement : Lors d'une recherche par mots, les résultats sont triés par pertinence. Lors d'une recherche par subject headings, ils sont classés par ordre alphabétique.
Format de visualisation : Chaque fiche descriptive donne l'URL, le type de site (site web, gopher...), une description du contenu qui peut être très détaillée, le nom de l'éditeur, l'ISSN, la périodicité, la date de départ et de fin, s'il y a ou non un abonnement, s'il y a ou non un comité de rédaction, le nom et l'e-mail du responsable, ainsi que ses coordonnées postales et téléphoniques.
Chaque publication est par ailleurs indexée avec les Library of Congress Subject Headings, et ceux-ci sont indiqués dans la fiche.
Lors d'une recherche par mots sur les références, la liste des résultats indique, pour chacun, son nom (avec un lien pointant vers la fiche descriptive), le score (de une à quatre étoiles), un extrait pertinent de la fiche et l'URL (avec un lien vers le site).
Paramétrage de l'affichage : Oui. En cliquant sur l'option Searching tips and help, on obtient un formulaire permettant de choisir le format d'affichage des réponses (court ou long).
Navigation entre les pages de réponses : Oui.

Des agents pour la recherche et la veille

Quelques précisions sur les agents

L'interrogation des multiples annuaires, moteurs et portails disponibles sur le Web constitue aujourd'hui une étape incontournable dans la recherche d'information. Plusieurs de ces outils possèdent d'ailleurs des qualités remarquables et permettent d'identifier, plus ou moins rapidement, les pages Web susceptibles de répondre à une question. Mais les possibilités de recherche parfois sophistiquées n'empêchent pas le netsurfer d'être trop souvent noyé sous un volume impressionnant de réponses, irrité par les trop nombreux liens non valides (message « http error 404. 404 not found »), agacé par les résultats non pertinents et déçu par l'impossibilité de surveiller l'évolution dans le temps des résultats d'une recherche.

Au-delà des besoins classiques auxquels répondent les annuaires et les moteurs, de nouveaux outils, plus ou moins « intelligents », sont apparus pour aider l'internaute dans sa veille. Quels sont leurs caractéristiques ? La réponse est plus complexe qu'il n'y paraît. Leur définition déjà est loin d'être simple, puisqu'au gré des articles, communiqués de presse ou discussions les concernant, on les désigne par des appellations telles que Agents ; Intelligent agents ; Software agents ; Personal agents ; Search agents ; Autonomous agents ; mais aussi Bots ou Robots ; Knowbots (knowledge-based robots) ; Softbots (software robots) ; Userbots ; Personal assistants ; Wizards ; etc.

Une définition issue de l'intelligence artificielle

La notion d'agent intelligent est en fait bien antérieure au Web : elle est le résultat de travaux déjà anciens dans le domaine de l'intelligence artificielle.

Les chercheurs de ce domaine ont des définitions très restrictives de l'agent intelligent, définitions qui peuvent d'ailleurs varier selon les communautés scientifiques [1].

Toutefois, comme le précise Pierre-Alain Le Cheviller dans son article « Des agents au service de la recherche d'information » [2] :

« Les promoteurs de la notion d'agent intelligent s'accordent pour dire qu'au minimum quatre caractéristiques sont nécessaires pour les définir et marquer leurs différences avec d'autres outils de recherche.

À savoir :

- *L'autonomie*

L'agent doit pouvoir prendre des initiatives et agir sans intervention de l'utilisateur final. Dans le contexte du Web, il doit pouvoir poursuivre la recherche alors que l'utilisateur est déconnecté ou absent.

- *La capacité à communiquer et à coopérer*

L'agent doit pouvoir échanger des informations plus ou moins complexes avec d'autres agents, avec des serveurs, et intégrer les nouvelles demandes ou suggestions de l'opérateur humain.

- *La capacité à raisonner, à réagir à son environnement*

L'agent doit être capable de s'adapter à son environnement et aux évolutions de celui-ci, qui peut être composé d'autres agents, du Web en général ou des utilisateurs. Cette adaptation doit s'appuyer sur une analyse permanente de cet environnement extérieur.

- *La mobilité*

Les agents doivent pouvoir être multi-plateformes et multi-architectures et être aptes à se déplacer sur le réseau où ils accomplissent des tâches, sans que l'utilisateur ait le moindre contrôle sur celles-ci. »

De telles fonctionnalités sont bien alléchantes pour le netsurfer.

Malheureusement, les applications développées dans le contexte du Web par les chercheurs en intelligence artificielle n'existent aujourd'hui qu'au stade de projet ou d'expérimentation.

Des agents presque intelligents

Les outils disponibles sur Internet sont encore éloignés des futurs produits de l'intelligence artificielle. Pourtant, l'appellation d'« agent intelligent » est couramment employée sur le Web, tant sur le site des sociétés commerciales (le terme est vendeur !), que dans les multiples pages traitant du sujet.

---

1. Pour en savoir plus sur les agents intelligents – définitions, fonctionnalités, applications… –, on consultera avec profit le site UMBC AgentWeb (voir p. 165).

Le chapitre intitulé « Agents 101 - Start here to learn about agents » (agents.umbc.edu/introduction/) offre une bibliographie très détaillée et mise à jour des principaux articles, proceedings, études et ouvrages sur le sujet ; pour la majorité des ressources, on dispose à la fois d'un résumé du contenu et d'un lien hypertexte vers le document en texte intégral.

2. Pierre-Alain Le Cheviller, « Des agents au service de la recherche d'informations », *Netsources,* n° 20, mai-juin 1999.

Une certaine confusion entoure le produit et les sociétés profitent de ce flou pour d'évidentes raisons de marketing.

Si l'on se réfère à la définition donnée par le *Dictionnaire bilingue Internet et Multimédia*[3] : « Intelligent agent ; Agent ; Mobile agent ; Robot ; Bot ; Knowbot ; Agent intelligent ; Agent mobile (québécois).

Les agents intelligents sont des logiciels capables de collecter l'information et de la traiter en fonction de critères de valeur ou de pertinence. Ce type de scénario, dans lequel l'internaute charge l'agent d'une activité de recherche (sur l'Internet et en particulier sur la Toile), de rassemblement et de comparaison de l'information collectée, est très présent dans le domaine du commerce électronique et du marketing (Jango pour le commerce électronique sur Excite, BargainBot pour l'achat de livres, BargainFinder pour l'achat de CD...).

Il est aussi de plus en plus appliqué à d'autres domaines de recherche, en particulier la constitution de revues de presse selon des thématiques prédéfinies adaptées au profil de l'utilisateur (Autonomy, Newstracker d'Excite, My Yahoo! de Yahoo!...). »

Cette définition nous apprend que les agents peuvent avoir des missions variées sur le Net et des applications dans le domaine du commerce électronique comme dans celui de la recherche d'information.

Peut-on pour autant qualifier ces agents d'intelligents ?

Certains le sont presque et intègrent des technologies issues de l'intelligence artificielle. SearchPad (www.searchenginesoftwaretools.com) par exemple, développé par la société indienne Satyam Computer Services Ltd, fonctionne sur le principe des réseaux neuronaux. L'utilisateur doit donner son avis sur les documents sélectionnés en les classant dans diverses catégories : très pertinents, pertinents... selon l'intérêt qu'ils ont pour lui et en indiquant les raisons de ce classement (présence ou absence de mots ou d'expressions). Le logiciel tient compte de ces évaluations pour les questions futures et apprend en quelque sorte à connaître les goûts de l'utilisateur.

S'il est effectivement capable d'apprendre, SearchPad ne possède pas pour autant toutes les fonctionnalités que doit avoir un agent pour mériter le qualificatif d'« intelligent ». En fait, aucune application disponible sur l'Internet ne répond aujourd'hui à l'ensemble des critères définis par les chercheurs en intelligence artificielle, et ces derniers critiquent la pertinence de cette appellation pour ce type d'outils.

Le netsurfer dispose donc d'un certain nombre d'agents qui ne sont pas réellement « intelligents », mais qui peuvent néanmoins lui être très utiles dans ses recherches et dans son utilisation quotidienne de l'Internet.

Cet ouvrage étant consacré à la veille et à la recherche d'information, nous présenterons ici les agents qui peuvent aider l'internaute à automatiser ces tâches. Il faut toutefois savoir que d'autres applications existent, notamment dans le domaine du commerce électronique.

---

3. James Benenson et Brigitte Juanals, *Dictionnaire bilingue Internet et multimédia*, Langues Pour Tous, Éditions Pocket, 2000, ISBN 2-266-09653-2.

Un certain nombre d'agents ont ainsi pour objectif d'aider l'internaute dans son processus d'achat : à partir du titre d'un ouvrage par exemple (ou d'un CD, d'un film...), ces agents se connectent aux différents sites marchands, identifient les produits recherchés, comparent les prix et peuvent aller jusqu'à mener la transaction ; ils peuvent aussi identifier des produits similaires à ce que recherche l'utilisateur, en tenant compte des choix déjà faits.

Des agents pour la recherche d'informations

Aucun outil de recherche n'assurant une couverture complète du Web (voir p. 18), il est indispensable d'en interroger plusieurs si l'on souhaite avoir un panorama de ce qui existe sur le Net sur un sujet, ou tout simplement pour augmenter ses chances d'identifier des pages pertinentes. Mais l'utilisation consécutive de plusieurs moteurs est longue et fastidieuse et implique d'autre part un traitement des résultats, car il faut ensuite éliminer les doublons.

Parallèlement aux moteurs de recherche et avant le développement des agents, des métamoteurs ont fait leur apparition sur le Web ; ils permettent de lancer une même requête à plusieurs outils, consécutivement ou simultanément selon les cas.

Caractéristiques des métamoteurs online

Parmi les nombreux métamoteurs qui existent[4], les plus sophistiqués envoient une même requête à différents moteurs et annuaires (que l'on peut

4. La rubrique Home > Computers and Internet > Internet > World Wide Web > Searching the Web > Search Engines and Directories > All-in-One Search Pages de Yahoo! identifie plus de 110 métamoteurs online (sur le Web), dont les plus intéressants (d'après Yahoo!) sont :

Most Popular Sites

- MetaCrawler - search service that relies on the databases of other search engines.
- CNET Search - offers channels to metasearch specialized engines from around the Web
- Dogpile - multi-engine semi-parallel search interface. Searches logically through several search engines until 10 matches are found. Allows use of boolean and proximity operators.
- SavvySearch - sends your query to many search engines simultaneously, and the results can be displayed in any of several languages.
- All-in-One Search Page - the Internet's best search engines, databases, indexes, and directories in a single site.
- Mamma - mother of all search engines.
- BigHub, The
- ProFusion
- Metafind - searches through all the large search engines and collates results.
- Metasearch - enter your search terms and choose advanced features like boolean operators -- then search multiple engines without re-typing.

choisir dans une liste), puis dédoublonnent les résultats, les classent (par pertinence, thème...) et offrent la possibilité de vérifier la validité des liens.

Ils permettent ainsi un gain de temps indiscutable, mais souffrent néanmoins de certaines faiblesses.

La principale est liée aux possibilités de recherche, forcément simplistes.

La requête étant envoyée à différents annuaires et moteurs, elle doit être comprise par chacun. Mais chaque outil a son propre langage : certains reconnaissent les symboles + et – entre les termes (pour signifier la présence ou l'exclusion obligatoire d'un mot), d'autres fonctionnent avec les opérateurs AND, OR, NOT, d'autres encore avec des menus déroulants et quelques-uns enfin ne reconnaissent que l'opérateur OR ou AND.

On est donc réduit au plus petit dénominateur commun, qui est loin des possibilités avancées de certains moteurs. Si quelques métamoteurs annoncent « traduire » la requête dans les langages des différents outils, cela s'applique dans le meilleur des cas aux classiques opérateurs booléens AND et OR ; en revanche, des critères comme la recherche sur le titre ou l'URL des documents – offerts notamment par AltaVista, Northern Light et All the Web –, ne peuvent être utilisés avec un métamoteur. En fait, ce type d'outils est surtout adapté aux recherches basiques, portant par exemple sur deux termes reliés par AND, même s'il faut savoir que le AND ne sera pas forcément compris par tous les outils interrogés.

Comme le métamoteur envoie la requête à plusieurs outils de recherche, il ne peut reprendre intégralement l'ensemble des réponses de chacun ; le nombre de résultats serait trop important et les temps de réponse trop longs. Les métamoteurs ne sélectionnent donc en général que les 10 à 50 premiers documents identifiés par chaque moteur, estimant avec raison que ce sont souvent les plus pertinents.

Pour les mêmes raisons, les métamoteurs sur le Web n'interrogent simultanément qu'un nombre relativement limité d'outils de recherche, le plus souvent une dizaine.

Pour être aussi rapide que possible, ils limitent également le temps d'interrogation de chaque moteur. Quelques-uns proposent ainsi au netsurfer de définir le temps de réponse accordé : 15 secondes, 30 secondes... Cela signifie que si la question est posée au moteur à un moment où celui-ci est « encombré », le métamoteur ne rapatriera qu'une partie des réponses.

Profusion (ww.profusion.com) [5] va plus loin dans la personnalisation : il demande à l'utilisateur de choisir les outils qu'il souhaite interroger, avec

---

5. Profusion (www.profusion.com) mérite une mention spéciale : racheté en avril 2000 par Intelliseek, qui réalise le site InvisibleWeb.com et l'agent de recherche BullsEye, Profusion est l'un des rares métamoteurs online à interroger des ressources du Web invisible.

En complément de la recherche simultanée sur neuf moteurs et annuaires, Profusion permet de lancer une requête sur divers sites spécialisés, classés par domaines (Business, Health, Investment...). Par ailleurs, une version beta (beta.profusion.com) permet depuis peu de lancer une requête sur plus de 1 000 sites spécialisés et banques de données professionnelles, classés par rubriques et sous-rubriques.

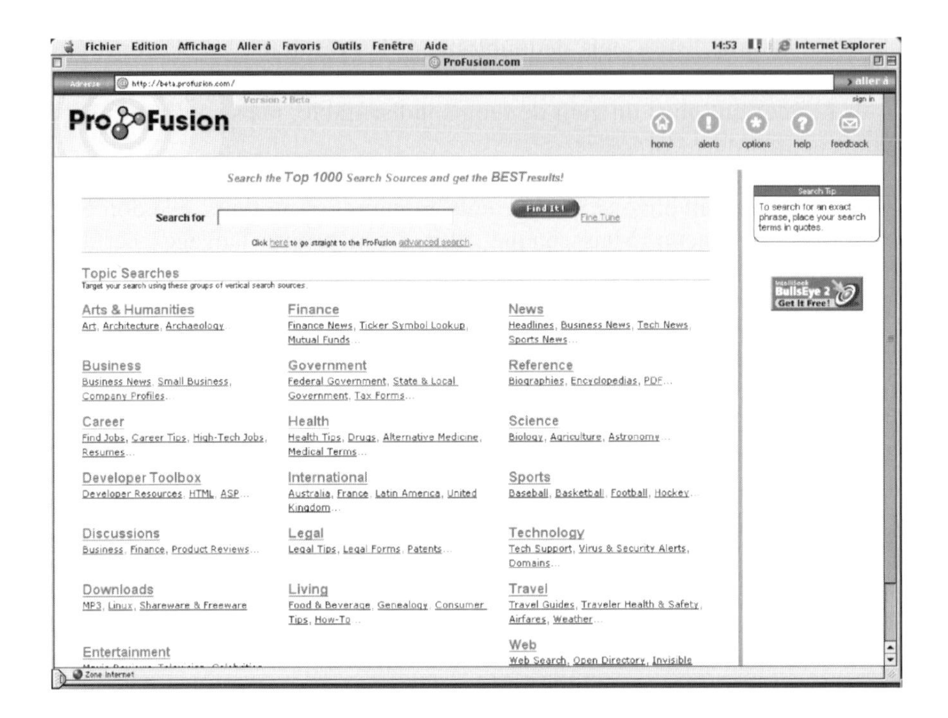

quatre options : les trois « meilleurs » pour la question – les outils sont alors sélectionnés grâce à la technologie Adaptive Search –, les trois premiers outils qui répondront, tous les outils, ou une sélection choisie par le netsurfer.

Un nouveau venu vient de faire discrètement son apparition dans ce domaine et mérite une attention particulière.

Développé par la société LeadingSide Inc. (anciennement Dataware Technologies), **The Query Server** est une application qui permet d'interroger simultanément diverses sources compatibles avec le protocole http : bases de données internes (Lotus Notes Domino…), intranet, moteurs de recherches sur le Web… Pour illustrer la performance de leur outil, les éditeurs proposent en accès libre une version sur le Web (www.queryserver.com/), qui permet de lancer une requête à dix moteurs et annuaires, dont Northern Light (rarement utilisé par les métamoteurs), HotBot, AltaVista…

D'autres modules sont offerts et offrent d'interroger des ressources dans le domaine médical (Medline, Medscape News, Food and Drug Administration…), financier (CNNfn, Edgar Online, Fortune…), de l'actualité (ABC News, CNN...), et gouvernemental (Department of Defense, Library of Congress Web Site…).

Quel que soit le module, il est possible de choisir les sources à interroger, le nombre de résultats par moteur (10, 20, 30 ou 40), le temps de réponse maximum (15 secondes, 30 secondes…) et le critère de classement des documents.

Celui-ci peut se faire par site et/ou selon leur contenu ; Query Server propose alors une liste de concepts ou de thèmes.

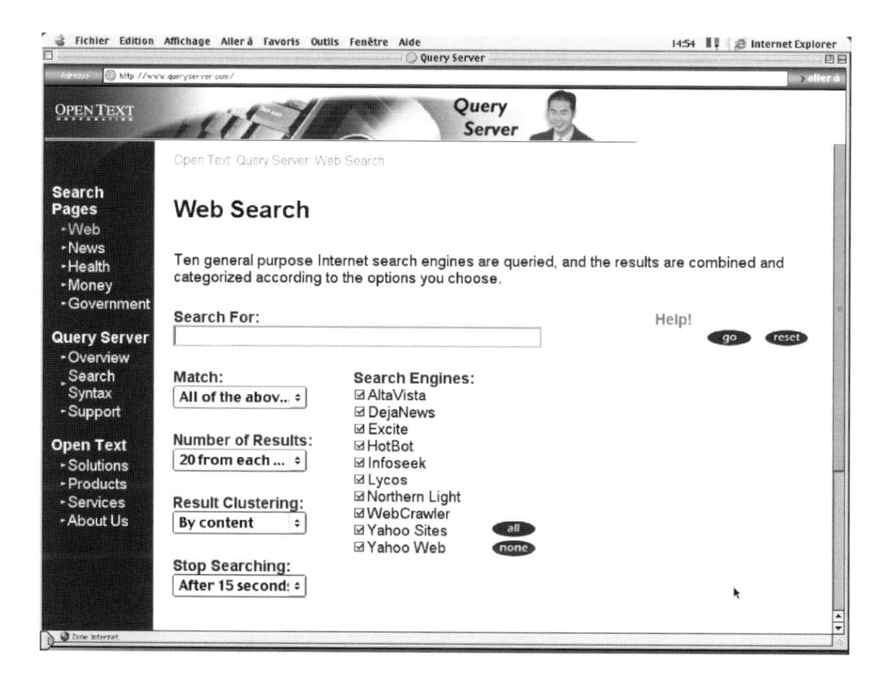

Lors de nos comparatifs de recherche sur des termes « obscurs » (voir p. 148), cet outil s'est avéré remarquable, identifiant un nombre de pages bien supérieur à celui du meilleur des moteurs, surpassant même souvent des agents comme Copernic ou BullsEye.

Pour des requêtes plus générales, le nombre de réponses sera forcément moins important qu'avec un moteur, puisque Query Server se limite à 40 résultats maximum par sources ; mais on obtiendra directement une liste dédoublonnée des résultats les plus pertinents identifiés par chaque source.

Le classement par thèmes peut d'autre part être une aide précieuse pour affiner la recherche ou distinguer rapidement certaines pages selon leur contenu. Ainsi par exemple, une recherche sur les films barrière donne comme résultats :

Search Results The query "**barrier film**" has been broadcast to 10 search engines
Yahoo Sites (2 results in 0 seconds)
Yahoo Web (20 results in 1 seconds)
WebCrawler (8 results in 1 seconds)
AltaVista (20 results in 1 seconds)
Northern Light (20 results in 1 seconds)
Infoseek (20 results in 1 seconds)
Excite (20 results in 2 seconds)
HotBot (20 results in 2 seconds)
DejaNews (20 results in 10 seconds)
Lycos (0 results in 0 seconds)

In total, 150 results were returned in 15 seconds

Lycos did not respond

Result Clusters:
Barrier Films (40 results)
Moisture Barrier (4 results)
Multi Layer Barrier Film (4 results)
High Barrier Film (4 results)
Vapor Barrier Films (3 results)
Radiant Barrier (2 results)
Bard Protective Barrier Film (3 results)
Plastic Products (4 results)
Quality food packaging (2 results)
Sting Barrier Film (2 results)
B-602 Barrier Film (2 results)
High barrier (3 results)
Film Products (2 results)
Other Sites (63 results)

Barrier Films (40 results)

~98%KPA news - Klockner Opens New Coating and Laminating Line at Barrier Films Plant in Virginia
Klockner Pentaplast of America, Inc. We offer a full range of specially-formulated films to meet your packaging, printing and technical applications.
Size: 0 bytes Date: Source: Infoseek
http://www.klockner.com/kcc/kcc_news_newcoatlaminline.shtml

~98%Permeation Technology, Inc
barrier film testing laboratory, known throughout the industry as PermaTech.
Size: 0 bytes Date:Source: Yahoo
http://www.permatech-lab.com
(...)"

Ce métamoteur rapide et efficace, sans aucune bannière publicitaire, mérite à coup sûr d'être utilisé dès lors que l'on ne souhaite pas tirer parti des fonctions avancées de certains moteurs.

Caractéristiques des agents pour la recherche

Apparus plus tardivement, les agents pour la recherche d'information ont la même fonction de base que les métamoteurs : ils permettent d'envoyer une même requête à plusieurs annuaires, moteurs et banques de données. Si le principe est le même, leurs possibilités plus étendues en font toutefois des outils de recherche plus performants.

En complément de l'interrogation simultanée de différentes ressources, ces agents peuvent permettre d'éliminer les doublons, de vérifier la validité des liens, de télécharger les résultats (ou une partie des résultats) sur le disque dur, de les analyser, de permettre l'édition d'un rapport de recherche détaillé et de surveiller l'apparition de nouveaux documents sur un sujet.

Leurs fonctions sont variées, mais la tendance est toutefois à l'intégration des différentes fonctionnalités dans un même produit.

Contrairement aux métamoteurs cités précédemment, les agents pour la recherche ne se consultent pas sur le Web. Ce sont des logiciels qui doivent être installés sur le disque dur de l'utilisateur. En se connectant au site de l'éditeur, on peut le plus souvent télécharger le logiciel ou une version d'évaluation gratuite utilisable généralement un mois. Une fois l'agent installé sur le disque, on peut préparer sa stratégie « offline », c'est-à-dire sans être connecté à Internet.

La recherche d'information

La première étape consiste à choisir les sources que l'on souhaite interroger. Les possibilités des agents sont ici sans commune mesure avec celles des métamoteurs online.

Alors que ces derniers peuvent en général consulter une dizaine d'outils, des agents comme BullsEye (www.intelliseek.com) ou Strategic Finder (www.strategicfinder.com) proposent d'envoyer une requête à plus de 1 000 sources d'information, dont beaucoup appartiennent au Web invisible.

Ces sources sont classées dans des catégories souvent précises (presse, actualités, groupes de discussion, collectivités locales, droit...), ce qui présente deux avantages directs : la réponse à une question d'ordre juridique par exemple, limitée aux seules sources juridiques, sera souvent plus pertinente que celle obtenue par des moteurs généralistes comme AltaVista.

La sélection prédéfinie de sources sur un thème offre d'autre part au netsurfer la possibilité d'interroger des sites auxquels il n'aurait pas forcément pensé. Certains agents permettent enfin de rajouter les sources de son choix, ou au contraire d'interdire l'interrogation de certains sites.

Une fois la stratégie définie (choix des sources à interroger, termes de la requête et précisions éventuelles comme le nombre de réponses par sources), l'agent se connecte à Internet le temps de la recherche ; il peut aussi être programmé pour se connecter à une heure choisie par l'utilisateur, le soir par exemple. Il interroge alors les différents outils indiqués, puis rapatrie les résultats sur le disque dur, le plus souvent après avoir éliminé les doublons.

Comme la liste des résultats est enregistrée, voire téléchargée, sa consultation peut se faire en plusieurs étapes : on peut fermer l'application, pour reprendre l'examen ultérieurement. La recherche est sauvegardée, alors qu'avec un métamoteur online, les résultats ne sont accessibles que le temps de la session.

Ces agents permettent de télécharger non seulement la liste des résultats, mais aussi les pages Web identifiées, après vérification de la validité des liens. Cette dernière option engendre souvent des temps de réponse bien plus longs, mais présente des avantages certains.

Une fois les pages téléchargées sur le disque, leur affichage est immédiat.

Certains agents offrent des fonctions avancées de recherche sur le contenu des pages téléchargées : utilisation des différents opérateurs, des parenthèses... ; ces fonctionnalités compensent les possibilités rustiques de la requête initiale et permettent d'affiner la question de façon très précise.

WebSeeker (www.bluesquirrel.com) va jusqu'à offrir deux modes de recherche sur les résultats recueillis. Un mode de base permet d'utiliser les opérateurs NEAR, FOLLOWED OF, BUT NOT, OR et AND. Avec le mode Avancé, on peut lancer des requêtes sur les expressions, paramétrer la proximité voulue entre les termes de la requête et quelques autres raffinements. L'équation de recherche ainsi obtenue peut être aussi longue qu'on le désire.

Strategic Finder, quant à lui, offre une option originale : les différentes pages Web sélectionnées peuvent être exportées sous la forme d'un site Web organisé, qui peut être consulté offline par des personnes n'ayant pas accès à Internet.

En complément de ces diverses possibilités, les agents de recherche proposent souvent une option intéressante : ils permettent d'éditer un « rapport de recherche » reprenant la liste des résultats, sous la forme d'une page html.

L'intérêt de ce rapport est évident : le netsurfer peut choisir les résultats qui doivent y figurer, dispose quelquefois de plusieurs options quant au tri ou au détail des informations et obtient en fin de course un rapport bien présenté, avec une mise en page agréable à consulter, les termes de la requête étant surlignés...

Qui plus est, ce rapport peut être envoyé par e-mail aux destinataires de son choix ; son format html leur permet de se connecter aux pages jugées intéressantes d'un simple clic.

C'est là un moyen simple de partager les résultats d'une recherche, ou tout simplement de la sauvegarder.

Les possibilités d'édition varient cependant beaucoup selon les outils. Strategic Finder par exemple n'offre qu'un rapport « minimaliste », avec le nom des pages sélectionnées, alors que BullsEye permet d'obtenir un véritable résumé du contenu de la page, réalisé grâce à la technologie Verity ; Copernic, quant à lui, se limite à une brève description des pages, mais propose plusieurs options de classement.

Si les agents ont des atouts indéniables, ils ont cependant leurs limites.

Dans la première phase de la recherche en particulier, constituée par l'interrogation des sources et le rapatriement des résultats, il est fréquent d'obtenir un grand nombre de réponses non pertinentes. Dès lors que la requête comporte plus d'un simple terme, elle n'est pas forcément comprise par toutes les sources interrogées.

Plusieurs agents permettent heureusement de lancer une recherche plus sophistiquée sur le contenu des pages téléchargées, palliant ainsi ce désagrément.

La deuxième limite, toute aussi importante, est le temps que peut prendre la recherche. Les agents doivent en effet se connecter aux différents moteurs, attendre leurs réponses, dédoublonner les résultats, vérifier la validité des liens et rapatrier les pages sélectionnées.

La première étape, jusqu'à l'affichage de la liste des résultats, est souvent réalisée dans un temps relativement correct, même s'il est bien plus long que les temps de réponse de moteurs comme Google ou All The Web ; mais le téléchargement peut demander plusieurs heures et beaucoup de patience...

En fait, si la recherche est importante, il est préférable de lancer le téléchargement le soir ou aux heures des repas, pour éviter les moments d'exaspération !

Le traitement et l'analyse des résultats

Certains agents pour la recherche ne se limitent pas à l'identification et au téléchargement des pages Web, mais effectuent une véritable analyse du contenu des documents sélectionnés.

• **Umap** par exemple (www.umap.com), réalisé par la société Trivium, fonctionne de façon très originale. À partir d'une question donnée, il interroge des robots et annuaires ou des fichiers textes, et rapatrie l'ensemble des documents pertinents. Il procède alors à leur indexation et construit un thesaurus (liste des mots-clés) et un corpus (liste des documents).

Les résultats sont donnés sous la forme d'une carte dynamique, qui représente l'ensemble des mots-clés retenus, répartis en archipels et îlots de couleurs en fonction de leur présence dans les documents analysés et des liens qu'ils ont entre eux. Ainsi, un « archipel » permettra de voir les différents thèmes qui se dégagent de l'ensemble des documents sélectionnés, un « continent » représentera un discours cohérent et présent dans la majorité des pages, alors qu'une « île » mettra en valeur un discours novateur sur le sujet étudié (signal faible).

• **DigOut4U** pour sa part (www.arisem.com), produit par la société Arisem, est une application capable de récupérer automatiquement des documents Web, dont le contenu sémantique correspond à une requête en langage naturel.

Il est basé sur une technologie d'analyse sémantique multilingue développée par Arisem et évalue la pertinence d'un texte en fonction des concepts présents, indépendamment de la langue et de la syntaxe utilisées. Une requête écrite en français est donc automatiquement interprétée par le système et traduite en anglais.

Cette interprétation/traduction est faite à partir de la base de connaissances Genus, qui contient les traductions en anglais et en français de plusieurs milliers de termes. Le logiciel Sense4U peut être associé à DigOut4U et permet à l'utilisateur de créer des dictionnaires thématiques qui seront apportés en complément à la base Genus.

Techniquement, DigOut4U est composé d'agents qui sont lancés simultanément et interrogent les divers moteurs de recherche. Les pages de résultats sont rapatriées ; DigOut4U les lit, élimine les doublons, vérifie la validité des liens et donne une note de pertinence par rapport à la question. Si cette note est élevée, l'agent poursuit son investigation en profondeur, en suivant les liens hypertexte proposés par le document.

Au fur et à mesure de la progression des agents, les documents pertinents sont placés dans la liste des résultats, qui s'affiche dans la moitié supérieure de l'écran.

Pour chaque page sélectionnée, sont indiqués notamment son titre, son score (entre 0 et 100), son URL, le nombre de liens rencontrés qui référencent cette page, le nombre d'hyperliens parcourus depuis la page de réponse initiale et le nom du serveur ayant fourni l'URL de départ. En cliquant sur le titre, on affiche le document dans la moitié inférieure de l'écran.

Il est possible de visualiser les extraits pertinents et de travailler sur les documents recueillis pendant que le logiciel continue sa quête, ce qui compense le fait que les temps de recherche sont relativement longs.

DigOut4U permet enfin d'éditer un rapport de recherche au format html, avec la liste des réponses classées par pertinence, un lien vers le document et un résumé.

La veille

Plusieurs agents pour la recherche offrent des possibilités de veille. Contrairement aux agents pour la veille (voir p. 150), leur finalité n'est pas de « surveiller » un site Web, pour suivre par exemple les nouveaux produits d'un concurrent, mais plutôt d'aider le netsurfer à identifier les pages qui apparaissent sur le Web concernant une requête particulière.

Comme les résultats d'une recherche sont sauvegardés, ces agents permettent de la relancer ultérieurement et signalent alors de façon spécifique les nouveaux documents.

WebSeeker par exemple annote chaque résultat par diverses icônes : New signale toute nouvelle page identifiée par un moteur de recherche, Monitoring précise les pages qui doivent être surveillées périodiquement et Changed signale celles dont le contenu a changé depuis la dernière visite du logiciel.

Strategic Finder signale de façon spécifique les nouveaux documents et permet d'autre part de mettre sous surveillance certaines des pages identifiées.

Les versions payantes de Copernic et de BullsEye permettent, quant à elles, de programmer la mise à jour d'une recherche, avec des rapports de veille transmis par e-mail.

L'agent de veille de Copernic 2000 Pro est ainsi capable de se connecter à Internet selon un calendrier de veille déterminé par le netsurfer, puis de se déconnecter une fois son travail terminé. Il peut envoyer à plusieurs destinataire un rapport de recherche faisant état uniquement des nouveaux documents trouvés, pour lesquels il fournit un certain nombre de renseignements (description, URL, source…). Il peut enfin combiner d'autres tâches avec la mise à jour d'une recherche : téléchargement des documents sur le disque, élimination des liens non valides, recherche sur les documents téléchargés…

L'intérêt principal de cet agent est le gain de temps qu'il permet à l'utilisateur.

Ces tâches souvent longues et routinières peuvent être programmées la nuit, évitant du même coup la surcharge du réseau de l'entreprise.

Comparaison d'une même recherche avec des moteurs, des métamoteurs et des agents

Il nous a semblé intéressant d'illustrer par quelques exemples concrets l'intérêt que peuvent avoir les agents pour certaines recherches.

En dehors de ses applications au domaine de la veille, l'utilisation d'un agent prend tout son sens pour des recherches ponctuelles, notamment lorsqu'il s'agit de répondre à des questions simples (un ou deux mots), pour lesquelles les moteurs généralistes obtiennent peu de résultats. Plutôt que d'interroger successivement les différents moteurs, il est alors bien plus rapide de faire appel à un agent qui collectera les différentes réponses.

Nous avons donc choisi volontairement quatre termes « obscurs », pour lesquels les moteurs donnaient peu de réponses et nous avons comparé les résultats obtenus avec différents moteurs, métamoteurs et agents [6].

La recherche a été faite successivement dans tous les outils le même jour, avec les termes (définitions du Petit Larousse) :

- *coucoumelle* : n. f. Nom usuel de l'amanite vaginée, champignon comestible à chapeau gris ou jaunâtre ;
- *diaphanoscopie* : n. f. *Méd.* Procédé d'examen qui consiste à éclairer par transparence certains organes ou certaines parties du corps ;
- *hyperchlorhydrie* : n. f. Excès d'acide chlorhydrique dans la sécrétion gastrique ;
- *rhynchonelle* : n. f. Genre de brachiopodes marins, fossiles, abondants à l'ère secondaire.

Nous avons interrogé les principaux moteurs internationaux et français ; nous avons inclus dans notre sélection quelques annuaires (Yahoo! et Nomade), pour comparer leurs résultats, fournis par leurs partenaires respectifs Google et Inktomi, avec les réponses des moteurs eux-mêmes ; ces résultats furent très décevants !

Pour les métamoteurs, nous avons lancé la recherche sur toutes les sources proposées.

Sur Query Server, le seul qui le permettait, nous avons choisi l'option maximale de 40 réponses par source, et un temps de réponse de 30 secondes par moteur.

Pour Copernic, nous avons choisi l'option Web en français ; elle offre d'interroger simultanément un maximum de 18 moteurs et annuaires.

L'onglet Propriétés nous a permis de définir des options personnalisées : 40 réponses par moteur, avec un maximum de 1 000 documents par recherche.

6. Nous nous sommes inspirés pour cet exemple de la méthodologie adoptée par Danny Sullivan dans son article « July 2000 Search Engine Size Test », publié sur son site Search Engine Watch (searchenginewatch.com/sereport/sizetest.html).

Il analysait dans cet article les réponses de différents moteurs pour des termes « obscurs » (moins de 100 réponses par moteur), inhabituels (quelques milliers de réponses) et populaires.

On notera que le mot « hyperclorhydrie » est le même en français et en allemand ; une recherche sur ce terme avec l'option Web (international) a identifié 67 réponses, contre 52 pour le Web en français. Mais, c'est là une des faiblesses de Copernic, il est impossible d'interroger simultanément les sources de différents domaines.

Pour BullsEye, nous avons pris comme domaine de recherche « Web/ Search the Whole Web ». En mode Recherche avancée, nous avons cliqué sur l'onglet Customize et sélectionné alors All Search Engines. 37 moteurs et annuaires ont ainsi pu être interrogés simultanément. Nous avons choisi l'option de 40 résultats maximum par sources.

Pour Strategic Finder enfin, nous avons sélectionné les domaines Web français et Web. En cliquant sur le nom de chaque domaine, nous avons affiché la liste des sources interrogées et nous les avons toutes sélectionnées ; dans le menu déroulant, nous avons opté pour 50 documents par source (les choix étaient 10, 50 ou 100 résultats par source).

Le tableau ci-dessous indique, pour chaque terme, le nombre de pages Web identifiées par chaque moteur, métamoteur ou agent.

Nombre de documents par requête et par moteur

	Coucou-melle	Diapha-noscopie	Hyper-chlorhydrie	Rhyncho-nelle	Total
Moteurs					
All The Web	12	10	35	12	69
AltaVista France	3	3	5	5	16
Ecila	1	0	3	1	5
Excite	1	0	1	2	4
Google	11	13	59	16	99
HotBot	1	4	5	1	11
Lokace	1	0	0	0	1
Lycos	4	0	5	3	12
Nomade/Inktomi	0	2	0	0	2
Northern Light	7	12	17	19	55
Voila	3	2	4	7	16
Yahoo!/Google	4	5	8	3	20
Métamoteurs					
Ixquick	14	4	14	15	47
MetaCrawler	9	9	10	13	41
Profusion	4	9	22	10	45
Query Server	30	40	79	42	191
Agents					
BullsEye	24	29	102	29	184
Copernic	34	23	52	32	141
Strategic Finder	17	22	78	20	137

À partir du tableau donnant le nombre de documents par recherche et par moteur, nous avons établi un tableau de classement des outils de recherche pour ces requêtes. Pour chaque question, nous avons attribué le chiffre 1 au moteur qui avait identifié le plus de sources, 2 à celui qui arrivait juste après, et ainsi de suite. Quand deux moteurs avaient identifié le même nombre de sources, nous leur avons attribué le même classement.

Classement des moteurs, métamoteurs et agents

	Coucou-melle	Diapha-noscopie	Hyper-chlorhydrie	Rhyncho-nelle	Moyenne
Moteurs					
All The Web	6	7	6	9	7
AltaVista France	11	11	12	12	11,5
Ecila	12	13	14	15	13,5
Excite	12	13	15	14	13,5
Google	7	5	4	6	5,5
HotBot	12	10	12	15	12,2
Lokace	12	13	16	16	14,2
Lycos	10	13	12	13	12
Nomade/Inktomi	13	12	16	16	14,2
Northern Light	9	6	8	5	7
Voila	11	12	13	11	11,7
Yahoo!/Google	10	9	11	13	10,7
Métamoteurs					
Ixquick	5	10	9	7	7,7
MetaCrawler	8	8	10	8	8,5
Profusion	10	8	7	10	8,7
Query Server	2	1	2	1	1,5
Agents					
BullsEye	3	2	1	3	2,2
Copernic	1	3	5	2	2,7
Strategic Finder	4	4	3	4	3,7

Les résultats parlent d'eux-mêmes et illustrent clairement la couverture imparfaite du Web qu'ont les outils de recherche.

Parmi les moteurs, un trio se distingue du lot :

– Google : cela semble logique, puisque c'est lui qui possède l'index de pages Web le plus important ;

– All The Web : ce moteur le suit de près dans la course à l'index ;

– Northern Light : la recherche est lancée automatiquement dans son index et dans sa Special Collection.

Ces trois moteurs sont les seuls à avoir des réponses plus nombreuses que les métamoteurs, si l'on fait exception de Query Server.

Le métamoteur Query Server obtient des résultats exceptionnels, souvent même supérieurs à ceux des agents, alors que le nombre de sources interrogées est bien moins important.

Le nombre moyen de documents par recherche, obtenu par les 12 moteurs pour des termes obscurs, est de 6 ; il est de 20 pour les métamoteurs et de 11 si l'on met à part Query Server ; il est enfin de 38 pour les agents !

Pour une requête de ce type, il est toutefois important de prendre en compte les spécificités des métamoteurs : comme le temps de réponse accordé à chaque source est limité (15 secondes, 30 secondes...), le moment auquel on pose sa question a une incidence sur le nombre de résultats. La même requête lancée quelques heures plus tard peut avoir des résultats différents.

Des agents pour la veille

Parallèlement aux agents de recherche, qui peuvent permettre de surveiller l'apparition de nouveaux documents répondant à une requête particulière, il existe un certain nombre d'agents conçus spécifiquement pour la veille.

En simplifiant, on peut classer ces agents dans deux grandes familles, selon leur mode de fonctionnement : les agents de type « pull » et ceux de type « push ».

Les agents de type « pull » (tirer) impliquent une participation active de l'internaute. C'est l'utilisateur qui choisit de surveiller certaines pages Web et qui délègue cette tâche à un agent : ce dernier se connecte aux sites indiqués, surveille les éventuelles modifications et rapatrie les résultats sur le disque dur de l'utilisateur. Dans ce cas, le netsurfer a donc « tiré » les informations vers lui.

Le « push », en revanche, est apparenté à l'émission télévisuelle et radiophonique. Les agents de type push permettent aux netsurfers de recevoir passivement les informations qui les intéressent, plutôt que de les chercher eux-même sur le Web ou sur leur intranet. Leur seule démarche consiste à choisir les chaînes d'information, la périodicité des envois et le plus souvent à télécharger un logiciel propriétaire, généralement gratuit ; c'est ensuite le gestionnaire de la chaîne qui leur adresse régulièrement (qui « pousse » vers eux) une sélection de documents.

Les agents de type « pull »

Le Web est en constante évolution. Chaque jour, plusieurs millions de pages apparaissent, disparaissent ou sont modifiées.

Avec une telle croissance, il est illusoire de croire que l'on peut mener sur Internet des veilles exhaustives, car un grand nombre de nouvelles pages ne sont indexées par aucun moteur de recherche ; ces pages peuvent en effet appartenir au Web invisible, ou ne pas avoir été visitées par le robot d'un moteur.

Pour identifier les nouveautés, il existe des agents qui mettent sous surveillance des pages Web et alertent l'utilisateur dès le moindre changement. Certains sont des logiciels qu'il faut installer au préalable sur son disque. D'autres sont des agents d'alerte par e-mail.

Les « aspirateurs » de sites

Quelques agents, que l'on désigne souvent par le terme d'« aspirateurs » de sites, ont pour fonction principale d'aspirer un site ou une partie d'un site, d'en faire une copie sur le disque dur de l'utilisateur et de surveiller les mises à jour des pages.

Ils sont capables pour la plupart de reproduire exactement le contenu d'un site, avec son arborescence et ses liens. Pour cela, le netsurfer doit indiquer un certain nombre de paramètres, de façon plus ou moins précise selon les agents.

Avec **MemoWeb**® (www.goto.fr) par exemple, le paramétrage des captures est extrêmement fin. L'utilisateur définit la profondeur de l'aspiration à l'intérieur et à l'extérieur du site ; une profondeur de « 4 » téléchargera ainsi toutes les pages accessibles par un, deux ou trois clics depuis l'URL de départ.

Il peut choisir d'exclure ou d'inclure dans l'aspiration tout le site, toutes les images, uniquement l'écran d'accueil, etc. Il est possible de filtrer les pages téléchargées selon leur taille, leur URL ou leur type : documents html, documents textes, images, sons, vidéos, applications, applets java, fichiers zip et des dizaines d'autres types de fichiers. MemoWeb permet enfin de déterminer le nombre maximum de fichiers capturés, de filtrer les cadres, de fixer la durée de la capture, mais aussi d'exclure certaines adresses de pages ou de sites Web de la liste des pages capturées.

Comme cette opération peut être longue, plusieurs agents offrent la possibilité de programmer l'heure du téléchargement, voire de limiter l'espace disque utilisé, dans son ensemble et/ou pour chaque document téléchargé (Memoweb®, Teleport Pro®, WebWhacker®…).

Cette copie d'un site sur son disque dur a plusieurs avantages :

– une fois copié, le site peut être consulté hors connexion, ce qui est à la fois plus rapide et moins coûteux ;

– certains agents permettent de lancer des recherches sur le contenu des pages téléchargées, avec des possibilités qui peuvent être plus sophistiquées que celles offertes par le site lui-même. Avec eCatch (www.ecatch.com), il est ainsi possible de rechercher des pages html par séries de mots-clés, notes, URL ou titre de pages ; on peut aussi lancer des requêtes sur les documents capturés en utilisant les opérateurs booléens ET et SAUF et la troncature ;

– quelques agents enfin ont une fonction de veille et avertissent le netsurfer dès lors qu'une modification a été apportée au site, depuis sa capture.

C'est dans ces fonctions de veille qu'apparaissent les plus grandes différences entre les outils.

Une première catégorie d'agents, quelquefois désignés comme les « agents de première génération » [7], se contentent de détecter les mises à jour et de remplacer les pages modifiées par la dernière version, mais

7. Carlo Revelli, *Intelligence stratégique sur Internet*, Dunod, 2e édition 2000, ISBN 2-10-005154-7.

n'indiquent pas quelles sont les modifications apportées (MemoWeb, Teleport Pro, WebWhacker…).

Le risque est alors d'être vite submergé de messages d'alerte, pour une virgule ajoutée dans une page, une photo déplacée…

Des outils de deuxième génération ont ensuite fait leur apparition ; ils permettent d'identifier plus facilement les modifications ou d'associer la surveillance de pages à des mots-clés.

Avec **eCatch**® (www.ecatch.com) par exemple, on peut paramétrer les critères de comparaison des pages. Par défaut, une nouveauté est signalée si un minimum de 30 caractères la sépare de la nouveauté suivante, mais on peut demander une détection plus précise. Les modifications sont signalées dans la nouvelle page par deux icônes de eCatch encadrant les portions du texte qui ont changé.

Le rôle principal des agents « aspirateurs » est de reproduire un site sur le disque dur de l'utilisateur et d'assurer sa mise à jour, permettant ainsi une consultation gratuite et immédiate, en mode déconnecté. Si ces agents peuvent être utilisés dans le cadre de veilles, leur principe de fonctionnement pose un problème majeur : les sites téléchargés occupent rapidement une part importante de la mémoire de l'ordinateur.

Les agents de veille offline

Pour éviter cet inconvénient, certains agents ont comme seule fonction la surveillance de pages Web, sans qu'il soit nécessaire de télécharger la page sur son disque.

Webspector® (www.illumix.com) par exemple peut surveiller plusieurs centaines de pages Web et limiter la surveillance à l'apparition de certains mots-clés ou de phrases. Il est possible d'afficher les versions graphiques des pages modifiées, avec une mise en valeur des changements grâce à la technologie PageLighter.

On peut classer les pages dans des dossiers, les consulter avec un navigateur interne, importer ses favoris de Netscape ou d'Internet Explorer, recevoir par e-mail un rapport d'alerte détaillé…

Plusieurs versions de Webspector sont proposées, avec des possibilités plus ou moins complexes ; les prix varient de 0 à 299 $ pour Webspector Enterprise, avec la surveillance d'un nombre illimité de pages Web.

Tout récemment, le logiciel **C4U**® (www.c4u.com) a fait son apparition.

Lancé par la société israélienne C4U Ltd, cet agent permet de mettre sous surveillance des pages Web, en précisant de façon relativement fine les changements qui doivent être notifiés : modifications du texte (en limitant éventuellement la veille à l'apparition de certains mots-clés), d'un hyperlien, d'une image, d'une adresse e-mail ; on peut aussi préciser le nombre de changements minimum pour chaque catégorie.

L'interface est très conviviale, avec sur la gauche des dossiers créés par l'utilisateur pour rassembler par exemple plusieurs pages d'un même site et, devant chaque page, une icône signalant s'il y a ou non des changements.

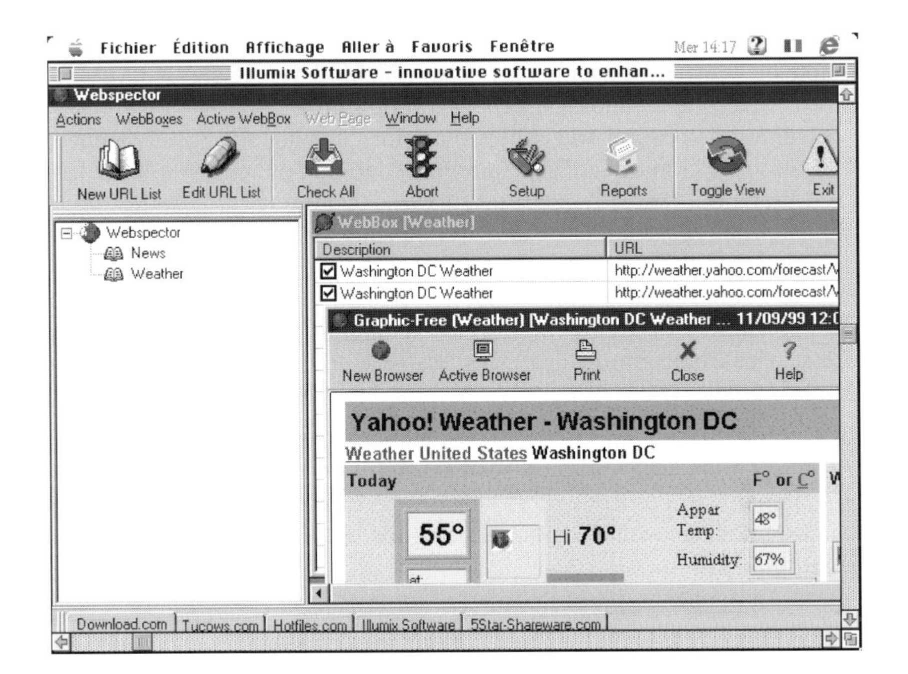

Dans ce cas, une fenêtre précise le nombre de nouveautés pour les liens, les images… et l'écran modifié s'affiche en bas de la page, avec les changements en surbrillance.

C4U permet également d'importer son bookmark et de choisir la périodicité des mises à jour (toutes les 15 minutes, 30 minutes, chaque heure, chaque jour…).

La société C4U compte développer toute une gamme de produits plus ou moins puissants. L'agent le plus simple, C4U Scout, est téléchargeable gratuitement. D'autres solutions (C4U Professional, C4U Insight…) seront lancées ultérieurement.

Les agents d'alerte par e-mail

En complément de ces logiciels de veille offline, il existe un certain nombre d'agents de surveillance qui peuvent être lancés depuis un site Web et ne nécessitent donc pas l'installation de logiciels. Ils sont particulièrement appréciés des utilisateurs de Macintosh, trop souvent oubliés par les développeurs d'agents offline ; à quelques exceptions près en effet (WebWhacker…), les logiciels de recherche et de veille ne fonctionnent que sous Windows !

Parmi ces agents d'alerte par e-mail, on citera :

- **Spyonit**® (www.spyonit.com).

C'est le dernier-né des agents d'alerte et sans doute aussi le plus sophistiqué.

C'est, à l'origine, un logiciel propriétaire qui permet d'effectuer des veilles sur le Net et interroge, selon les questions, certains sites avec des fréquences variables.

Les notifications de changement sont ensuite transmises, au choix, par mail, portable ou « instant messenger services » (Yahoo! Messenger, ICQ, etc.).

C'est avec cette technologie de veille et de transmission des résultats que la société espère réaliser son chiffre d'affaires, par des accords de licence et d'utilisation de la marque. Mais la bonne idée de Spyonit est d'avoir lancé un site Web pour accroître la notoriété de sa technologie.

Son approche est simple : pour éviter aux netsurfers de se connecter régulièrement sur le Web dans le cadre d'une veille, Spyonit.com leur permet de définir le profil d'un « espion » qui, une fois lancé, effectuera périodiquement la recherche et les avertira des changements par mail, portable, etc.

Le service étant gratuit, les « espions » ne sont pas programmables de façon très précise. Mais ils peuvent néanmoins se révéler fort efficaces.

À la manière d'un annuaire comme Yahoo!, Spyonit a classé ses agents par rubriques et sous-rubriques, dès l'écran d'accueil.

En cliquant sur l'une des rubriques (santé, finance, actualités...), on affiche la liste des espions, avec pour chacun une brève description de ses fonctionnalités.

Parmi les agents les plus intéressants, on citera :

Dans la rubrique « News and Current Events » :

- Breaking World News Spy: Find out when something is mentioned on a world news site.
- Competitive Intelligence: Enter one of your competitors or a business you want to track; CI will tell you when it is mentioned on a new or updated webpage.

Dans la rubrique « Swiss Army Spies » (mais pourquoi donc « Swiss » ?):

- Multi-Page Change: Enter up to five URLs and this Spy tells you if they change in any way.
- Linked: Do you have your own web site or home page? This Spy lets you know when anyone else on the web links to you.
- PermaSearch: Search engines are very useful. Let the PermaSearch Spy search the Web for you every day, and it will let you know when there's a new web page out there that matches your search.
- Usenet Newsgroups: Enter a newsgroup and a phrase, and this Spy will let you know when that phrase appears in that newsgroup.

Et enfin, dans la rubrique « Finance » :

- The Ultimate Stock Spy: Here it is, everybody's favorite new Spy (well, ok, not everybody's). Enter a series of stock symbols, and this Spy will notify you at the end of every trading day if any of your stocks have announced splits, filed new documents with the SEC, traded above thresholds you specify, or been upgraded/downgraded by any analysts. You're welcome.
- Stock Headlines: Enter the stocks you want to track and Spyonit will check throughout the day for major headlines.

Pour activer l'un des agents, rien de plus simple ; il suffit de cliquer sur le bouton « Add to my spie » situé à droite de chaque espion. Si l'on n'est pas encore enregistré, un formulaire permet de le faire instantanément, en choisissant un nom d'utilisateur et un mot de passe et en indiquant son adresse e-mail.

Il faut ensuite préciser le nom que l'on donne à chaque agent ; Spyonit les a certes baptisés, mais il est possible de leur attribuer un nom personnalisé, pour chaque recherche.

On doit enfin indiquer les termes de la requête et le mode de notification des résultats : e-mail, portable compatible avec le Web, pager, ou encore les services « instant messengers » (AOL, Yahoo!, MSN ou ICQ).

Un clic sur le bouton Add this Spy to My Spies enregistre le profil.

Sur l'écran d'accueil, l'onglet My Spies affiche la liste des différents profils d'espions que l'on a lancés et donne accès aux rapports reçus.

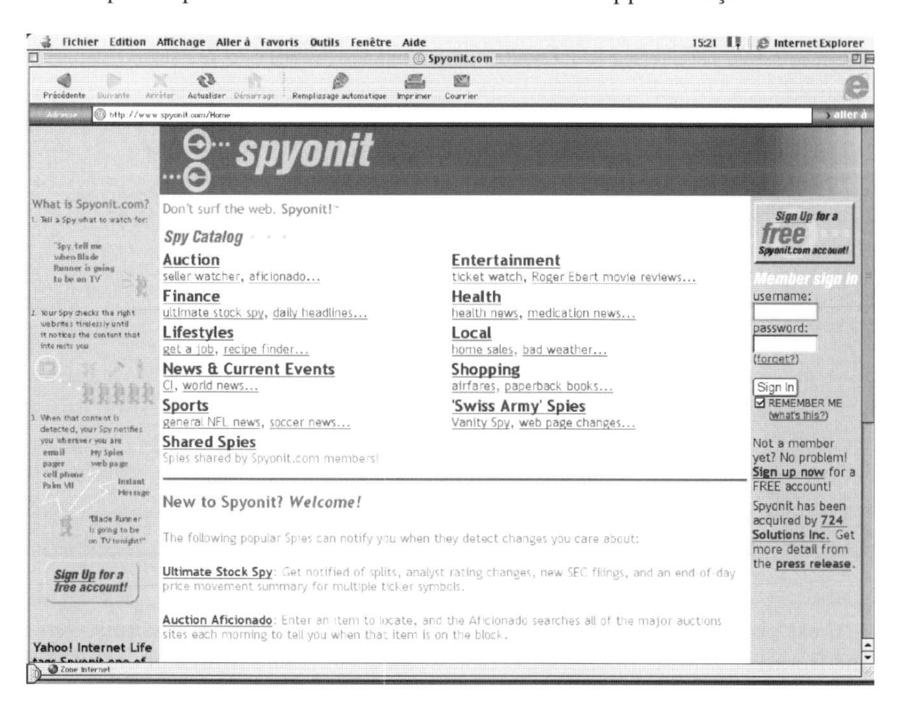

On notera cependant que ces rapports ne contiennent pas le texte des pages nouvelles ou modifiées, mais donnent l'URL des pages répondant à la requête. C'est une option intéressante car il est possible de désactiver la réception par e-mail pendant les vacances, mais de conserver les rapports sur la page Web My Spies.

Trois onglets sont proposés à droite de chaque espion :

– Edit affiche un certain nombre de renseignements complémentaires, comme les sources interrogées et la date de la prochaine et de la dernière mise à jour ; la périodicité varie en effet selon la tâche des espions (toute les demi-heures pour la surveillance de la livraison d'un colis avec UPS, une fois par semaine pour d'autres veilles...) et n'est pas modifiable, pour le moment du moins ;

– Share permet de partager les résultats d'une recherche ; les rapports sont alors envoyés aux internautes de son choix ;

– il est enfin possible de « supprimer » le profil d'un espion.

- **The Informant** (informant.dartmouth.edu/)

Avec comme accroche « Your personal search agent on the internet », The Informant est sans doute l'un des premiers agents d'alerte à avoir été lancé sur le Web. Développé par le Computer Engineering Group du Dartmouth College, il offre deux types de surveillance.

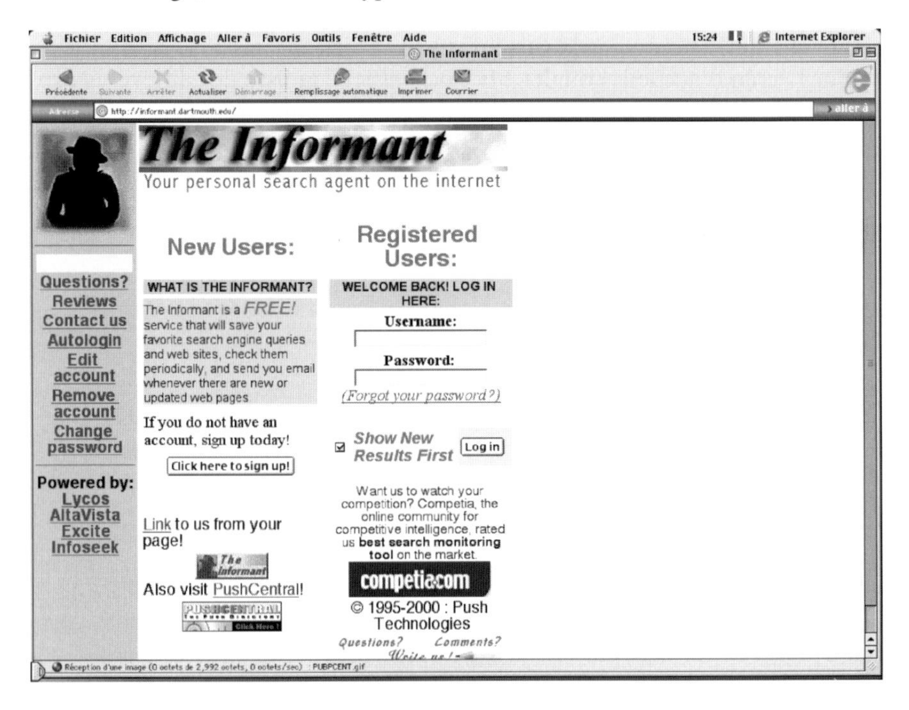

Il est possible d'enregistrer jusqu'à trois mots-clés ou expressions. Avec une fréquence de 3, 7, 14, 30 ou 60 jours (au choix), The Informant interroge alors les moteurs AltaVista, Excite, Lycos et Infoseek, pour identifier les dix pages Web les plus pertinentes sur chaque sujet.

Si une nouvelle page apparaît dans les dix premières ou si l'une des dix pages a été modifiée depuis la précédente interrogation, The Informant envoie un message d'alerte par e-mail.

L'utilisateur peut également saisir jusqu'à cinq URLs. Avec la même périodicité que pour la surveillance de pages, The Informant se connecte aux URLs et envoie un message d'alerte s'il y a eu une mise à jour.

The Informant étant un agent d'alerte par e-mail, il est nécessaire de s'inscrire au préalable ; il suffit pour cela de choisir (gratuitement) un nom d'utilisateur et un mot de passe, puis d'indiquer son adresse e-mail et les URLs ou les mots-clés à mettre sous surveillance.

Le netsurfer reçoit ensuite un e-mail dès qu'une page a été modifiée ; il doit alors se connecter au site The Informant vous visualiser ses pages de résultats.

Sinon, The Informant propose d'inclure les URLs des pages nouvelles ou mises à jour dans l'e-mail d'alerte.

• Sur le même principe, **Mind-it** de NetMind (mindit.netmind.com) permet de mettre sous surveillance une ou plusieurs pages Web.

Des paramétrages très fins sont proposés, comme la surveillance de portions spécifiques d'une page, que ce soit du texte, une image ou des hyperliens ; on peut filtrer les résultats pour ne retenir que les changements concernant un mot-clé ou une phrase particulière.

Les options avancées permettent pour leur part de limiter la surveillance aux seuls déchargements ou disparitions d'une page.

Les modifications peuvent être surlignées pour apparaître clairement ; un message d'alerte par e-mail signale les nouveautés, consultables sur My Mind-it.

*

* *

Qu'ils soient online ou offline, ces agents de veille ont des limites certaines.

Ils sont capables de surveiller une page Web et d'alerter le netsurfer dès la moindre mise à jour, avec des paramétrages plus ou moins fins. Ils ne peuvent en revanche surveiller un site dans son ensemble, sauf si chacune des pages a été mise sous surveillance.

Ces assistants de veille sont efficaces et le plus souvent gratuits, mais on ne peut comparer leurs fonctionnalités à celles des solutions « lourdes » existantes, proposées par des sociétés comme Arisem (WatchPortal4U, www.arisem.com), Createam (World Scanning, www.createam-is.com) ou Digimind (v-Strat, www.digimind.fr).

Ces dernières applications sont conçues pour la mise en œuvre de véritables stratégies de veille. Elles permettent la formulation de requêtes complexes (opérateurs booléens...), qui peuvent être lancées sur le Web et sur des bases de données de différents formats ; elles peuvent mettre sous surveillance des sites entiers, sans qu'il soit nécessaire de les télécharger et elles offrent enfin différentes solutions pour l'alimentation des intranets.

Les agents de type « push »

Le principe du push est de fournir à l'utilisateur de l'information pertinente de façon automatique, sans qu'il ait besoin de se connecter à l'Internet. Le push implique donc une réception passive d'information, comparable à la télévision ou à la radio. L'information envoyée peut aller du simple texte aux documents audio/vidéo, voire aux logiciels ; le point important est que chaque message est reçu par le netsurfer sans autre sollicitation que celle de l'inscription préalable au système.

Contrairement à la télévision ou à la radio toutefois, le push relève du mode asynchrone : l'information ne parvient pas à l'utilisateur au moment de sa diffusion, mais lorsque celui-ci choisit d'ouvrir sa boîte aux lettres ou de se connecter à son intranet.

Les premiers logiciels de push ont fait leur apparition en 1996 et ont connu un très vif succès. Pionnier dans le domaine, Pointcast a rapidement été rejoint par des systèmes comme Castanet de Marimba (www.marimba.com) et BackWeb (www.backweb.com) ; Netscape et Microsoft ont également suivi l'exemple et ont inclus des chaînes de push dans leurs navigateurs.

Cependant, après quelques années d'engouement – qui ont vu l'apparition et la disparition de nombreuses sociétés –, les systèmes de push offline n'ont pas rencontré le succès escompté [8]. Contrairement à certaines prévisions, qui annonçaient que le Web allait se transformer en une « télévision géante », le push n'a pas révolutionné l'Internet. Les chaînes de push de Netscape et de Microsoft ont été abandonnées et les développements de la technologie push semblent s'orienter aujourd'hui dans d'autres directions : l'alimentation des intranets et des portails et les revues de presse par e-mail. Ainsi, la technologie BackWeb est utilisée notamment dans la solution OpenPortal4U d'Arisem, et Tibco (www.tibco.com), qui appartient à Reuters, est intégré dans des solutions d'informations économiques.

Comme pour les outils de type pull, on distingue deux catégories d'agents push : les agents offline – qui nécessitent l'installation préalable d'un logiciel sur l'ordinateur – et les systèmes online, proposés depuis un site Web.

Les agents push offline

Les systèmes de push offline nécessitent tous le téléchargement d'un logiciel propriétaire, le plus souvent gratuit. Le logiciel permet au netsurfer de sélectionner les chaînes qu'il souhaite recevoir et affiche les informations sous des formes qui peuvent être différentes : économiseurs d'écrans, petites fenêtres virtuelles, « tickers », e-mail, messages brefs, pages html, applications Java, etc.

Parmi les solutions de push offline, on citera l'exemple de **PointCast**.

Ce pionnier du push a longtemps été considéré comme le meilleur dans sa catégorie, atteignant 10 millions de clients. Son utilisation était extrêmement simple : après avoir téléchargé (gratuitement) le logiciel, l'internaute choisissait les canaux d'information qu'il souhaitait recevoir, au sein d'un véritable bouquet de programmes (une cinquantaine de canaux, dont les actualités de CNN, les dépêches de Reuters, des articles de journaux et de

8. Dans un article intitulé « Push Technology : Pushed to the Brink », Grace Anne A. De Candido, de la Public Library Association, résume ainsi l'évolution du push :

"The arc of development of push technology has been an interesting one to chart. In 1997, it was *the* hot topic. In late 1998, it was pretty much trashed as tired, not useful, 'a solution in search of a problem.' In 1999, push, sometimes under an assumed name, found a place in companies and intranets, having metamorphosed into something people could actually use. Public libraries are beginning to use it too, as we shall see."

(www.pla.org/technotes/push.html), August 31, 1999, reviewed April 2000.

magazines, des informations financières...), en précisant notamment le secteur d'activité et le pays.

Les actualités étaient ensuite chargées en continu, dès que l'ordinateur n'était pas utilisé ; elles s'affichaient grâce au logiciel, conçu comme un économiseur d'écran avec un navigateur utilisant de nombreux graphiques et animations. Aucun abonnement n'était nécessaire ; Pointcast avait basé son modèle économique sur les revenus publicitaires.

Le système souffrait toutefois de certaines faiblesses : la principale était sa très forte consommation de ressources (bande passante comme mémoire de l'ordinateur), qui a conduit certains administrateurs à interdire son utilisation dans l'entreprise ; la deuxième était la présence incessante de publicités, contrepartie vite lassante de la gratuité des informations.

En mai 2000, Poincast a été racheté par Launchpad Technologies, une filiale d'Idealab. L'objectif de cette acquisition était d'intégrer la technologie de push de PointCast à de nouveaux outils plus légers dont EntryPoint, développé par une autre filiale d'Idealab.

À l'automne 2000, EntryPoint et Internet Financial Network ont fusionné et ont créé Infogate, qui propose une solution de push intégrant les caractéristiques de PointCast dans une barre d'outils très légère.

Téléchargeable gratuitement, **Infogate** (www.infogate.com) délivre au netsurfer des dépêches d'actualités et des informations personnalisées sur le bureau de son ordinateur, sans l'interrompre dans ses tâches. Il est ainsi possible de surveiller les cours de la Bourse, les actualités dans un domaine ou encore de recevoir une alerte pour un terme donné.

Sur le même principe **WorldFlash** (www.worldflash.com) est un logiciel qui délivre des informations (dépêches, données boursières...) en provenance de plus de 125 sources ; les titres des dépêches s'affichent dans un « ticker ».

Les revues de presse par e-mail

Plusieurs sites utilisent la technologie du push pour envoyer à l'utilisateur une revue de presse quotidienne sur ses centres d'intérêt ; les informations sont transmises le plus souvent par e-mail, et il n'est aucun besoin de télécharger au préalable un logiciel.

- **Individual.com** (www.individual.com) est un service qui fournit des actualités issues de nombreux magazines, quotidiens et dépêches dans les domaines économiques, financiers, industriels.

Le service a été lancé en avril 1995 sous le nom de NewsPage.com et était alors réservé aux abonnés. Il est devenu une filiale de NewsEdge Corp. en février 1999 et a peu après modifié son modèle économique, choisissant d'être accessible gratuitement et de tirer ses revenus des insertions publicitaires.

Il a pris le nom de Individual.com en octobre 1999 et a été racheté en février 2000 par Office.com (www.office.com).

Les informations sont issues du dépouillement de plus de 40 sources nationales et internationales et des communiqués de presse de plus de

15 000 entreprises ; les données sont indexées dans plus de 1 500 catégories, couvrant des secteurs comme la haute technologie, les télécommunications, la santé, l'automobile…

Chaque nuit, des milliers de documents sont filtrés ; les références sont ensuite sélectionnées par l'équipe éditoriale de NewsEdge Corp. et non par celle d'Individual.com. Pour chaque document, le service donne le titre, l'auteur, le début de l'article, la source et un lien vers le texte intégral.

Les actualités sont consultables directement sur le site de Individual.com avec une antériorité de cinq jours mais, et c'est là tout l'intérêt du service, l'internaute peut personnaliser le système.

En cliquant sur le choix My Newspage, on peut en effet, après plusieurs choix successifs, afficher une liste de thèmes très précis et cocher ceux que l'on souhaite « surveiller », dans la limite de 100.

Après avoir choisi les rubriques qui l'intéressent, le netsurfer définit l'ordre dans lequel les actualités seront présentées et le mode d'envoi ; les informations peuvent être envoyées par e-mail, en mode texte ou html, avec ou sans le résumé.

Elles peuvent aussi être conservées dans une page spécifique sur Individual.com, pendant cinq jours.

Les alertes e-mail classent les résultats par rubriques et indiquent pour chaque article son titre, un résumé du contenu et la source (Associated Press, Business Wire, Ziff-Davis Publishing, etc.). Pour afficher le texte intégral des documents, il faut se connecter à la page de résultats sur Individual.com ; cette dernière propose des liens vers les documents complets.

Le profil peut être modifié très facilement. Le service est gratuit ; il suffit pour s'inscrire de choisir un mot de passe et un nom d'utilisateur, puis de définir son profil.

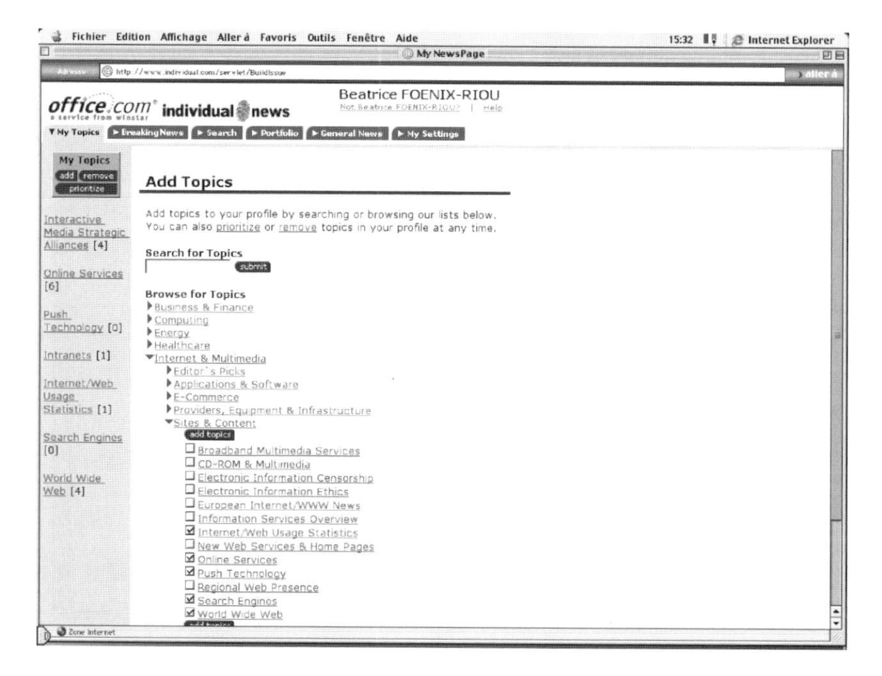

• **Net2One** (www.net2one.fr)

Créée en juillet 1997, Net2One est une start-up française spécialiste des alertes et de l'envoi d'informations personnalisées sur Internet, à destination de tous supports électroniques. Comme pour Individual.com, l'intérêt de Net2One réside dans la revue de presse quotidienne que le service propose d'envoyer à l'utilisateur.

Deux options sont offertes pour paramétrer cette revue de presse.

Depuis l'écran d'accueil, on peut sélectionner une ou plusieurs catégories parmi les thèmes proposés (Veille d'entreprise ; Alerte Internet et high tech ; Veille science et santé ; Actu générales : les titres, etc.). Un clic sur le bouton « Je m'inscris » affiche alors une grille permettant de préciser sa question, pour chacun des thèmes (Je souhaite recevoir dans ma revue de presse quotidienne tous les titres et les liens des articles traitant de l'actualité de mon entreprise (à indiquer) ; je souhaite recevoir dans ma revue de presse quotidienne tous les titres et les liens des articles traitant d'une technologie (à choisir dans un menu), etc.). Après avoir indiqué les mots-clés, il faut s'identifier, choisir un pseudonyme et un mot de passe, et indiquer son adresse e-mail. La veille est alors faite sur une sélection des sources dépouillées par Net2One (plus de 2 600), que l'on peut personnaliser.

On peut aussi, si on le souhaite, limiter la revue de presse à certaines sources, en précisant le cas échéant le pays d'origine et la langue. En cliquant sur *l'Annuaire des Sources*, on affiche l'arborescence des différentes rubriques et sous-rubriques ; chaque catégorie liste un certain nombre de titres, avec une description de leur contenu en une ligne ; on doit cocher les sources que l'on souhaite ajouter à son profil.

Un clic sur Valider affiche alors l'écran de configuration de la revue de presse, sur lequel on indique les termes à surveiller.

Il est enfin possible de lancer une recherche par mots sur l'ensemble des articles indexés. L'option Recherche avancée propose une grille permettant de limiter la requête aux titres, aux résumés, aux mots exacts, aux noms propres et aux documents en anglais.

La liste des résultats indique, pour chacun, son titre, la date de publication, un résumé quand il est disponible (en fait la première ligne de l'article), la pertinence, la source et la langue. En cliquant sur le titre, on affiche le texte intégral sur le site de l'éditeur.

Net2one semble remporter un certain succès auprès des netsurfers, puisque la start-up a déjà lancé un site en France, aux États-Unis, au Royaume-Uni et en Suède, et annonce la prochaine sortie d'une version canadienne.

Il faut cependant savoir que la mise en place de ces services de push ne s'est pas faite sans quelques heurts avec les éditeurs.

En mars 2000, les grands journaux français se sont en effet inquiétés de la reprise partielle de leurs articles, sans leur autorisation, sur les sites offrant des revues de presse. À l'initiative des quotidiens *Les Échos*, *La Tribune* et *Le Monde*, ils ont rédigé une charte d'édition électronique, dont l'objectif était de prévenir la reproduction abusive de contenus et qui mettait en cause intranets d'entreprises comme services de revues de presse [9].

9. Lire à ce sujet les articles d'Élise Colette :

• « France : une charte contre le pillage des contenus sur le Net », Multimédium, 27 mars 2000 (www.mmedium.com/cgi-bin/nouvelles.cgi?Id=3413)

• « France : les 'pillards' s'ajustent à la charte des quotidiens », Multimédium, 31 mars 2000 (www.mmedium.com/cgi-bin/nouvelles.cgi?Id=3437).

Net2One a adhéré à cette charte, et s'est engagé à ne référencer que les titres de journaux ayant donné leur autorisation.

*
*   *

Les services d'Individual.com et de Net2One sont donnés ici à titre d'exemple. Il en existe d'autres, et ce type de prestation se développe.

Des sites comme Companynews (www.companynews.fr) ou PRLine (www.prline.com), qui proposent respectivement les communiqués de presse d'entreprises françaises et étrangères et les avis financiers des sociétés cotées en France, utilisent ainsi la technologie push pour leur service d'alerte : l'internaute enregistre sa stratégie et reçoit par e-mail les nouveaux communiqués ou avis répondant à sa question.
De la même façon, le site Moreover (www.moreover.com) permet de recevoir par e-mail les titres de dépêches issues de centaines de sources, et offre diverses options pour l'alimentation de sites Web ou d'intranets.

Comme pour les agents de veille de type « pull », nous n'avons décrit ici que des agents push gratuits ou très bon marché. Ils aident incontestablement le netsurfer à suivre l'actualité de certains domaines, mais ils sont totalement insuffisants dans le cadre d'une veille.
Il existe pour cela des solutions « lourdes » conçues pour l'alimentation de portails intranet et internet ; on citera en particulier les produits développés par Mediapps (www.mediapps.com), nFactory (www.nfactory.com), Arisem (www.arisem.fr), mais aussi par divers grands serveurs comme Dialog, Factiva, etc.

Les systèmes « push-pull »

En complément des agents de type push et pull, on trouve sur le Net des systèmes que l'on pourrait qualifier de « push-pull ». Proposés souvent par des portails type Yahoo! (my.yahoo.com ; my.cnn.com ; my.excite.com, etc.), ces systèmes sont un compromis entre les agents push, qui permettent à l'utilisateur de recevoir passivement sa chaîne d'information ou sa revue de presse et les solutions pull, pour lesquelles le netsurfer ou l'agent doit se connecter à l'Internet.
La frontière entre les différents types de système est quelquefois floue, puisque des agents push comme Individual.com sont également des systèmes push-pull, qui conservent les alertes sur le site.
Les services push-pull, en revanche, n'envoient pas d'alerte par e-mail.
Si l'on prend l'exemple du service Mon Yahoo!, il suffit pour en bénéficier de se connecter au site Mon Yahoo! (fr.my.yahoo.com), de s'inscrire gratuitement, puis de choisir une ou plusieurs rubriques (actualités, commerce et

économie, technologies, etc.), ainsi que des sous-rubriques ; ces dernières permettent de préciser la source des informations ou les pays couverts : industry and media from Reuters, Internet Report from Reuters, ZDNet News, etc.

Une fois le profil enregistré, on obtient, lorsque l'on se connecte au site, « sa » page d'actualité ; elle affiche uniquement les dépêches concernant les domaines qui ont été choisis.

Pour en savoir plus sur les agents

L'information concernant les agents – intelligents ou non – se trouve à profusion sur le Web. Il suffit pour s'en convaindre d'interroger un moteur comme **Northern Light** avec les termes « intelligent agent ».

Plus de 58 000 documents sont identifiés, issus du Web et de la Special Collection.

Les dossiers indiquent clairement quels types de sites abordent le sujet : Intelligent agents ; Knowledge Query and Manipulation Language (KQML) ; Personal pages ; Educational sites ; Aerospace and Defense industry ; Telecommunications industry ; Electrical engineering ; Data processing services ; Robots and spiders ; Google ; Microsoft Windows operating systems ; all others…

Plus modestement, le métamoteur **Query Server** (www.queryserver.com) identifie 266 pages – le nombre de résultats par source est limité –, mais le classement des pages par thèmes permet d'avoir une idée relativement précise des sujets couverts :

The query "**intelligent agent**" has been broadcast to **10** search engines

- Yahoo Sites (6 results in 0 seconds)
- Yahoo Web (20 results in 2 seconds)
- WebCrawler (25 results in 1 seconds)
- Excite (40 results in 1 seconds)
- HotBot (40 results in 1 seconds)
- Lycos (10 results in 1 seconds)
- Infoseek (25 results in 1 seconds)
- AltaVista (40 results in 3 seconds)
- DejaNews (40 results in 4 seconds)
- Northern Light (40 results in 6seconds)

In total, 266 results were returned in 6 seconds

Result Clusters:

- Intelligent Agents (103 results)
- Intelligent Agent Technology (16 results)
- Software Agents (6 results)
- Artificial Intelligence (8 results)
- Intelligent Agents Group (2 results)

Bots and Intelligent Agents (4 results)
Intelligent Agent Resources (2 results)
Electronic Commerce (3 results)
Agent Technologies (3 results)
Intelligent Agent Techno (5 results)
Agent Construction Tools (2 results)
Search Engines (2 results)
(...)

Intelligent Agents (103 results)

~98% Intelligent Agent
Newsletter on the use of interactive media and technology in arts and education.
Size: 0 bytes Date: Source: Yahoo
http://www.intelligent-agent.com/

~91% IBM Intelligent Agents Home Page
IBM has a portfolio of intelligent technologies that can be applied to solve a wide range of business problems.
Size: 0 bytes Date: Source: Infoseek
http://www.networking.ibm.com/iag/iaghome.html

~89% BotSpot® Home Page
The definitive resource for all things Intelligent Agent and bot related, including Bot of the Week. Locate the intelligent agents of your information Age dreams at BotSpot. Bots make life easier.
Size: 0 bytes Date: Source: Excite
http://www.botspot.com/

~87% What Is... an intelligent agent (a definition)
This page defines 'intelligent agent,' a program that gathers information or performs some other service without your immediate presence...
Size: 4096 bytes Date: 04-Feb-2000 Source: AltaVista
http://whatis.com/intellig.htm

Sites spécialisés, lettres d'information, articles, dossiers, sans oublier les pages personnelles et les agents à télécharger... Tout ce que vous avez toujours voulu savoir sur les agents est sans doute sur le Web !

Nous présenterons dans ce chapitre quelques sites de référence sur le sujet ; ils représentent un point de départ utile pour approfondir la question.

UMBC AgentWeb *(agents.umbc.edu/)*

Réalisé par The Laboratory for Advanced Information Technology de l'UMBC (University of Maryland, Baltimore County), UMBC AgentWeb est un site fédérateur relatif aux agents : il recense tout ce qui peut avoir trait aux « intelligent information agents, intentional agents, software agents, softbots, knowbots, infobots... ». Les ressources prises en compte par AgentWeb peuvent être aussi bien des articles que des annonces de conférences, des transparents, la description de programmes de recherche, des listes de discussion, des logiciels, etc.

L'écran d'accueil d'AgentWeb propose une liste d'articles disponibles en texte intégral, avec un classement par date de publication et par « popularité ».

Les ressources recensées sont classées dans des grandes rubriques : domaines d'application des agents, logiciels, sociétés, conférences et workshops, cours et séminaires, instituts et laboratoires de recherche, actualités, organismes et associations, publications (bibliographies, thèses, ouvrages, journaux, magazines...), ressources (listes de diffusion, FAQ's, répertoires Web, etc.).

Chaque rubrique donne accès à des sous-rubriques, puis à des listes de liens. Pour chaque lien, AgentWeb précise le titre, la date et un résumé. Le symbole d'une loupe permet de connaître le nombre de pages pointant vers ce lien ; ces pages sont identifiées avec HotBot.

Il est possible de faire une recherche par mots sur l'ensemble du site, ou sur le Web.

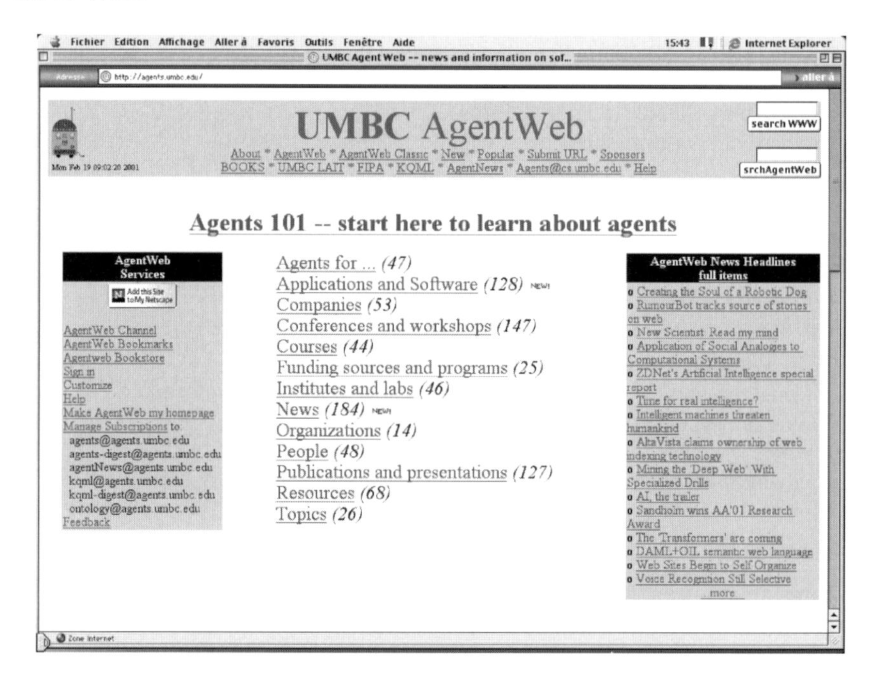

AgentWeb propose également une newsletter (AgentWeb Newsletter) qui paraît tous les quinze jours et qui présente les nouvelles ressources ajoutées au site. Les archives de la lettre sont consultables sur le site ; il est également possible de s'inscrire pour la recevoir pa e-mail.

Enfin, cerise sur le gateau, l'AgentWeb Bookmarks comblera tous les netsurfers avides de renseignements sur le sujet !

BotSpot *(www.botspot.com)*

BotSpot appartient au réseau Internet.com, un portail sur l'industrie de l'Internet, qui regroupe aujourd'hui plus de 150 sites Web, 270 lettres électroniques, 130 forums de discussion et 100 listes de diffusion !

BotSpot se définit comme « The Spot for All Bots on the Net » et a comme vocation de recenser tous les agents disponibles sur le Net.

Ces derniers sont classés par catégories, selon leurs fonctionnalités : bot design, chatter bots, commerce bots, government bots, knowledge bots, news bots, search bots, software bots, update bots...

Pour chaque catégorie, BotSpot affiche la liste alphabétique des agents, avec un résumé relativement détaillé de leurs fonctionnalités, et un lien vers leur site. Pour certains agents, une fiche descriptive plus détaillée est fournie.

La recherche peut également se faire par mots sur l'ensemble du site.

En complément de cet annuaire des agents, BotSpot propose des rubriques comme « Best of the Bots », « Bot News », etc.

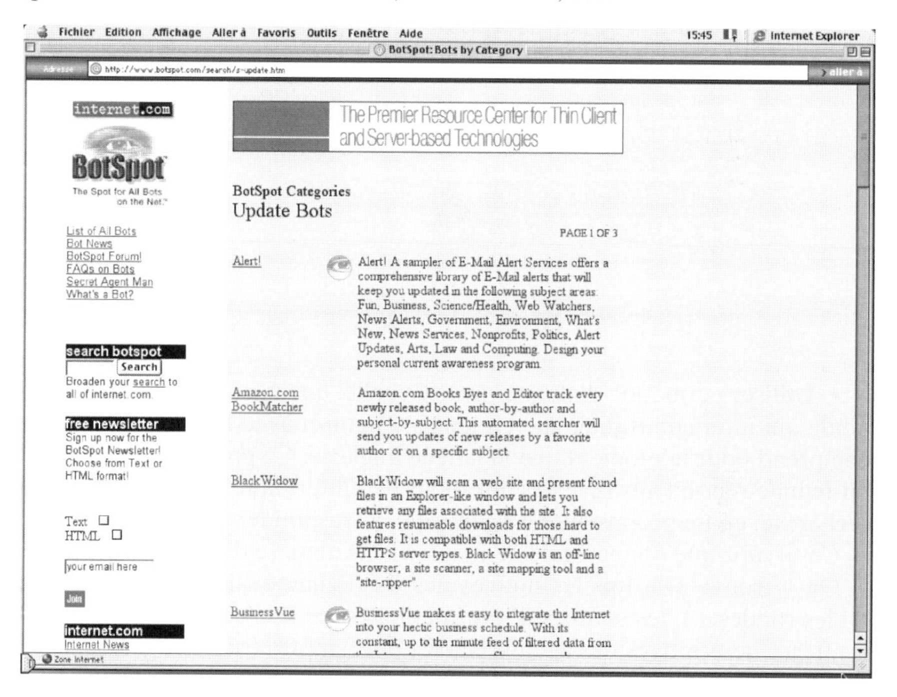

Agentland *(www.agentland.fr)*

Agentland, le site portail sur les agents intelligents, a été lancé en février 2001 par la société Cybion (www.cybion.fr). Il a pour vocation de sensibiliser les internautes à l'utilisation des agents intelligents, et présente dans ce but une sélection d'agents logiciels développés par divers éditeurs reconnus ou par des développeurs indépendants. Plus de 450 agents sont déjà référencés, évalués et sont téléchargeables depuis Agentland.

Le site est divisé en quatre « territoires », accessibles par des onglets en haut de l'écran.

• **Découvrir** offre une visite guidée du site et présente les différentes familles d'agents : search agents, web agents, shopping bots, virtual assistance, in-car assistance...

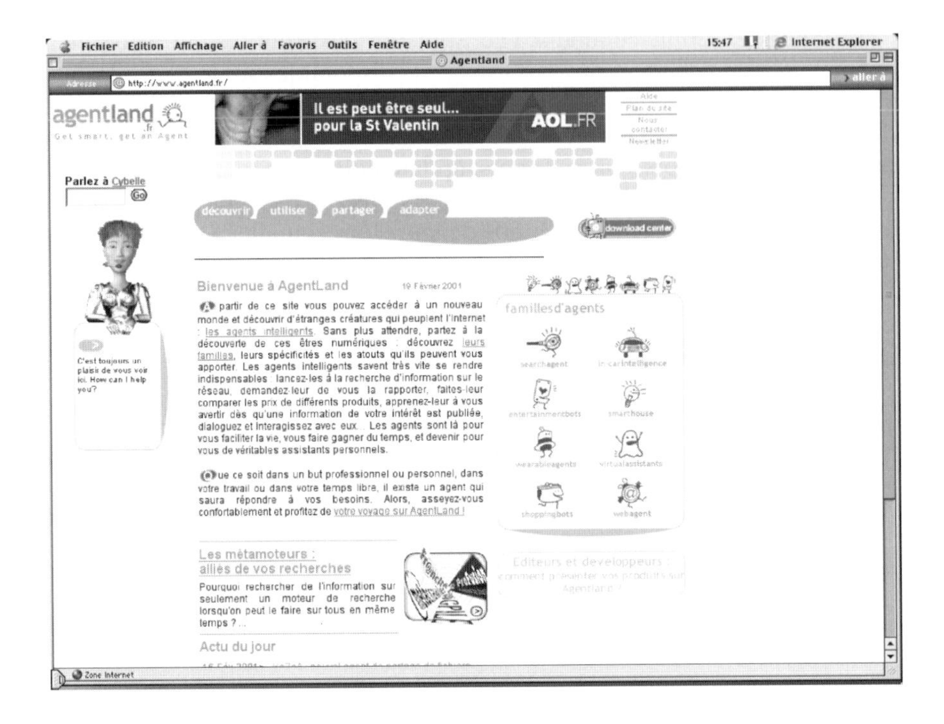

• **Utiliser** permet de dialoguer avec Cybelle, une agent intelligent humanoïde qui interagit et dialogue en langage naturel avec le visiteur, mais ne comprend pour le moment que la langue anglaise. Ce personnage mi-robot mi-femme répond aux diverses questions de l'internaute et le guide dans sa recherche, en lui proposant des agents qui correspondent à sa requête.

Cette rubrique donne également accès à l'Annuaire des agents.

On y trouve à la fois les nouveautés du domaine (listes de discussion, tables rondes...), les sources d'information (sites Web, thèses, livres...) et les fiches descriptives des agents, classés par familles (search agents, browsing agents, monitoring agents...).

La plupart des agents sont téléchargeables depuis le Download Center.

• **Partager** est un espace de rencontres entre les netsurfers, et leur permet d'échanger leurs expériences...

• **Adapter** enfin aidera les utilisateurs à adapter leurs agents à leurs besoins ; diverses personnalisations seront bientôt proposées pour plusieurs agents.

Agentland aide indiscutablement l'internaute à optimiser ses recherches et sa veille sur le Net, en tirant parti des multiples agents qui existent. Pour suivre l'actualité toujours très riche de ce domaine, le site offre par ailleurs la possibilité de recevoir une lettre d'information par e-mail, signalant les nouveautés.

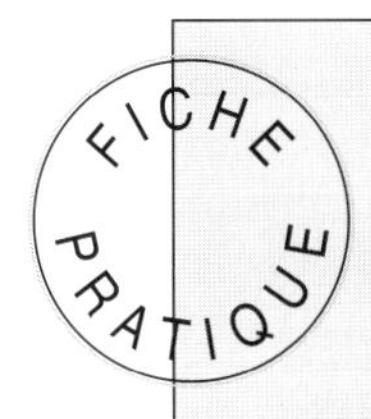

Agent

BULLSEYE 2

www.intelliseek.com

Objectifs et contenu

BullsEye 2 est un outil de recherche offline extrêmement sophistiqué, qui permet d'interroger plus de 800 sources d'information réparties dans 140 catégories, comprenant moteurs, annuaires et métamoteurs, banques de données, sites professionnels, newsgroups, listes de diffusion…

La version gratuite du logiciel est constituée de BullsEye Manager, qui assiste l'utilisateur dans sa recherche et sa gestion des résultats ; le module complémentaire BullsEye Tracker est disponible uniquement dans la version professionnelle payante (249 US $) et a des fonctions de veille.

L'écran d'accueil de BullsEye Manager propose, sur la gauche, la liste des « agents » disponibles, chacun couvrant un domaine particulier : Web, News, Shopping, Multimedia, Discussions, Jobs, Books, Software, Computers, Business, References, Health, Entertainment, College et International (ce dernier agent permet d'interroger plus de 70 moteurs dans 15 langues différentes).

En cliquant sur le nom d'un des agents, on affiche dans la partie centrale un écran permettant de définir sa question.

On choisit tout d'abord la catégorie de la recherche, dans une liste.

L'agent « Business » par exemple propose les options suivantes :

- Business Web Sites
  - Find a Business Web Site
  - Find Online Shops
- Patents
  - Search All Patent Databases
  - Find a Patent by Patent Number
- Trademarks
  - Search All Trademark Databases
  - Find a Trademark by Trademark Number
- Domain Names
  - Search Domain Names

L'agent « News » permet, quant à lui, de sélectionner un des domaines suivants :

- General
  - Search All Major News Sources
  - Search Recent News from Wire Services
- Business, Finance and Investment
  - Search Business News
  - Search Finance and Investment News
- Technology and Science
  - Search Computing News
  - Search Science News
- Health
  - Search Consumer Health News
  - Search Professional Medical News
- National, International and Politics
  - Search U.S. News
  - Search U.S. News Archives
  - Search International News
  - Search Political News
- Sports and Entertainment
  - Search Sports News
  - Search Entertainment News.

Après avoir indiqué son domaine de recherche, on inscrit les termes de sa requête dans la zone de saisie. La question peut être formulée avec des mots-clés ou en langage naturel.

On choisit ensuite une des options proposées dans un menu déroulant : No Analysis ; Remove Dead Links ; Download and Analyze Results.

Selon les cas, BullsEye 2 affichera la première ligne des pages identifiées, vérifiera la validité des liens, ou encore donnera pour chaque page un réel résumé/analyse du contenu.

En cliquant sur l'option « Advanced », on affiche un assistant de recherche qui permet de préciser certains critères :

– l'onglet Customize donne ainsi la liste des ressources qui seront interrogées selon les catégories, avec souvent des sources très pertinentes et rarement utilisées par des outils de ce type ; il est possible d'ajouter ou de supprimer des sources ;

– l'option Power Query permet d'utiliser les opérateurs AND, OR, AND NOT, NEAR et NEAR/n (nombre de mots séparant les termes) ;

– l'icône Query Tools offre pour sa part différents outils : thesaurus, vérificateur orthographique…

Une fois la recherche lancée, un écran de résultats propose, dans sa partie supérieure, la liste des pages sélectionnées avec, pour chacune, son titre, son score, son URL et les moteurs qui l'ont identifiée.

Si l'on a choisi l'option Analyze Results, un véritable résumé/analyse du contenu de la page est proposé ; sinon, seule la première ligne est donnée. On peut toutefois activer cette option après avoir obtenu la liste de résultats. On peut annoter les résultats, les envoyer par e-mail, les télécharger sous différents formats…

Si l'on clique sur l'une des URLs sélectionnées, la page s'affiche dans le bas de l'écran grâce à un navigateur interne, et les termes de la recherche apparaissent en surbrillance.

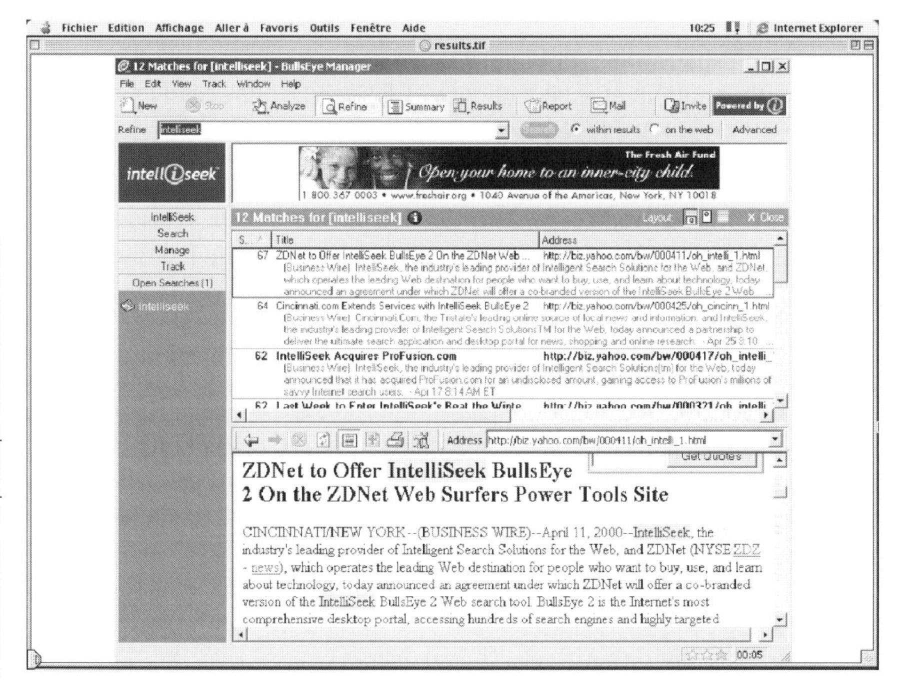

Les résultats peuvent être édités dans un rapport détaillé (menu File, option Generate Report).

Il est possible d'affiner une recherche, en lançant une requête qui peut être complexe (opérateurs booléens...) sur les pages identifiées. On peut aussi faire des recherches dans le contenu des différents rapports sauvegardés.

Il est enfin possible de gérer les différentes recherches effectuées (requêtes comme résultats) ainsi que les rapports et d'importer des bookmarks de Netscape et d'Internet Explorer (onglet Manage).

La version payante BullsEye 2 Pro (249 US$) offre, quant à elle, l'option Track, particulièrement intéressante.

Elle permet de surveiller l'apparition de nouveaux documents répondant à une stratégie de recherche ou les mises à jour d'une page Web. L'utilisateur choisit la périodicité (plusieurs fois par jour, quotidienne, hebdomadaire, mensuelle...) et le mode de réception des résultats (par e-mail, dans un dossier sur son disque...).

Une aide en ligne extrêmement détaillée, organisée en rubriques et sous-rubriques, est accessible à tout moment (Menu « ? »).

Spécifications techniques : Équipement minimum : Pentium 200 MHz
32 Mo RAM, 15 Mo d'espace disque et 50 Mo d'espace de travail
Résolution d'écran : 800 × 600 256 couleurs
Système d'exploitation : Windows 95, 98 ou NT

À savoir pour optimiser sa recherche

Sources interrogées

Domaine d'exploration : Plus de 800 sources couvrant le Web mondial (moteurs, annuaires, métamoteurs), les newsgroups, les dépêches, des domaines particuliers (business, logiciels...) et le Web invisible (banques de données...).

Choix des sources : Oui. En cliquant sur le lien Advanced (Recherche avancée) proposé sur l'écran de recherche, puis sur l'onglet Customize, on affiche la liste des sources interrogées pour la rubrique de son choix ; on peut en supprimer ou en ajouter. Le choix Add affiche la liste des 800 sources utilisées par BullsEye 2, classées par rubriques et sous-rubriques ; il n'y a pas de limitation au choix des sources.

Paramétrage du nombre de résultats par source : Oui. Le lien Advanced affiche un assistant de recherche qui permet d'indiquer le nombre de résultats maximum sélectionnés par source (10 par défaut).

Comment bien interroger

Opérateurs : Oui. On peut utiliser les opérateurs AND, OR, AND NOT, NEAR et NEAR/n (n indiquant le nombre de mots maximum entre les deux termes de la requête), en choisissant l'option Power Query de l'assistant de recherche (lien Advanced).

Mots composés/phrase : Oui. Ils doivent être tapés "entre guillemets".

Troncature : Selon les moteurs interrogés, la troncature est faite de façon implicite ou non. Pour une recherche exhaustive, il est donc important de comparer les résultats avec les formes singulier/pluriel des mots.

Ordre des mots : La prise en compte ou non de l'ordre des mots dépend des moteurs interrogés. Une recherche avec deux termes ne donnera donc pas exactement les mêmes résultats, selon l'ordre des termes.

Caractères admis : La prise en compte ou non des majuscules et des minuscules, comme des caractères accentués, dépend des moteurs interrogés. Pour une recherche sur un mot accentué, il est donc prudent de comparer les résultats en écrivant le mot avec et sans accents. Sinon, l'option Refine permet de spécifier que la requête ne doit pas tenir compte des majuscules (Ignore Case).

Autres fonctions : Oui. L'icône « Query Tools » proposée à droite de la zone de saisie de la requête (sur l'assistant de recherche, accessible en mode Recherche avancée) permet d'utiliser divers outils : thesaurus, vérificateur orthographique…

Présentation et gestion des résultats

Critères de classement : Oui. Différents classements sont proposés : score, date, source, titre, URL…

Élimination des doublons : Oui.

Vérification de la validité des liens : Oui. En cliquant sur l'option Remove Dead Links proposée sur l'écran de recherche.

Indication de la source ayant fourni la réponse : Oui.

Format de visualisation : L'écran de résultat indique, pour chaque page, le titre, le score, l'URL, la source et la première ligne du résumé. Si l'on a choisi l'option Analyze, le résumé complet s'affiche. La partie inférieure de l'écran permet de visualiser le texte de la page, les termes de la requête apparaissant en surbrillance.

Édition personnalisée : Oui. En cliquant sur l'icône Report (ou Menu File, option Generate a Report), on peut éditer un rapport reprenant l'ensemble des résultats ou seulement quelques-uns. Pour chaque page, le rapport donnera le titre, la source, le score, la date et une réelle analyse du contenu. L'URL n'est pas indiquée. Les résultats peuvent être classés selon différents critères (pertinence, adresse, date, score, moteur, taille…) et inclure ou non les résumés. Ce rapport est édité au format html et peut être sauvegardé dans la base de BullsEye (onglet Manage, choix Report) ou comme un fichier externe.

Téléchargement des résultats : Oui. Les résultats peuvent être téléchargés sous différents formats, envoyés par e-mail, inclus dans un bookmark…

Recherche dans la base des documents téléchargés : On peut accéder à la base des rapports (menu Window, choix Manage puis Report), puis lancer une requête sur le contenu des rapports (icône Find).

Sinon, l'option Refine permet de lancer une requête avancée (opérateurs booléens...) sur les résultats d'une recherche, qu'ils soient téléchargés sur le disque ou non.

Mise à jour des recherches/Veille : Oui. L'option Track offerte dans la version Pro permet d'effectuer une veille sur une recherche ou sur une page Web, en choisissant la périodicité (plusieurs fois par jour, quotidienne, hebdomadaire, mensuelle...) et le mode de réception des résultats (par e-mail, dans un dossier sur son disque...).

Archivage des recherches : Oui. L'option Manage permet de gérer l'historique des recherches, de les classer, de les retrouver.

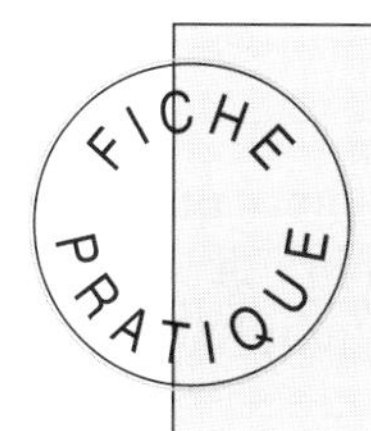

Agent

COPERNIC 2000

www.copernic.com/fr/

Objectifs et contenu

Copernic est sans doute l'un des agents de recherche les plus connus dans le monde. Et pour cause, la société québécoise qui le développe est l'une des premières à avoir choisi de lancer une version gratuite de son produit (en complément de deux versions payantes) et à faire l'effort de développer une interface en plusieurs langues : en plus de l'anglais et du français, Copernic est depuis peu disponible en allemand, en espagnol, en italien et en portugais !

La page d'accueil du site Copernic.com affiche ainsi fièrement le nombre impressionnant des utilisateurs de Copernic : 10 millions aux premiers jours du nouveau millénaire !

À ces conditions attirantes, Copernic ajoute deux qualités primordiales : cet agent est particulièrement convivial et réellement performant.

La version gratuite de Copernic 2000 est en fait un métamoteur offline, qui permet d'interroger plus de 85 sources d'information (moteurs, annuaires et banques de données) réparties dans huit domaines, selon leur couverture :

– le Web mondial : 18 moteurs et annuaires, dont AltaVista, Direct Hit, Euroseek, Excite, Fast, HotBot, LookSmart, Open Directory Project, Snap, WebCrawler et Yahoo ;

– le Web en français : 18 moteurs et annuaires dont AltaVista en français, Ecila, Fast, Francite, HotBot, Infoseek, Lokace, Lycos, Nomade, Voila et Yahoo! France ;

– les groupes de discussion : Deja, CNet, Epinions.com et Topica ;

– les adresses de courrier : InfoSpace, Internet Address Finder, Mirabilis, Snap, Switchboard, WhoWhere et Yahoo People Search ;

– les achats de livres : 9 sources dont a1Books, Amazon Books, Barnesandnoble.com, Borders.com… ;

– les achats de logiciels : 9 sources ;

– les achats de matériel informatique : 13 sources ;

– un huitième domaine, lié à une langue ou un pays, est proposé lors de l'installation.

Les possibilités de recherche comme l'interface sont les mêmes que pour les versions payantes, mais celles-ci donnent accès à un nombre de sources bien plus important. Elles permettent en effet d'envoyer une requête à plus de 610 sources, classées dans 55 domaines.

En complément des catégories précédentes, diverses « chaînes » sont offertes : affaires et finances, articles sur les technologies, fils d'agences de presse, journaux, santé, logiciels, dépêches en français, sécurité informatique, sciences, nouvelles technologies… Il est possible de mettre à jour ces versions depuis le site, en rajoutant d'autres sources ou domaines.

Au-delà de l'éventail des sources, les logiciels Copernic 2000 Plus (39,95 US $) et Copernic 2000 Pro (79,95 US $) ont un autre avantage : ils n'affichent pas les classiques bannières publicitaires que l'on retrouve sur la version gratuite. Le logiciel Copernic Pro a, quant à lui, une fonctionnalité supplémentaire : il permet de programmer les mises à jour des recherches, avec une fréquence définie par l'utilisateur ; un e-mail signale ensuite les nouveautés. Il permet également d'automatiser les tâches de validation, de téléchargement et de raffinage.

Le point fort de Copernic (versions gratuite et payantes) est, incontestablement, la convivialité de l'interface. Alors qu'avec d'autres agents, une lecture un peu détaillée du mode d'emploi est indispensable, l'interface de Copernic 2000 est suffisamment claire pour permettre aux netsurfers pressés de se lancer immédiatement dans la recherche.

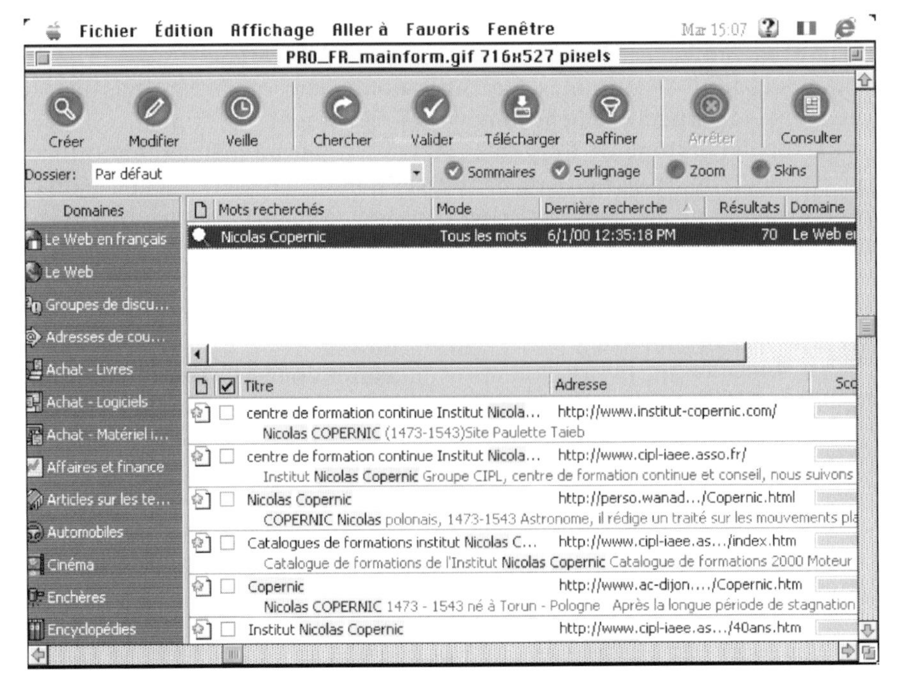

L'écran d'accueil propose ainsi une série d'icônes.

L'icône Créer est destinée, comme son nom l'indique, à la « création » d'une recherche ; un clic sur Créer lance un assistant, qui permet de choisir le domaine de recherche approprié (Web, Web en français, groupes de discussion…).

Tous les domaines affichés dans une colonne sur la gauche sont accessibles avec les versions Copernic Plus et Pro, tandis que huit seulement le sont avec la version gratuite.

Le bouton Propriétés de l'assistant de recherche permet ensuite de choisir les sources, dans une liste prédéfinie pour chaque domaine. On regrettera ici, c'est l'un des rares points faibles de Copernic, qu'il soit impossible d'envoyer une même requête à des sources de différents domaines. On peut interroger simultanément toutes les sources d'un domaine (dans une limite de 32), mais pas celles de chaînes différentes.

On peut ensuite écrire les termes de sa recherche, en précisant si elle doit prendre en compte tous les mots, un des mots ou l'expression exacte.

Copernic envoie alors la requête aux sources indiquées, puis affiche la liste des résultats obtenus, après les avoir dédoublonnés et triés. En double-cliquant sur l'un des titres, on affiche le document, ouvert dans le navigateur par défaut.

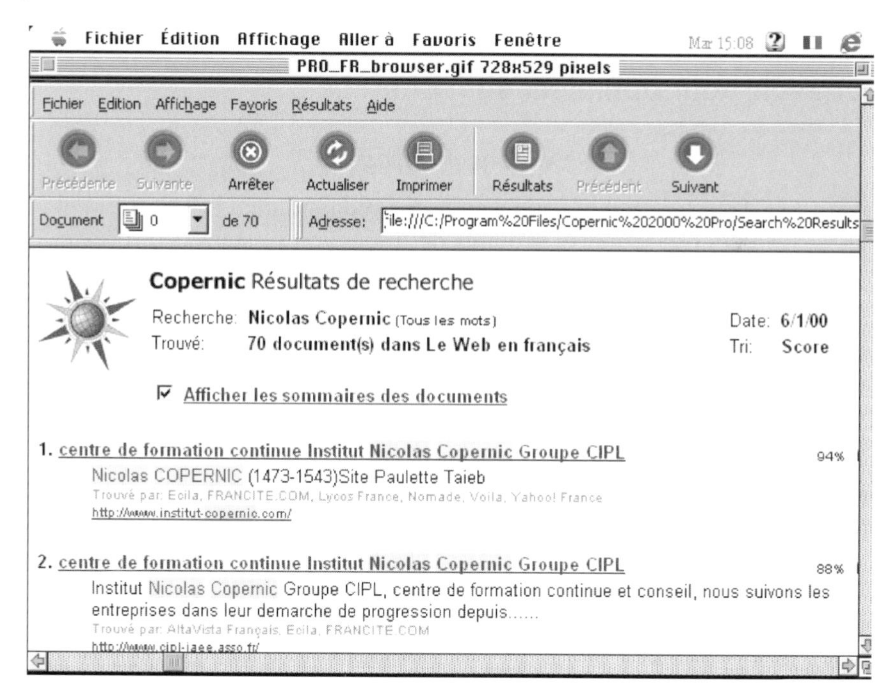

Parmi les autres fonctionnalités intéressantes de Copernic, on citera :

– l'option Mettre à jour une recherche ; une icône spécifique signale alors les nouveaux documents ;

– l'édition d'un rapport de recherche très agréable à consulter, au format d'une page Web ; il est possible de choisir les documents qui doivent figurer dans la liste, ainsi que leur classement (pertinence, ordre alphabétique, source...).

Pour chaque page Web identifiée par l'agent, sont indiqués son titre, les premières lignes, l'URL, les moteurs qui l'ont identifiée, la pertinence... Les termes de la requête sont surlignés.

Comme ce rapport est au format html, on se connecte d'un simple clic à la page décrite. Enfin, ce rapport peut être envoyé par e-mail aux destinataires de son choix.

La fonction Raffiner est intéressante lorsque la recherche est relativement large. Elle permet de télécharger les résultats de son choix sur le disque dur, puis de lancer une requête sur le contenu de ces pages, avec cette fois des critères plus sophistiqués (ET, OU, SAUF, PRES). Cette fonction permet ainsi de réduire les contraintes dues à l'utilisation d'un métamoteur. Mais il faut penser à « nettoyer » régulièrement son disque dur, sous peine de saturation rapide !

Spécifications techniques : Équipement minimum : 486-33 MHz
8 Mo de mémoire vive et 50 Mo d'espace disque
Système d'exploitation : Windows 95, 98 ou NT

À savoir pour optimiser sa recherche

Sources interrogées

Domaine d'exploration : *Version gratuite* : Web mondial (18 sources) et en français (18 sources), groupes de discussion (4 sources), adresses e-mail (8 sources), achat de livres (9 sources), de logiciels (9 sources) et de matériel informatique (13 sources), ainsi qu'un domaine facultatif lié à une langue ou un pays, à choisir dans une liste, lors de l'installation du logiciel.

Copernic 2000 Plus et Copernic 2000 Pro : 610 sources au total, réparties dans 55 « chaînes » (fils de presse, logiciels, articles sur les technologies, affaires et finances, santé...).

Choix des sources : Oui. Les icônes Créer et Modifier permettent d'indiquer le domaine de recherche. On peut alors, en cliquant sur l'onglet Propriétés, choisir dans une liste la ou les sources à interroger. Il est impossible d'interroger simultanément des sources de différentes chaînes.

Copernic 2000 Plus/Pro permettent le rajout d'autres sources, depuis le site Web de Copernic.

Paramétrage du nombre de résultats par source : Oui. L'onglet Paramètres des icônes Créer et Modifier propose plusieurs choix prédéfinis : Recherche rapide (10 résultats par source, 100 maximum par recherche), normale (10/200) ou détaillée (30/300).

L'option Recherche personnalisée offre une formule sur mesure, avec un maximum de 300 résultats par moteur et 1 000 résultats par recherche.

Comment bien interroger

Opérateurs : Oui. Les icônes Créer ou Modifier permettent de saisir plusieurs mots, en précisant que seuls doivent être sélectionnés les documents comprenant tous les mots (ET), un des mots (OU) ou l'expression exacte.
Sinon, l'option Raffiner permet de télécharger les documents sur le disque, puis de lancer une requête sur leur contenu en utilisant les opérateurs ET, OU, SAUF, PRES (termes de recherche à au plus 10 mots l'un de l'autre).

Mots composés/phrase : Oui. Les mots doivent être écrits "entre guillemets". Copernic signale les moteurs qui ne comprennent pas les guillemets.

Troncature : Selon les moteurs interrogés, la troncature est faite de façon implicite ou non. Pour une recherche exhaustive, il est donc important de comparer les résultats avec les formes singulier/pluriel des mots. Inversement, il est possible de préciser que la recherche doit se faire sur l'« expression exacte » (icônes Créer ou Modifier) ou sur les mots « en entier » (option Raffiner).

Ordre des mots : La prise en compte ou non de l'ordre des mots dépend des moteurs interrogés. Une recherche avec deux termes ne donnera donc pas exactement les mêmes résultats, selon l'ordre des termes.

Caractères admis : La prise en compte ou non des majuscules et des minuscules, comme des caractères accentués, dépend des moteurs interrogés. Pour une recherche sur un mot accentué, il est donc prudent de comparer les résultats en écrivant le mot avec et sans les accents. Sinon, l'option Raffiner permet de spécifier que la requête doit tenir compte des majuscules.

Autres fonctions : Oui. La commande Dupliquer (menu Recherche) permet de copier dans une nouvelle recherche les paramètres d'une recherche existante.

Présentation et gestion des résultats

Critères de classement : Oui. Il est possible de trier les résultats par ordre alphabétique des titres ou de l'URL, par moteur, par pertinence ou selon la date de la recherche (menu Affichage, choix Trier les résultats).

Élimination des doublons : Oui.

Vérification de la validité des liens : Oui, en cliquant sur l'icône Valider.

Indication de la source ayant fourni la réponse : Oui.

Format de visualisation : Titre – avec lien –, première ligne, URL, score, moteur(s) ayant fourni la réponse, type de document (accessible, inaccessible, nouveau, téléchargé, visité...). Les mots de la requête sont surlignés.

Édition personnalisée : Oui. La commande Consulter permet d'éditer un rapport de recherche au format d'une page Web ; il est possible de choisir les documents qui doivent figurer dans la liste, ainsi que leur classement.

Téléchargement des résultats : Oui. La commande Télécharger permet de télécharger sur son disque les documents identifiés, afin de les consulter hors ligne ; on peut également les envoyer par e-mail à une autre personne.

Recherche dans la base des documents téléchargés : Oui, la commande Raffiner permet de télécharger les documents de son choix (pour sélectionner des documents, il faut cliquer sur chacun en utilisant le bouton gauche de la souris, tout en tenant enfoncée la touche Ctrl) ; on peut ensuite formuler sa requête en utilisant les opérateurs ET, OU, SAUF, PRÈS, les parenthèses…

Mise à jour des recherches/Veille : Oui. La commande Mettre à jour permet de relancer une recherche, en signalant spécifiquement les nouveaux documents.

La commande Veille (uniquement dans Copernic 2000 Pro) permet de programmer les mises à jour, avec une fréquence définie par l'utilisateur. Copernic 2000 Pro se charge de l'ouverture et de la fermeture automatiques de la connexion Internet par modem, au début et à la fin de l'exécution d'un calendrier de veille.

Archivage des recherches : Oui. L'historique des recherches s'affiche sur l'écran principal, avec un certain nombre de renseignements pour chacune ; on peut les trier, les ranger dans des dossiers…

Agent

STRATEGIC FINDER 2

www.strategicfinder.com

Objectifs et contenu

Développé par la société française Digimind, Strategic Finder 2 est un métamoteur offline qui peut interroger simultanément plusieurs centaines de sources professionnelles sur le Web. Comme pour BullsEye et Copernic, deux versions du logiciel sont proposées.

La version gratuite permet de questionner plus de 200 outils de recherche et sites professionnels, classés dans 17 domaines : Company information ; High-tech news ; Institutions ; Investment ; Jobs ; Librairies ; News ; Newsgroups ; Newspapers ; Web ; etc.

Mais c'est avec sa version payante (3 000 F HT/an) que Strategic Finder offre toute son originalité : en complément des 17 domaines, il est possible de télécharger ou d'importer un certain nombre de « plugins », chacun rassemblant des sources d'information couvrant un secteur ou un thème.

En cliquant sur le choix Télécharger du menu Sources, on affiche ainsi la liste des plugins gratuits, avec pour chacun le nombre de sources : Aerospace (41 sources) ; Bank and insurance (12) ; Chemical (45) ; Defense (40) ; Electricity (54) ; Electronic (42) ; Environment (35) ; French local authorities (200) ; IT Newspapers (16) ; Market research (13) ; Packaging (15) ; Petrol (20) ; Semiconductor (60), etc.

Quelques plugins plus importants, réalisés avec des partenaires spécialisés, nécessitent néanmoins un abonnement spécifique (moyenne de 3 000 F HT par plugin) : Automotive (200 sources) ; Biotechnology (500) ; Pharmaceutical (150) ; Food Industry (110) ; Telecom (150).

L'ensemble des plugins permet d'interroger plus de 4 000 outils de recherche et sites professionnels du Web visible et invisible.

Sophistication notable, il est possible de créer son propre plugin, et d'ajouter aux sources interrogées des moteurs de recherche, des sites Web et des pages html.

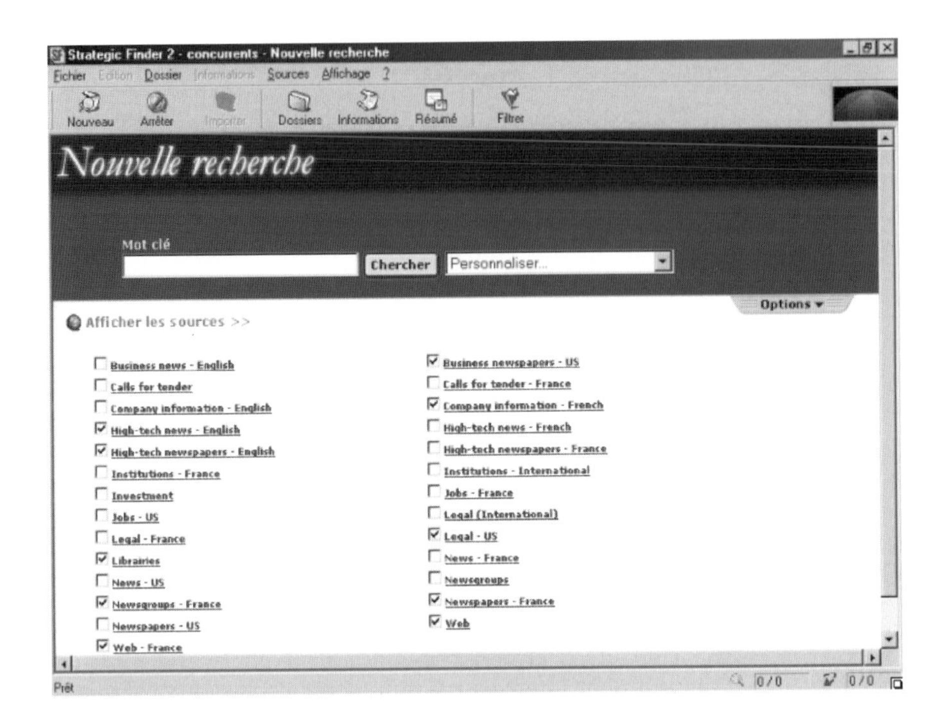

Le lancement d'une recherche avec Strategic Finder se fait en plusieurs étapes.

Il faut tout d'abord saisir les termes de sa requête dans la zone prévue à cet effet, en utilisant le cas échéant les opérateurs AND, OR, NOT et les parenthèses pour préciser sa stratégie. Strategic Finder traduit ces commandes dans les langages des différentes sources mais, toutes les sources interrogées n'utilisant pas forcément ces fonctions, les résultats de cette première étape peuvent contenir un nombre non négligeable de pages non pertinentes.

L'utilisateur doit ensuite choisir son domaine de recherche.

L'option Afficher les sources permet d'obtenir la liste des catégories disponibles (17 dans la version gratuite ; en fonction des plugins choisis dans la version payante). On peut sélectionner un domaine dans son ensemble (en cochant une case) ou, en cliquant sur le nom d'un domaine, choisir certaines sources parmi celles qu'il regroupe ; on peut aussi préciser le nombre maximum de documents par source. Il est possible d'interroger simultanément les sources de différentes catégories, sans limitation. On peut enfin exclure de la recherche certains sites.

L'onglet Options offre deux fonctionnalités supplémentaires :

– télécharger les résultats télécharge automatiquement les pages identifiées sur le disque dur, ce qui permet à la fois de les consulter hors-ligne et de vérifier leur validité ;

– filtrer automatiquement permet de vérifier que les pages identifiées contiennent un ou plusieurs mots de la requête. En fait, cette fonction télécharge les résultats et élimine automatiquement les pages non pertinentes.

Si elle peut s'avérer indispensable, lorsque la requête est complexe et/ou que le volume des informations est important, elle rallonge cependant de façon notable le temps de la recherche ;

– une option Utiliser les synonymes sera prochainement ajoutée et permettra d'élargir la question.

Les fonctionnalités Télécharger et Filtrer peuvent également être utilisées une fois la recherche terminée.

Un clic sur le bouton Chercher lance la question sur les sources sélectionnées. Après quelques secondes, les premiers résultats apparaissent dans la partie supérieure de l'écran.

Pour chaque page identifiée, une icône indique « l'état » de la page (lue, non lue, téléchargée, non téléchargée...), son titre, son URL et la source. On peut activer une surveillance de la page en cliquant sur l'icône Surveiller ; un symbole de lunettes apparaît alors à gauche du titre. Une fois la surveillance activée, on peut à tout moment demander la vérification des informations à surveiller. Une icône spécifique signale les pages qui ont été modifiées.

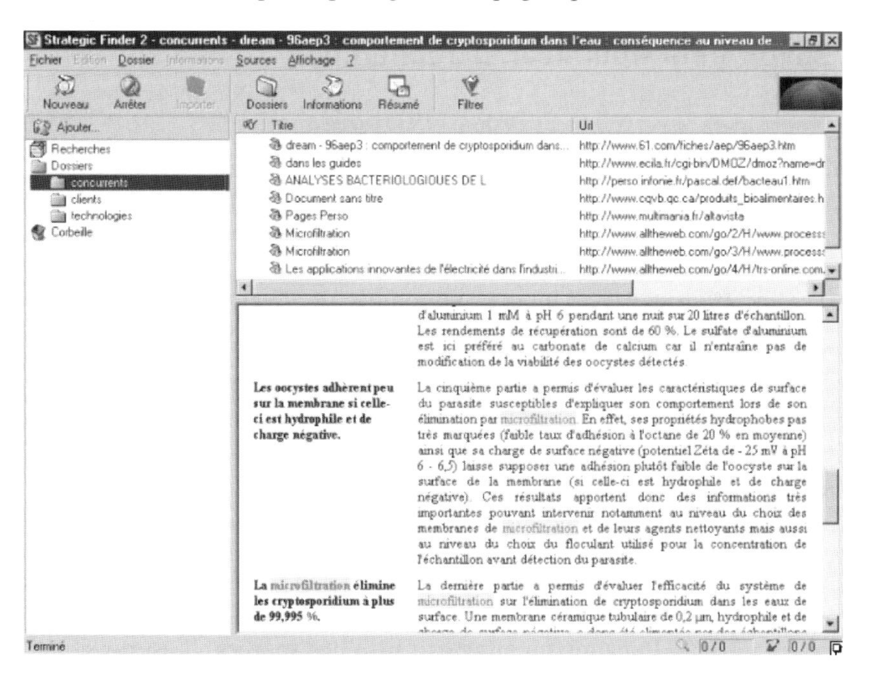

Pour vérifier la pertinence des pages identifiées, deux options sont proposées : l'icône Résumer permet d'avoir un aperçu rapide de la pertinence des pages ; cette fonctionnalité affiche en fait un extrait des phrases qui entourent les termes de la recherche. Une fois le « résumé » effectué, il est possible de se déplacer dans la page en cliquant directement sur les phrases affichées. Sinon, un double-clic sur le titre d'une page lance le navigateur interne de Strategic Finder et affiche la page dans la partie centrale de l'écran. On peut supprimer de la liste des résultats les pages non pertinentes.

Après avoir identifié les pages les plus intéressantes, on peut aisément repérer les sources pertinentes et approfondir la recherche (commande Étendre), en lançant une requête sur ces seules sources.

Il est possible d'enregistrer un rapport de recherche reprenant l'ensemble des résultats, au format html ou sous forme de fichier texte. Ces rapports peuvent être envoyés par e-mail.

Enfin, une colonne sur la gauche de l'écran permet de gérer l'historique des questions. Des dossiers Recherches contiennent toutes les recherches qui ont été lancées. Il est d'autre part possible de créer des dossiers personnels, afin de classer les informations de son choix (choix Ajouter un dossier dans le menu Édition ; un simple glisser-déposer permet ensuite de copier des résultats dans des dossiers spécifiques).

Spécifications techniques :
Équipement minimum : Pentium 166 MHz
32 Mo de mémoire vive
Système d'exploitation : Windows 95, 98 ou NT

À savoir pour optimiser sa recherche

Sources interrogées

Domaine d'exploration :

- *Version gratuite* : 200 sources réparties dans 17 domaines : Company information, High-tech news, Institutions, Investment, Librairies, News, Newsgroups, Newspapers, Web, etc.
- *Version payante* : un certain nombre de plugins complémentaires, totalisant plus de 4 000 sources, peuvent être téléchargés : Aerospace (41 sources), Chemical (45), Defense (40), Electricity (54), Electronic (42), Environment (35), French local authorities (200), Market research (13), Packaging (15), Petrol (20), Semiconductor (60), etc. Certains plugins nécessitent un abonnement spécifique.

Choix des sources : Oui. L'option Afficher les sources liste les divers domaines proposés. Un clic sur le nom du domaine affiche la liste des sources qu'il regroupe. On peut sélectionner les sources de différents domaines, sans limitation.

Paramétrage du nombre de résultats par source : Oui. En cliquant sur le nom d'un domaine, on affiche la liste des sources. Il est possible de choisir, pour chacune, le nombre maximum de résultats ; plusieurs options sont proposées (0, 5, 10, 50, 100), mais on peut définir son propre choix.

Comment bien interroger

Opérateurs : Oui. Il est possible d'utiliser les opérateurs AND, OR, NOT et les parenthèses pour préciser sa stratégie. Cependant, ces commandes ne sont pas comprises par toutes les sources interrogées.

Mots composés/phrase : Oui. Les mots doivent être écrits "entre guillemets".

Troncature : Selon les moteurs interrogés, la troncature est faite de façon implicite ou non. Pour une recherche exhaustive, il est donc important de comparer les résultats avec les formes singulier/pluriel des mots (Strategic Finder ne traduit pas les symboles *, etc.).

Ordre des mots : La prise en compte ou non de l'ordre des mots dépend des sources interrogées. Une recherche avec deux termes ne donnera donc pas forcément les mêmes résultats, selon l'ordre des termes.

Caractères admis : Il est recommandé de n'utiliser que les minuscules ; dans ce cas, Strategic Finder cherche toutes les variantes du mot (minuscules et majuscules). Les majuscules en revanche sont prises en compte de façon stricte.

Autres fonctions : Oui. La commande Étendre permet de relancer une requête existante sur les sources interrogées la première fois.

Présentation et gestion des résultats

Critères de classement *:* Oui. Il est possible de trier les résultats par ordre alphabétique des titres, de l'URL ou par source.

Élimination des doublons : Oui. Elle se fait automatiquement.

Vérification de la validité des liens : Oui, en cliquant sur l'icône Télécharger.

Indication de la source ayant fourni la réponse : Oui. Seul le nom de la source ayant identifié la page en premier est indiqué.

Format de visualisation : Titre, « état » de la page (lue, non lue, téléchargée, non téléchargée...), URL et source. Un clic sur Résumé affiche les extraits de phrase contenant les termes de la requête, qui sont surlignés. Un double-clic sur le nom affiche la page dans le navigateur interne.

Édition personnalisée : Oui. Après avoir sélectionné une recherche ou un dossier, on peut générer un rapport au format d'une page Web ou au format texte (commande Créer un rapport, menu Dossiers). Ce dernier indique pour chaque page le titre, l'URL et la source, mais ne donne pas de résumé du contenu. Il est possible de choisir les documents qui doivent figurer dans le rapport.

Téléchargement des résultats : Oui. La commande Télécharger permet de télécharger sur son disque les documents identifiés, afin de les consulter hors ligne ; on peut également les envoyer par e-mail à une autre personne.

Recherche dans la base des documents téléchargés : Non.

Mise à jour des recherches/Veille : Oui. La commande Vérifier les mises à jour (menu Dossiers) permet de vérifier si les pages ont été modifiées depuis la dernière lecture, et signale spécifiquement les documents qui ont été modifiés.

Il est d'autre part possible de planifier une recherche à une date et à une heure choisie par l'utilisateur.

Archivage des recherches : Oui. L'historique des recherches s'affiche dans une colonne sur la gauche de l'écran ; on peut les trier, les ranger dans des dossiers...

Des interfaces Web pour les grands serveurs

Internet a propulsé l'information électronique sur le devant de la scène et a considérablement élargi son usage. Mais les banques de données existaient bien avant Internet.

Les grandes banques de données classiques, à la norme ASCII, sont nées en effet dans les années 60 aux États-Unis, de la conjonction des progrès de l'informatique et de la volonté du gouvernement américain d'améliorer l'efficacité de la recherche dans les domaines liés à la défense (énergie, espace, nucléaire...). De nombreuses initiatives publiques ont facilité l'émergence de plusieurs sociétés privées, qui ont développé une activité de centre serveur. Ces serveurs, qui existent toujours, ont été accessibles dès le début des années 70 par les réseaux de télécommunications. C'est ainsi que, dans le monde entier, les chercheurs ont commencé à interroger les banques de données américaines, avant que soient lancés en Europe des programmes pour stimuler l'offre et sensibiliser les utilisateurs potentiels.

Des informations structurées et validées

On peut estimer à plusieurs dizaines de milliards de pages en ligne l'ensemble de l'offre des grands serveurs. Le seul serveur Dialog par exemple donne accès à plus de 500 banques de données, représentant plusieurs fois le volume du Web visible. Mais ici, les milliards de pages contiennent uniquement des informations professionnelles validées, ce qui est loin d'être le cas sur Internet ! Ces pages appartiennent au Web invisible, ce qui signifie qu'elles ne pourront jamais être identifiées par les grands moteurs de recherche.

Ces banques de données offrent une information structurée, très variée et des plus utiles dans le cadre d'une veille technologique ou stratégique. On y trouve en effet :

– des références avec résumé et indexation d'articles, de conférences, de rapports, de thèses dans les domaines scientifique, technique et médical, mais aussi pour les sciences humaines et sociales,
– le texte intégral de plus d'un millier de newsletters dans tous les domaines,
– le texte intégral de plus de 13 000 périodiques, dont plusieurs centaines de quotidiens du monde entier, français, américains, anglais, allemands, comme néo-zélandais ou de Hong Kong,
– des informations business/marketing en texte intégral ou sous forme de résumé (en français ou en anglais), avec une indexation pointue permettant d'effectuer des recherches très performantes,
– des références avec indexation de brevets et de marques déposés dans les pays développés,
– le texte intégral des brevets américains, européens et PCT,
– des annuaires d'entreprises de pratiquement tous les pays du monde,
– des données financières et des rapports annuels sur les entreprises,
– des opportunités d'affaires et des appels d'offres,
– des informations juridiques pour un grand nombre de pays (lois et décrets, texte intégral de décisions, jurisprudence…).

Des ressources difficiles d'accès

Les ressources des grandes banques de données sont cependant plus difficiles d'accès que celles du Web.

L'interrogation des serveurs est, à peu d'exceptions près, réservée aux abonnés et l'utilisation des bases est systématiquement payante, contrairement à la politique adoptée par la plupart des sites Internet.

D'autre part, le monde des grandes banques de données classiques est resté pendant longtemps réservé aux professionnels de l'information. Pour les interroger, il était nécessaire de connaître les langages de commande des différents serveurs. Ces languages permettent de tirer parti de toute la puissance du serveur et d'exécuter des stratégies de recherche extrêmement précises et sophistiquées, combinant un grand nombre de concepts. Mais pour les maîtriser, une formation est indispensable et une pratique régulière est recommandée.

La situation évolue cependant rapidement. Pour atteindre la cible d'utilisateurs potentiels que représentent les internautes, les grands serveurs ont adapté leur offre à cette nouvelle clientèle ; ils ont développé des interfaces conviviales sur le Web, permettant d'accéder à tout ou partie de leurs banques de données, sans connaître les commandes du langage d'interrogation.

Ces interfaces ne suppriment pas la nécessité de l'abonnement, mais donnent à l'utilisateur final le moyen d'effectuer lui-même ses recherches, avec des possibilités toutefois plus limitées.

La plupart de ces interfaces offrent cependant au moins deux niveaux d'interrogation, de façon quelquefois transparente : l'internaute néophyte est invité à utiliser les commandes habituelles des moteurs de recherche (deux mots reliés par AND ou OR par exemple), mais l'utilisateur averti peut tout aussi bien préciser sa stratégie avec de nombreux opérateurs de proximité et des commandes plus complexes.

D'une façon générale, ces interfaces sont bien plus sophistiquées que les classiques outils de recherche sur le Web.

Certaines permettent ainsi de combiner différentes étapes dans une même stratégie, disposent de plusieurs opérateurs de proximité (pour rechercher deux termes à n mots de distance...), proposent différents formats d'affichage des documents, etc.

Il nous a semblé utile d'inclure dans cet ouvrage les fiches descriptives des principales interfaces.

Elles sensibiliseront le Netsurfer néophyte aux richesses souvent méconnues des grands serveurs et l'aideront à effectuer des recherches simples et/ou rapides ; dans le même temps, elles constitueront pour le professionnel de l'information de véritables modes d'emploi.

Nous n'avons cependant pu décrire toutes les interfaces de tous les serveurs. Un ouvrage complet aurait été nécessaire !

Volontairement, les interfaces de Reuters Business Briefing (RBB) et de Dow Jones Interactive (DJI) n'ont pas fait partie de notre sélection, malgré toutes leurs qualités. Les versions actuelles des deux produits sont en effet amenées à disparaître dans quelques mois [1] ; elles doivent fusionner pour donner naissance, cet été 2001, à l'interface Factiva.com, qui donnera accès à environ 7 000 sources dans 20 langues et des cotations d'entreprises sur 10 places. Une naissance à surveiller de près !

1. Suite aux attentes de leurs clients, la société a préféré lancer en priorité le système push Factiva Publisher, destiné à alimenter en informations fraîches les intranets ; ce produit reprend l'essentiel du contenu de DJI et de RBB (www.factiva.com).

FICHE PRATIQUE

Serveur : The Dialog Corporation

Interface : DialogWeb

URL : www.dialogweb.com

Présentation du serveur

The Dialog Corporation comprend les serveurs Dialog, Data-Star et Profound. L'entité a été rachetée en mars 2000 par le groupe canadien Thomson mais a conservé son nom. Les trois serveurs restent accessibles séparément sous leur marque respective et l'accès à chacun nécessite la signature d'un contrat spécifique.

S'il existe un recouvrement certain entre leurs offres, chaque serveur a toutefois des spécificités.

• **Dialog** couvre des domaines extrêmement variés, au point qu'on l'a fréquemment présenté comme un supermarché de l'information. Il propose en effet des informations scientifiques, techniques et médicales, une collection de bases sur les brevets et les marques couvrant le monde entier, des centaines de titres de presse américaine et internationale en texte intégral, des informations de type business/marketing/management, des études de marchés, des annuaires d'entreprises, des informations financières sur les entreprises et, enfin, des informations sur l'art et les sciences humaines et sociales.

La taille du seul serveur Dialog est de dix fois celle de Data-Star et Profound réunis, et de plusieurs fois celle du Web visible. Dialog héberge en effet plus de 500 banques de données, ce qui représente plusieurs milliards de documents.

• **Data-Star** (www.datastarweb.com) offre un grand nombre de banques de données classiques également disponibles sur Dialog, mais s'est spécialisé en outre sur l'information médico-pharmaceutique et sur l'information européenne (quotidiens en texte intégral, annuaires d'entreprises), avec une prise en compte de l'Europe de l'Est.

Le recouvrement est de 30 % avec Dialog.

• **Profound** (www.profound.com) enfin est plus orienté business/marketing, études de marché et news. Le recouvrement est de 70 % avec Dialog.

Comme il est impossible dans cet ouvrage de présenter toutes les interfaces des différents serveurs du groupe Thomson, nous nous sommes intéressés ici au seul serveur Dialog, qui dispose de trois interfaces Web :

• **DialogSelect** (www.dialogselect.com) donne accès à une sélection des bases de Dialog (plus de 250). Cette interface est conçue pour aider l'utilisateur final à répondre à des questions récurrentes dans des domaines spécifiques. La recherche comme la visualisation des titres est en accès libre. L'affichage des documents complets est réservé aux abonnés.

L'écran d'accueil de DialogSelect permet de choisir un domaine parmi onze : agro-alimentation, business/finance, chimie, énergie/environnement, gouvernement/législation, médecine, news/média, industrie pharmaceutique, propriété intellectuelle, références, sciences sociales, technologie.

Une liste de catégorie et de sous-catégories s'affiche ensuite dans une colonne sur la gauche de l'écran. Chaque catégorie permet de définir une stratégie de recherche à l'aide d'un formulaire spécifique et de lancer la requête sur une sélection préétablie de banques de données.

• **DialogClassic** (www.dialogclassic.com) pour sa part est destinée exclusivement aux professionnels de l'information, maîtrisant les commandes du langage de Dialog. C'est un accès par Internet au serveur Dialog, identique à l'accès en mode ASCII via le réseau RTC ; c'est une alternative à l'accès par telnet ou avec un logiciel de communication.

• **DialogWeb** (www.dialogweb.com) enfin permet d'interroger l'ensemble de l'offre de Dialog – soit plus de 500 banques de données – avec un navigateur Web et une interface graphique agréable. C'est l'interface que nous avons choisi de décrire en détail.

Description de l'interface DialogWeb

Le point fort de DialogWeb est que deux modes de recherche sont proposés : Guided Search guide le Netsurfer tout au long de sa recherche et ne nécessite pas l'apprentissage du langage d'interrogation de Dialog ; Command Search en revanche permet au professionnel de l'information d'utiliser toute la puissance du serveur avec son langage de recherche.

On notera que le site www.dialogweb.com propose en ligne et en accès libre un « tutorial » extrêmement complet, illustrant les diverses étapes d'une recherche en mode guidé ou non.

Guided Search

Le module Guided Search a pour vocation d'aider l'internaute à choisir, par quelques clics successifs, la ou les banques de données à interroger ; mais on peut aussi sélectionner directement une base à partir de son numéro de fichier, ou accéder à la liste alphabétique de toutes les banques de données.

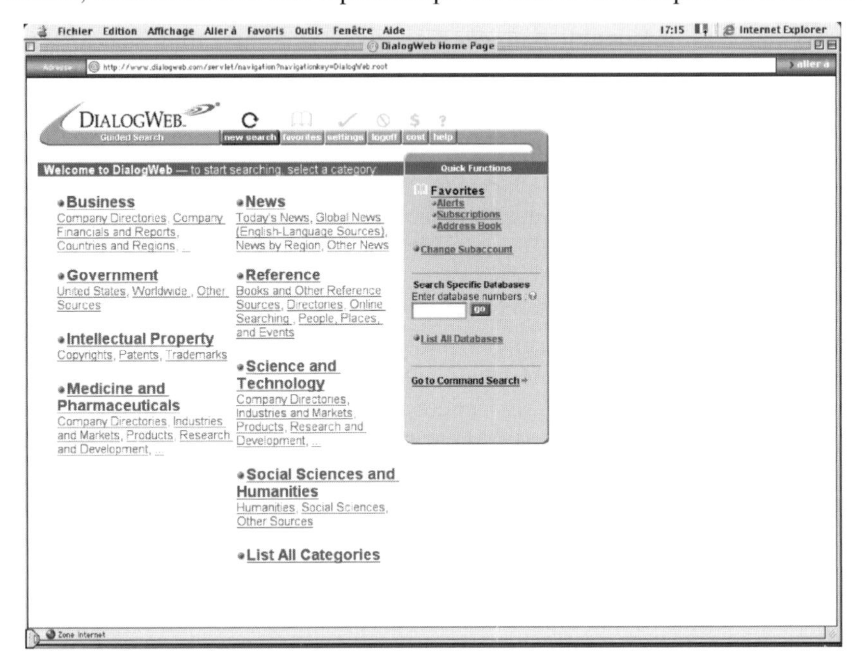

À la manière d'un annuaire très spécialisé, l'écran d'accueil offre plusieurs rubriques et sous-rubriques, qui donnent accès à des sous-sous-rubriques centrées sur certains aspects spécifiques du domaine.

Ainsi par exemple, la rubrique Science and Technology affiche les catégories et sous-catégories suivantes :

Sciences and Technologie

• **Company Directories**
All Company Directories, Technology, Company/Organization Directories, Chemical Manufacturers/Suppliers

• **Industries and Markets**
Industry News, Investment Analysts' Reports, Market Information, Regulatory News (US)

• **Products**
Brand Names, Buyers' Guides, Chemical Product Directories, Software Directories

• **Research and Development**
Aerospace and Defense, Automotive, Biosciences and Biotechnology, Chemistry, Computers, Electronics and Telecommunications...

• **Other Sources**
Chemical Regulation, Cited References, Conference Papers, Dissertations, Energy Regulations...

Après avoir indiqué les rubriques et sous-rubriques de son choix, l'utilisateur se voit proposer deux modes de recherche :

• **Targeted Search** est offert pour certaines sous-catégories.C'est en fait un formulaire prêt-à-l'emploi qui permet d'interroger une sélection prédéfinie de bases. Chaque formulaire est conçu pour répondre à un type de question, comme identifier des articles scientifiques par auteur ou faire une recherche sur une marque.

• **Dynamic Search** pour sa part affiche un formulaire plus général mais plus flexible, lié à des domaines plus larges que ceux des Targeted Search. Le nombre de bases interrogées est plus important, mais il est possible de limiter la recherche à un groupe de bases similaires, ou à certaines bases particulières.

Ce formulaire est proposé pour toutes les catégories. Il permet de saisir les termes de sa requête en utilisant les opérateurs booléens et de proximité, les parenthèses pour préciser sa stratégie et offre, quelquefois, la possibilité de consulter les index des différentes bases interrogées.

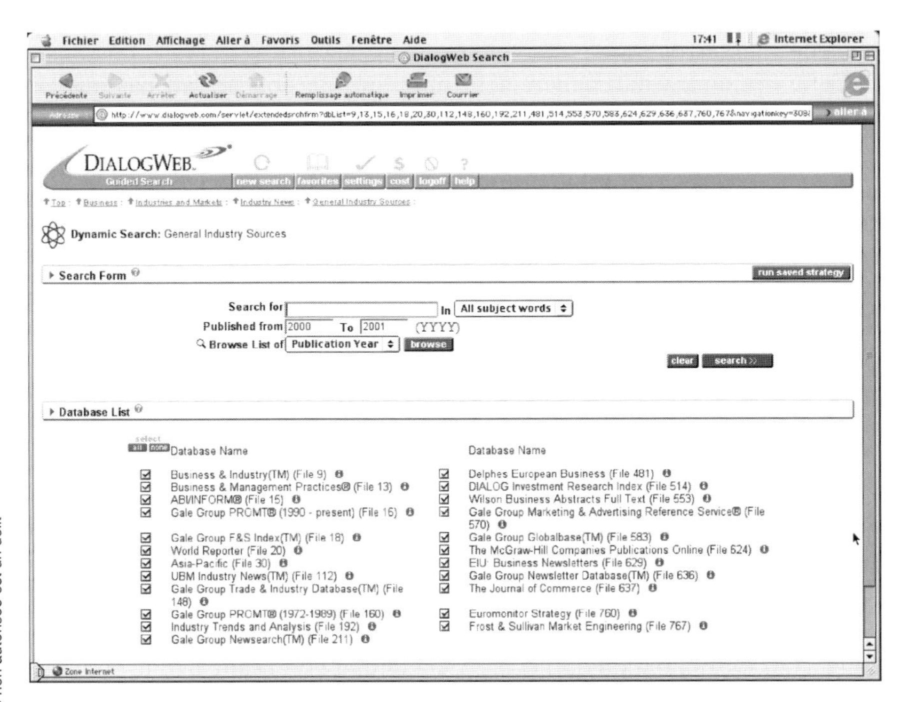

Quel que soit le mode de recherche, la liste des résultats (Picklist Page) indique, pour chaque document, son titre, la base dont il est tiré et le prix du document complet. Il est possible d'affiner la recherche, de supprimer les doublons, de modifier le classement des résultats, ou de les envoyer par e-mail, fax, etc.

Les documents peuvent être affichés avec le navigateur interne de DialogWeb, en pleine page (html) ou au format ASCII.

Les stratégies peuvent être enregistrées et sauvegardées.

Command Search

Le module Command Search de DialogWeb permet d'utiliser toute la puissance du langage de commande de Dialog, avec une interface graphique conviviale. Cet accès est destiné aux professionnels de l'information, qui maîtrisent le langage d'interrogation du serveur.

L'écran d'accueil de Command Search permet de saisir directement sa stratégie, ou d'accéder à l'écran de sélection des bases par rubriques (onglet Databases).

Les grandes rubriques et sous-rubriques proposées sont les mêmes que dans le module Guided Search ; la différence est qu'ici, la recherche se fait en deux temps : la stratégie est d'abord lancée sur l'ensemble des bases d'une ou de plusieurs catégories. Un écran indique ensuite le nombre de résultats par banques de données ; il est alors possible de choisir les bases que l'on va interroger.

Cette option est particulièrement utile lorsque l'on ne sait pas quelles bases consulter ou lorsque l'on souhaite faire une recherche exhaustive.

Un clic sur Begin Databases affiche l'écran d'accueil du module Command Search, avec l'indication des fichiers retenus. On peut alors inscrire sa stratégie de recherche avec le langage de commande de Dialog, affiner sa question en combinant les étapes, afficher les descriptions détaillées des bases (bluesheets) et utiliser la commande Expand (pour visualiser les index).

Les résultats peuvent être édités dans plusieurs formats (Free, Short, Medium, Long, Full and Kwic). Le format Kwic par exemple (Kwic pour Keyword in Context), qui est gratuit, permet d'afficher dans une fenêtre un extrait du document composé de 30 mots autour des termes de recherche.

DialogWeb propose enfin un service d'alerte qui permet à l'utilisateur d'enregistrer sa stratégie et d'être prévenu quand de nouveaux documents pertinents sont chargés sur le serveur.

Tarifs :

Il n'y a pas d'abonnement, mais l'entreprise s'engage pour un minimum annuel de consommation de 3 000 €. Ce montant est ensuite débité au fur et à mesure des recherches et des documents visualisés.

Le prix des documents varie selon les bases et est indiqué dans la liste des résultats. Les recherches sont facturées selon le principe des « dialunits », en fonction de l'utilisation des ressources-machines ; rien ne permet de comprendre précisément comment se fait le calcul.

Contact :

The Dialog Corporation, 5 rue Bellini, Tour Arago, La Défense, 92800 Puteaux, Tél. : 0155235253, Fax : 0149070808

À savoir pour optimiser sa recherche

Opérateurs booléens : Oui. Il est possible d'utiliser les opérateurs AND, OR, NOT et les parenthèses pour préciser sa stratégie

Opérateurs de proximité : Oui

• *Guided Search* : Plusieurs opérateurs sont proposés pour relier deux termes :
– (N) : mots adjacents, dans n'importe quel ordre ; un chiffre devant l'opérateur (2N) précise le nombre de mots maximum entre les termes.
– (nW) : à n mots maximum d'intervalle, dans l'ordre donné (Ex. : solar(3W)energy).

• *Command Search* : en complément des opérateurs (N), (nN), (nW), deux opérateurs avancés de proximité sont proposés :
– (L) indique que les termes doivent être dans le même descripteur, défini par la banque de données ;
– (S) indique que les termes doivent figurer dans le même paragraphe.

Mots composés/phrase : Oui. On peut utiliser les opérateurs de proximité (W) ou () (Ex. : electric?()vehicle?).

Recherche sur champs : Il est possible de limiter la recherche à certains champs des documents (titre, auteur, résumé, codes produits, etc.). Les champs et la commande utilisée peuvent toutefois varier d'une base à l'autre.

Combinaison des étapes : Oui, en mode Command Search, il est possible de combiner jusqu'à 999 étapes dans une même stratégie de recherche.

Troncature : Oui. Il est possible d'utiliser le symbole ? après les premières lettres d'un mot (trois lettres minimum) pour retrouver tous les mots ayant le même radical, avec une troncature illimitée.
On peut limiter la troncature (à partir de deux lettres), en saisissant autant de symboles ? que de caractères acceptés (Ex. : transport??? sélectionnera les termes ayant jusqu'à trois caractères après le radical transport). Le symbole ? peut également remplacer un caractère dans un terme de recherche (Ex. : wom?n sélectionnera women et woman).

Ordre des mots : Les opérateurs de proximité permettent de préciser si le logiciel doit tenir compte ou non de l'ordre des mots.

Caractères admis : Le logiciel interprète indifféremment les majuscules et les minuscules. L'interface – comme la plupart des bases – étant en anglais, il est préférable d'écrire les mots sans accent.

Format de visualisation : La liste des résultats (Picklist) affiche pour chaque document son titre, la base dont il est issu, et le prix du document complet.
Les documents sélectionnés peuvent être édités dans plusieurs formats : Free, Short, Medium, Long, Full et Kwic.

FICHE PRATIQUE

Serveur : Cedrom-SNI

Interface : EUROPRESSE.com

URL : www.europresse.com

Présentation et description

Fondée en 1989 et partenaire du Groupe Transcontinental, la société canadienne Cedrom-SNI offrait déjà un agrégateur de presse canadienne connu sous le nom d'Eureka au Quebec et de NewScan au Canada anglophone. Pour se développer en Europe, elle a ouvert des bureaux à Paris et a lancé en janvier 1999 le site Europresse.com, qui donne accès à plus de 50 sources d'actualités européennes et canadiennes.

La nouvelle version de cette interface permet d'interroger simultanément :

– 10 titres de presse européenne francophone : *La Croix*, *Les Échos*, *L'Express*, *L'Humanité*, *Libération*, *Le Monde*, *Le Monde Diplomatique*, *Le Point*, *Le Soir* et *La Tribune*, ainsi que les communiqués de presse de PRLine ;

– la banque de données Delphes, base de référence sur les entreprises, les produits et les marchés, qui offre les résumés d'articles issus de plus de 900 publications ;

– le texte intégral de 19 titres canadiens francophones (en exclusivité) et de 28 titres canadiens anglophones.

Plus d'une trentaine de titres, en majorité américains, devraient par ailleurs enrichir cette collection dans les mois qui viennent.

Deux modes de recherche sont proposés.

Recherche simple

Le module Recherche simple offre un écran très clair, composé de deux parties.

La moitié gauche de l'écran invite l'utilisateur à sélectionner son domaine de recherche.

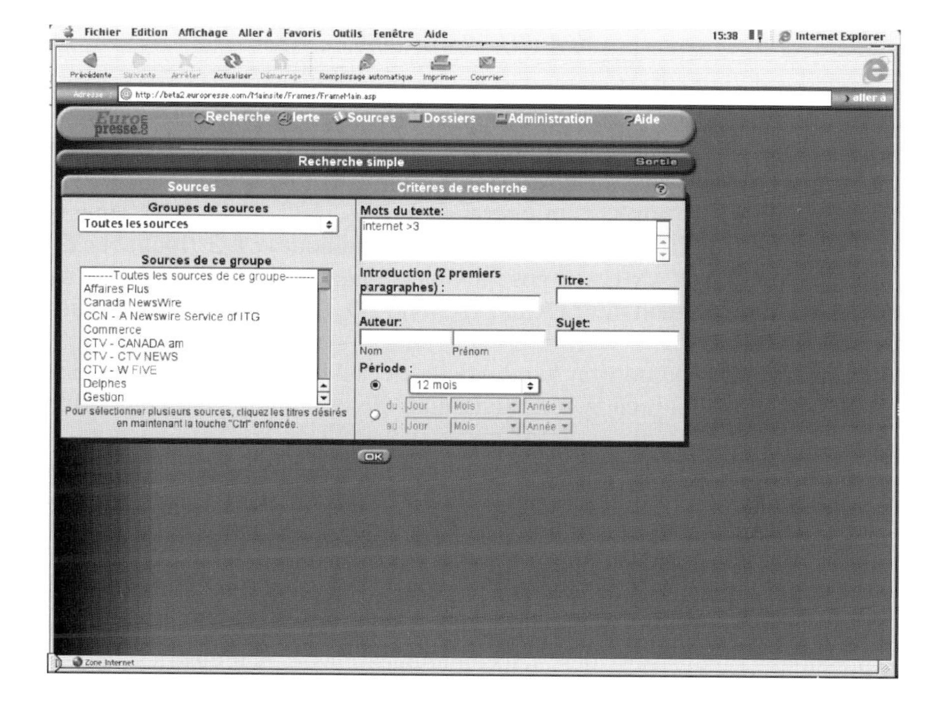

Un menu déroulant lui permet de choisir un groupe de sources, dans une liste (actualité francophone Europe ou Canada, actualité anglophone Canada, toutes les sources…) ; un certain nombre de groupes sont prédéfinis, mais on peut en créer de nouveaux de façon personnalisée, dans la limite de 25. Par ailleurs, si un groupe est interrogé de façon régulière, il est possible de demander son affichage par défaut sur l'écran d'accueil, via le menu Préférences.

Sous la liste des groupes, une deuxième fenêtre affiche la liste alphabétique des sources correspondantes ; on peut alors sélectionner celles de son choix, de façon précise.

La partie droite de l'écran est réservée à la stratégie de recherche. Différentes zones de saisie permettent de limiter la requête à certains champs du document : mots du texte, introduction (titre et deux premiers paragraphes), titre, auteur, sujet. Ce dernier thème correspond en fait à des mots-clés, généralement attribués par l'éditeur du titre ou par Cedrom-SNI et invisibles pour le visiteur.

L'internaute doit saisir les termes de sa requête, en utilisant les opérateurs booléens ET, OU, SAUF, différents opérateurs de proximité et les parenthèses pour préciser sa stratégie. Un opérateur de fréquence, très utile, permet de retrouver les documents ayant plus de n fois le mot recherché dans le texte.

On peut aussi restreindre la sélection aux documents publiés à une date ou une période donnée.

Recherche avancée

Un formulaire de Recherche avancée est proposé aux utilisateurs avertis, et leur permet de bâtir des requêtes plus complexes et plus performantes. Seize clés de recherche sont disponibles, dont deux sont exclusives à Delphes. Chacune peut être utilisée de manière indépendante, ou être jumelée à une ou plusieurs autres. On citera, parmi les clés : AUT_BY (auteur/agence) ; ENT (entreprise) ; GEO (lieu géographique) ; LG (longueur de l'article) ; NOM_NAME (noms de personne) ; GODE (nature du document ; uniquement pour Delphes) ; MOT_O_DE (mots outils ; uniquement pour Delphes).

L'équation doit comporter le nom de la clé, suivi du signe = puis du mot ou de l'expression à rechercher ; l'ensemble de la requête peut comporter jusqu'à 8 000 caractères.

Comme il est possible de combiner dans la même stratégie les diverses clés, les opérateurs booléens et les parenthèses, on peut construire des requêtes relativement élaborées. Ainsi par exemple, si l'on recherche des documents qui traitent de l'industrie des télécommunications et de la téléphonie, on peut saisir l'équation TEXT=(industrie | secteur) $2 (telecommunications | telephonie) ; on identifiera alors les documents contenant les expressions « industries des télécommunications », « industries de la téléphonie », « secteur des télécommunications » et « secteur de la téléphonie ».

Quel que soit le formulaire de recherche il faut, après avoir défini sa stratégie, cliquer sur le bouton OK.

On obtient alors un écran de résultats avec, dans la partie gauche, la liste des articles identifiés ; pour chacun, sont indiqués la source, la rubrique, la date, le titre, le nom de l'auteur, la longueur, et la première ligne.

La recherche comme la visualisation des titres sont gratuites. En revanche, l'affichage des documents au format complet est payant.

En cliquant sur le titre, on affiche dans la partie droite son texte intégral, ou sa référence complète pour la base Delphes. On peut aussi choisir un affichage « pleine page », dans lequel les termes de la requête sont surlignés.

À cette étape, on peut classer les documents pertinents dans un dossier, pour les visualiser en une fois. Il est possible de sauvegarder jusqu'à 25 dossiers, mais chaque visualisation sera facturée. En revanche, on peut sauvegarder les documents visualisés sur son disque dur ; ils pourront alors être reconsultés gratuitement.

Depuis l'écran de résultats, un menu déroulant permet de modifier la recherche, de la sauvegarder, d'en lancer une nouvelle, d'imprimer la page de résultats, de la sauvegarder, ou d'ajouter les documents au dossier.

La nouvelle version d'Europresse offre un système d'alerte : on peut enregistrer sa stratégie, et l'on est prévenu quotidiennement par e-mail de la présence ou non de nouveaux articles pertinents.

Pour cibler à la fois le professionnel de l'information et l'utilisateur final, Europresse offre une gestion astucieuse des comptes et sous-comptes ; un lien existe ainsi entre le compte maître (qui peut être par exemple celui du

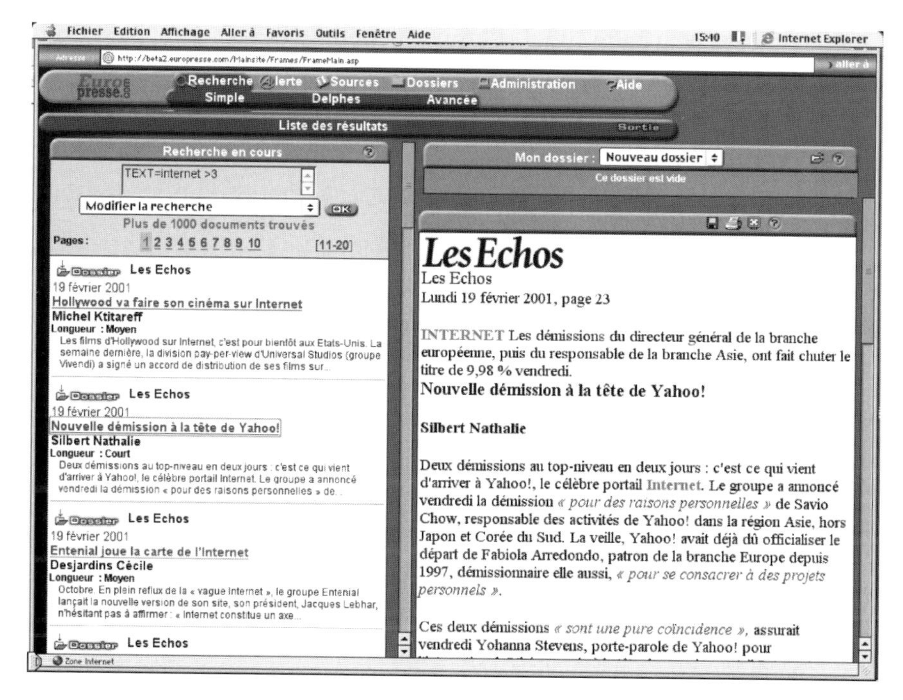

documentaliste de l'entreprise) et les sous-comptes (pour les utilisateurs finals) ; le compte maître peut construire des recherches qui seront ensuite vues et qui peuvent être activées en Alerte par les sous-comptes. Ainsi, l'utilisateur final peut bénéficier des connaissances du documentaliste en terme de stratégie de recherche tout en recevant ses Alertes dans sa propre boîte aux lettres.

Tarifs :

Grille tarifaire adaptée au niveau de consommation et aux catégories de clientèle. Sans engagement de consommation, l'abonnement annuel est de 960 F HT et le prix de l'article de 12 F HT. Plusieurs formules d'engagement de consommation permettent de bénéficier de tarifs dégressifs sur le prix unitaire des articles.

Contact : Les bureaux de Cedrom-SNI sont situés, depuis mars 2001, au 160 rue Montmartre, 75002 Paris, Tél. : 0144826640, Fax : 0142331496, E-mail administratif : jacqueline.richer@cedrom-sni.com

À savoir pour optimiser sa recherche

Opérateurs booléens : Oui. Les mots doivent être reliés avec les opérateurs ET (ou &) , OU (ou |), SAUF (ou !), et les parenthèses pour préciser sa stratégie. Sinon, deux mots adjacents sont recherchés comme une expression.

Opérateurs de proximité : Oui. Plusieurs opérateurs sont proposés pour relier deux termes :
– un espace entre deux mots : adjacence stricte ;
– ADJn ou $n (où n est limité à 99) : à n mots d'intervalle, dans l'ordre indiqué ;
– PROXn ou %n (où n est limité à 99) : à n mots d'intervalle, dans n'importe quel ordre ;
– PHR ou # : dans la même phrase ;
– PAR ou @ : dans le même paragraphe.

Autres critères : Oui. L'opérateur >n permet de retrouver les documents ayant plus de n fois le mot recherché. Il peut s'appliquer à un mot où à une expression (Ex. : FETE DE LA MUSIQUE>3).

Mots composés/phrase : Lorsque la requête est lancée sur deux mots côte à côte, le logiciel recherche l'expression.

Recherche sur champs : Oui. *Recherche simple* : plusieurs zones de saisie permettent de limiter la requête aux mots du texte, de l'introduction, au titre, à l'auteur et/ou aux sujets.
Recherche avancée : il existe seize clés de recherche, qui peuvent être utilisées de manière indépendante ou être combinées dans une même stratégie. Pour chaque équation, il faut indiquer, dans l'ordre, le nom de la clé, le signe = suivi du ou des mots ou expressions à rechercher, puis d'un point-virgule si l'équation est suivie d'une autre. Si l'on combine des équations, il est impératif de faire un saut de ligne entre chacune et de spécifier les opérateurs qui les relient. Les clés peuvent être écrites indifféremment en minuscules ou majuscules.
Ex. : lead=otan | onu ;
&geo=yougoslavie | serbie | kosovo.
Parmi les clés disponibles, on citera :
– AUT_BY : auteur/agence ; les noms des auteurs apparaissent sous la forme Nom, Prénom dans certaines sources, et Prénom, Nom dans d'autres. Il est donc recommandé d'utiliser l'opérateur de proximité % (Ex. : AUT_BY=patrick%vercesi).
– CHR_COL : chronique ;
– DOS_SER : dossier ;
– ENT : entreprise ; seules certaines sources ont une indexation par entreprises ;
– GEO : centre géographique (endroits dont il est question de façon significative dans l'article) ; seules certaines sources ont cette indexation ;
– LEAD : recherche dans le titre, les deux premiers paragraphes et les noms de chroniques et de dossiers ;
– LG : longueur de l'article : Court (moins de 300 mots), Moyen (de 300 à 700 mots), Long (plus de 700 mots) ;
– NOM_NAME : nom de personne ;
– SUJ_KW : mots-clés attribués par les éditeurs ou par Cedrom-SNI ;
– TEXT : recherche dans le texte intégral de l'article ;

– TIT_HEAD : recherche dans les titres, les noms de chroniques et de dossiers ;
– GODE : nature du document (uniquement dans Delphes) : ARTICLE, EXTRAIT D'OUVRAGE, OUVRAGE (en majuscules) ;
– MOT_O_DE : recherche dans la liste des mots outils, qui doivent être saisis en majuscules (uniquement dans Delphes).

Combinaison des étapes : Non.

Troncature : Non. Le logiciel recherche les mots à l'identique ; il est donc important d'effectuer des recherches avec les formes pluriel et singulier des termes (Ex. : text=journaliste | journalistes | journalisme).

Ordre des mots : *Recherche simple* : une recherche sur deux mots reliés par un opérateur booléen donne les mêmes résultats, quel que soit l'ordre des mots. En revanche, s'il n'y a pas d'opérateurs, les deux mots sont recherchés comme une expression. *Recherche avancée* : les différents opérateurs de proximité permettent de préciser si l'ordre des mots doit être respecté ou non.

Caractères admis : Le logiciel interprète indifféremment les majuscules et les minuscules, les caractères accentués ou non.

Format de visualisation : La liste des résultats indique pour chacun la source, la rubrique, la date, le titre, le nom de l'auteur, le nombre de caractères, et la première ligne. En cliquant sur le titre d'un article, on affiche sur la droite de l'écran son texte intégral, ou sa référence complète pour la base Delphes.

Présentation et description

Le serveur Lexis-Nexis appartient au groupe Reed Elsevier. Il a racheté en janvier 2000 la division BIP (Business Information Product) du Financial Times Group, qui comprenait le serveur FT Profile, ainsi que FT Discovery et FT Newswatch. Suite à ce rachat, les sources de FT Profile – et en particulier le texte intégral du *Financial Times* – ont été intégrées à Lexis-Nexis.

Lexis-Nexis offre désormais plus de 30 000 sources, représentant plus de 2,8 milliards de documents, soit le volume du Web visible, mais avec exclusivement des informations professionnelles validées ! Chaque semaine, plus de 8,7 millions de documents sont ajoutés.

L'offre est composée de titres de presse nationale, régionale et locale du monde entier, de newsletters et magazines, de dépêches d'agences de presse, d'études de marché, d'informations sur les entreprises (profils, données financières...), de documents gouvernementaux et de sources juridiques et législatives.

Les bases de Lexis-Nexis sont interrogeables via une interface sous Windows, une interface pour macintosh et cinq interfaces Web différentes, chacune ayant des spécificités :

- **Lexis.com** (www.lexis.com) est un produit plutôt américain, orienté juridique ;
- **Nexis.com** (www.nexis.com) est commercialisé surtout aux États-Unis ; l'interface est orientée business, avec des possibilités de veille et d'alerte par e-mail ;
- sur le **portail européen de Lexis-Nexis** (www.lexis-nexis.co.uk), l'utilisateur peut effectuer une recherche libre et gratuite sur une sélection de 5 000 sources de presse et a la possibilité de payer la visualisation des articles par carte bancaire (paiement sécurisé en ligne) ;

• **xchange** enfin (www.lexis-nexis.com/xchange-international/) propose deux interfaces en trois langues (français, anglais, allemand) : **Executive** est destinée à l'utilisateur final, tandis que **Professional** offre des possibilités plus sophistiquées. Ce sont ces deux accès que nous décrirons ici.

Executive *(www.lexis-nexis.com/executive/)*

L'interface Executive est destinée à l'utilisateur final et le guide tout au long de sa recherche. Elle permet d'interroger les sources presse et informations sur les entreprises du serveur, mais pas les bases juridiques.

Différentes grilles de recherche avec des menus déroulants sont proposées et varient selon les fonds interrogés (bases presse ou bases d'informations sur les entreprises) et le type d'information recherché.

Pour une recherche sur les bases presse par exemple, il existe cinq grilles : Toutes les infos ; Infos sur les sociétés ; Infos sur l'industrie ; Infos sur les personnalités ; Infos sur les produits. Si elles sont toutes construites sur le même schéma, elles peuvent proposer des champs spécifiques (nom du produit, nom de la personne…).

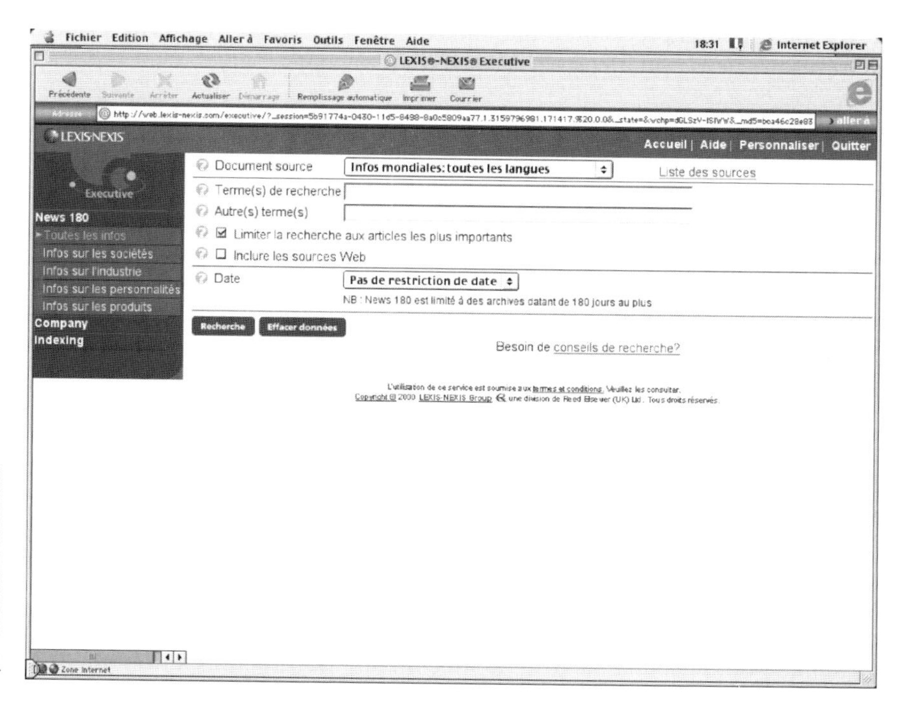

Après avoir opté pour grille de recherche, il faut choisir les sources interrogées, dans un menu déroulant. Les divers titres de Lexis-Nexis sont ici offerts par bouquets : Infos mondiales : toutes les langues ; Infos mondiales : anglais seulement ; Infos mondiales : grands journaux ; Sources Asie/Pacifique ; Sources européennes : langue française, etc.

On peut limiter la sélection aux documents les plus importants, inclure la description de sources Web, ou limiter la sélection aux documents parus à une date ou au cours d'une période déterminée (aujourd'hui, depuis une semaine...).

En complément de ces recherches par mots, l'interface Executive offre une grille qui utilise la technologie SmartIndexing de Lexis-Nexis. Cette technologie repose en fait sur une indexation des articles en texte intégral à partir d'un vocabulaire contrôlé comprenant 40 000 noms d'entreprises, 20 000 noms de personnalités, 10 000 noms de sociétés, 800 localisations géographiques et plus de 1 200 catégories couvrant les affaires, l'industrie et l'actualité.

La rubrique Business and Management propose par exemple la sous-rubrique Business Actions, qui offre des catégories comme : Alliances and partnerships ; Contracts and bids ; Cost plus contracts ; Executives moves ; Franchising ; Industry consolidation. On peut choisir plusieurs catégories, les relier par AND ou OR, rajouter des mots-clés, préciser la date de publication...

Cette technologie permet de combiner les possibilités de la recherche en texte intégral à la précision d'une indexation d'après un thesaurus, et peut s'avérer précieuse pour certaines requêtes (concepts...).

Quelle que soit la grille choisie, un clic sur Recherche lance la requête sur les bases ou les bouquets de bases sélectionnés. L'affichage des résultats ne peut se faire que si le nombre de réponses est inférieur à 1 000. Autrement, un message d'avertissement apparaît, invitant l'utilisateur à préciser sa question.

La liste des résultats rappelle le domaine de recherche, la stratégie et indique le nombre de documents sélectionnés. Elle affiche ensuite les 25 premiers documents (il est possible de paramétrer ce nombre dans le menu Preference), classés par ordre ante-chronologique ou par pertinence.

Plusieurs formats d'affichage sont proposés :

– l'option Liste indique pour chaque document la source, la date de publication, le nombre de mots, le titre et le nom de l'auteur ;

– l'option Liste étendue (choix par défaut) donne, outre la référence bibliographique, des extraits des phrases dans lesquelles apparaissent les termes de la recherche ;

– l'option KWIC (Key Words In Context) affiche un document par page, et donne pour chacun un extrait du document, avec 30 mots autour des termes de recherche pour les articles et 50 mots pour les documents juridiques ;

– l'option Complet affiche chaque document sur une page, en texte intégral.

À partir de la liste des résultats, il est possible de cocher les documents de son choix, pour les retrouver après, d'imprimer tout ou une sélection des documents dans un format donné, ou de les envoyer par e-mail à un destinataire particulier.

Professional *(www.lexis-nexis.com/professional)*

L'interface Professional est construite sur le même principe qu'Executive, mais avec des possibilités de recherche plus sophistiquées, comme la sélection des sources à interroger.

La première étape consiste à choisir un domaine de recherche, dans un menu déroulant (Banking Information ; Industry News Publications ; French Language News Sources ; Biographies, etc.). Dix domaines sont prédéfinis, mais il est possible de les personnaliser en naviguant dans le Répertoire sources. Celui-ci classe les 30 000 sources de Lexis-Nexis par thèmes et sous-thèmes et permet de regrouper plusieurs sources pour définir un domaine particulier.

Il faut ensuite indiquer les termes de sa recherche, en utilisant les opérateurs booléens AND, OR, AND NOT et les parenthèses pour préciser sa stratégie.

On peut préciser sa requête en ajoutant un ou plusieurs termes, à rechercher dans un champ particulier du document. Le menu Segment offre ainsi un menu déroulant permettant de choisir un champ parmi plus de quarante, dont body, headline, language, publication, country, etc.

Les professionnels qui connaissent le language d'interrogation du serveur Lexis-Nexis peuvent utiliser toute sa puissance, en inscrivant directement les commandes dans la zone de saisie.

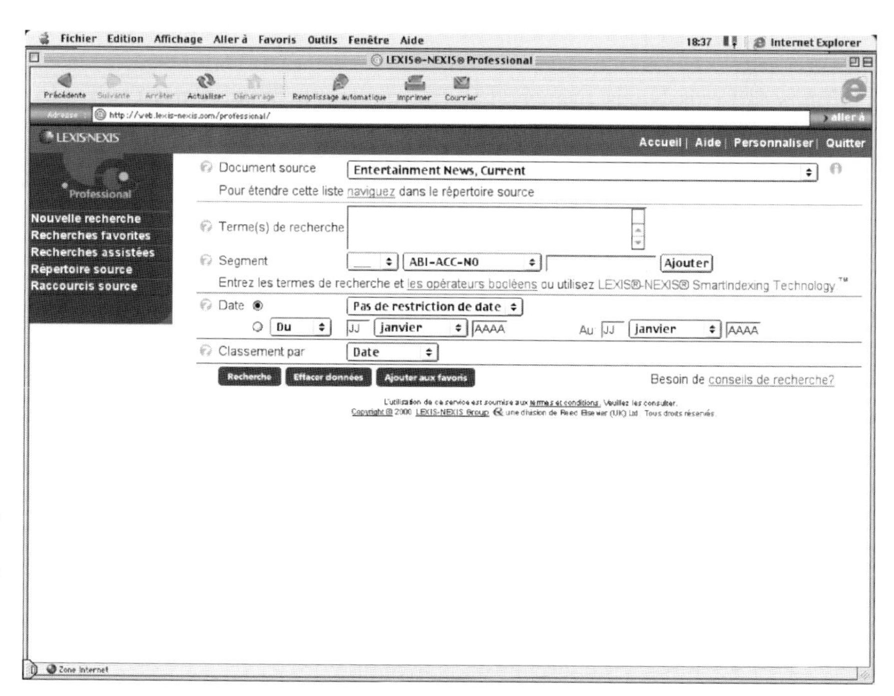

On peut ensuite préciser la période de publication, en choisissant une option dans un menu déroulant (aujourd'hui, semaine précédente, mois précédent... 20 dernières années) ou en indiquant une période spécifique (depuis le...).

Les documents peuvent être triés, au choix, par ordre chronologique ou selon le nombre d'occurrences.

À partir de la liste des résultats, il est possible d'affiner sa recherche en cliquant sur « Recherche Focus », en haut et à droite de l'écran. La recherche est alors lancée sur les documents identifiés, même si les mots-clés sont différents des premiers. On peut à tout moment retourner à la première liste de documents identifiés en cliquant sur Quitter FOCUS.

Un certain nombre d'onglets, sur la gauche de la grille de recherche, permettent d'enregistrer jusqu'à trente raccourcis vers les sources ou groupes de sources de son choix, de naviguer dans le Répertoire des sources ou d'y lancer une requête par mots, d'afficher des grilles de recherche spécifiques à certains domaines (jurisprudence, profils de société, etc.).

Tarifs : *Executive* : différents forfaits (entre 450 € et 1 000 €/mois, pour cinq utilisateurs), comprenant les recherches et la visualisation des documents.

Professional : Coût à la recherche (de 9 à 40 € selon la complexité de la question) ; visualisation des documents gratuite, mais impression, téléchargement ou envoi par fax ou e-mail payant (0,02 € la ligne, soit entre 1,50 et 2,50 €/article). Minimum de consommation : entre 50 et 100 €/mois selon les formules.

Contact : Lexis-Nexis France, 141 rue de Javel, 75747 Paris Cedex 15, Tél. : 0145589380, Fax : 0145589498

À savoir pour optimiser sa recherche

Opérateurs booléens : Oui. Les mots doivent être reliés avec les opérateurs AND, OR, AND NOT, et les parenthèses pour préciser sa stratégie. Sinon, deux mots adjacents sont recherchés comme une expression.

Opérateurs de proximité : Oui. Plusieurs opérateurs sont proposés pour relier deux termes :
- W/S : mots dans la même phrase (ex. : shares W/S tip or advice or watch) ;
- W/P : mots dans le même paragraphe (ex. : Nestle W/P market share) ;
- W/nn : précise le nombre de mots maximum entre deux termes (ethical W/2 fund or investment) ;
- PRE/: mots à rechercher dans le même ordre.

Autres critères : L'équation de recherche peut utiliser les différentes commandes du serveur Lexis-Nexis ; ainsi, l'opérateur ATLnn précise le nombre minimum d'occurrences d'un mot dans un article (ex. : ATL5(Rover))...

Mots composés/phrase : Lorsque la requête est lancée sur deux mots côte à côte, le logiciel recherche l'expression, avec éventuellement des mots vides entre les termes.

Recherche sur champs : Oui. Il est possible de limiter une requête à certains champs (segments) du document ; plus de 40 champs existent, dont body, headline, language, publication, country... On peut saisir le nom du champ (suivi du terme ou de l'expression entre parenthèses) dans l'équation (Ex. : headline (lex) and rover) ou utiliser le menu déroulant de l'interface Professional.

Combinaison des étapes : Non.

Troncature : Oui. Le logiciel effectue une troncature implicite, et recherche automatiquement sur les formes pluriel et singulier d'un mot. Sinon, il est possible d'utiliser le symbole ! après les premières lettres d'un mot pour retrouver tous les mots ayant le même radical (troncature illimitée). Le symbole * permet de remplacer une lettre dans un mot (à l'exception de la première) (Ex. : wom*n sélectionnera women et woman) ; il permet aussi de limiter la troncature, en saisissant autant de symboles * que de caractères acceptés (Ex. : bank*** sélectionnera banks, banking... mais pas bankruptcy).

Ordre des mots : Une recherche sur deux mots reliés par un opérateur booléen donne les mêmes résultats, quel que soit l'ordre des mots. En revanche, s'il n'y a pas d'opérateur, les deux mots sont recherchés comme une expression ; l'ordre des mots est donc important.

Caractères admis : Le logiciel interprète indifféremment les majuscules et les minuscules ; en revanche, il ne comprend pas les caractères accentués.

Format de visualisation : Plusieurs formats d'affichage sont proposés :

- liste : référence bibliographique ;
- liste étendue : référence bibliographique et extraits des phrases contenant les termes de la recherche ;
- Kwic : extraits de 30 ou 50 mots autour des termes ;
- Segment : affichage de certains champs du document, à choisir (uniquement sur Professional).

Serveur : L'Européenne de Données

FICHE PRATIQUE

Interface : PRESSED

URLs : www.pressed.edd.fr ;
www.pressed.com

Présentation et description

L'Européenne de Données fut, en décembre 1997, l'un des premiers grands serveurs à donner accès à ses bases sur l'Internet. Ce fut d'ailleurs un basculement brutal, qui dérouta quelque peu ses clients.

Spécialisé dans le créneau des sources françaises de presse et d'affaires, ce serveur est aujourd'hui l'un des plus performants du domaine, tant sur le plan de l'offre que sur celui du service.

Il propose en ligne le texte intégral d'une centaine de sources de presse, avec une antériorité souvent importante (jusqu'à vingt ans) ; ces sources comprennent à la fois :

- six fils de l'Agence France Presse (AFP) ;
- les communiqués des entreprises : CompanyNews, Cyperus, PRLine... ;
- les biographies de la SGP ;
- une quarantaine de titres de la presse spécialisée : *Bases, La Correspondance de la Presse*, huit bulletins de l'Agence Europe Information Services, *Le Journal Informatique, Netsources*, etc. ;
- des titres de presse généraliste et économique, parmi lesquels *L'Agefi, Alternatives Economiques, Corse Hebdo, Corse Matin, La Croix, Les Échos, L'Entreprise, L'Entreprise en solo, L'Humanité, Libération, Le Monde, Nice Matin, Le Revenu, La Tribune, Var Matin* et *La Vie Financière.*

En complément de ces sources, le serveur offre depuis peu les Prévisions d'événements de Radio France ; ce service permet d'avoir accès en ligne à un agenda des événements qui doivent marquer l'actualité des jours et mois à venir (lancement de produits, grandes dates anniversaires, événements sportifs...).

L'ensemble représente plus de 11 millions d'articles ; 4 000 documents environ sont chargés chaque jour en flux continu.

Pour élargir autant que possible la cible de ses utilisateurs, L'Européenne de Données offre deux accès à ses bases.

Pressed.S *(www.pressed.edd.fr)*

C'est l'interface la plus puissante, mais elle est réservée aux abonnés. Elle a été complètement revue en janvier 2000 ; elle intègre sur une grille de recherche unique une partie des fonctionnalités offertes par les versions d'origine [2] et en a ajouté de nouvelles.

La grille de recherche, très dépouillée, offre une zone de saisie pour les termes de la requête. On peut utiliser ou non les différents opérateurs classiques et courants (+ et –, AND/OR, ET/OU/SAUF), ainsi que les parenthèses, pour préciser sa question. L'interface interprète la stratégie automatiquement et de façon totalement transparente.

Il est possible d'affiner la question en précisant le champ de la recherche (titre, chapô, auteur), les sources, le domaine, la date ou la période de publication, la prise en compte (ou non) des singuliers/pluriels.

Sophistication notable, on peut enregistrer un certain nombre de paramétrages, afin de personnaliser son environnement de recherche et de le retrouver automatiquement. On peut ainsi sauvegarder la liste des titres que l'on interroge le plus souvent ou les domaines et sous-domaines que l'on souhaite privilégier, comme les stratégies de recherche elles-mêmes.

La rubrique Aide permet de consulter ou de télécharger un manuel d'aide très complet, et donne les coordonnées du Service Assistance, qui assure l'assistance téléphonique.

Après avoir lancé la recherche, les résultats apparaissent dans la partie inférieure de l'écran, avec le numéro de l'étape, les termes de la requête, la période, le nombre de réponses et, dans un menu déroulant, la ventilation des réponses par sources.

Tant que l'on modifie ou que l'on affine la recherche, les résultats des différentes étapes s'ajoutent sur l'écran. On peut les combiner librement à tout moment.

C'est là un des points forts de cette interface : elle permet de combiner jusqu'à 99 étapes dans une même stratégie. Cette possibilité est quelquefois permise par les interfaces des grands serveurs, mais n'est offerte par aucun site Web et par aucun moteur de recherche sur le Net.

En cliquant sur le nombre de résultats, on affiche la liste des titres classés par ordre ante-chronologique, avec pour chacun la source, la date et le nombre de caractères.

En cliquant sur l'icône de la loupe qui figure à la droite du titre, on affiche un extrait pertinent – et gratuit – de l'article dans une fenêtre séparée

2. L'interface d'origine – réservée aux abonnés – offrait deux grilles de recherche. La première reprenait l'essentiel des commandes du logiciel Docced ; elle était destinée aux professionnels de l'information, qui maîtrisaient le langage d'interrogation du serveur. La seconde en revanche ciblait plus spécifiquement l'utilisateur final et permettait de lancer des requêtes en langage naturel, grâce au moteur Happy Search mis au point par le serveur.

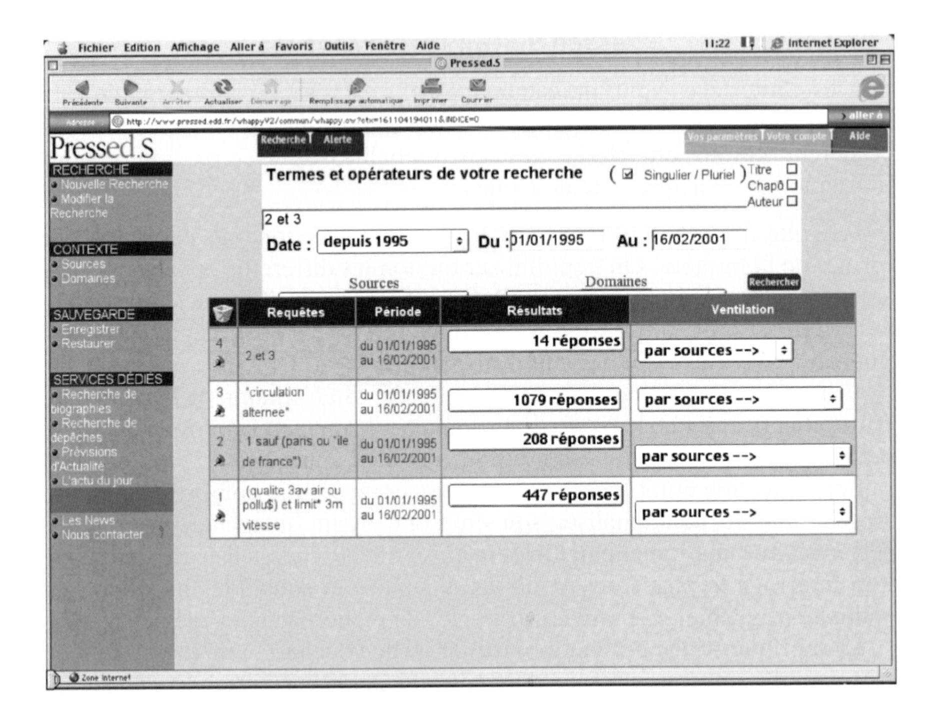

(10 mots avant et après chaque occurence – maximum 5 – du mot cherché, dans la limite de la phrase).

À partir de la liste des titres, on peut en sélectionner un ou plusieurs et les visualiser en format texte ou texte reformaté (trois colonnes). Les termes de la recherche apparaissent en surbrillance.

Si la recherche et la visualisation des titres sont gratuites, l'affichage du texte intégral des articles est payant. Le prix est fonction du type de document (dépêche, presse généraliste ou presse spécialisée).

En complément du formulaire de recherche principal, Pressed.S offre des interfaces dédiées à certains fonds de Pressed.

– Les biographies disposent ainsi d'une interface personnalisée, permettant de faire la recherche sur le texte complet, ou sur des éléments particuliers de la biographie : étapes de carrière, études et formation, œuvres et publications, grade militaire, etc.

– La recherche de dépêches peut également se faire via une interface dédiée permettant, outre la combinaison de trois termes liés par un opérateur booléen, de limiter la requête au titre, au titre et texte, ou au slug (25 premiers caractères avant le titre), qui indique précisément le sujet de la dépêche.

On peut également, via un menu déroulant, limiter la recherche à certains types de documents dans le fil AFP Documentaire, ou à certains domaines dans les fils Économie et Sports.

– Enfin, un masque particulier est dédié aux Prévisions d'actualité de Radio France. La date interrogée est celle de l'événement recherché. Il est possible de travailler sur un futur immédiat ou lointain. Par défaut la période porte sur le mois en cours. Les menus déroulant permettent de modifier la période.

Un système d'alerte – plus puissant que celui offert par la version grand public –, a été mis en place. Cet outil d'alerte permet :
– d'enregistrer un nombre de profils illimité, quel que soit le volume des réponses obtenues ;
– d'enregistrer un profil pour une stratégie ayant plusieurs étapes, le nombre total de caractères de la stratégie étant néanmoins limité à 500 ;
– d'utiliser tous les opérateurs et principales fonctions documentaires ;
– de recevoir automatiquement les titres ou les documents par e-mail, deux fois par jour, à 7h30 et à 14h30 ;
– d'accéder directement aux articles depuis l'e-mail (à condition que le logiciel de messagerie que l'on utilise le permette) ;
– de diffuser simultanément les alertes vers plusieurs destinataires.

Pressed.com *(www.pressed.com)*

Lancée en 1999, Pressed.com (www.pressed.com) est l'interface destinée aux utilisateurs ponctuels. Elle reprend le même fonds d'information que Pressed.S, mais les conditions d'accès sont différentes et les possibilités de recherche moins sophistiquées.

Pressed.com offre ainsi un accès libre à la recherche et à la visualisation des titres. L'affichage du texte intégral des articles est payant, et peut être réglé directement par carte bancaire ou via diverses formules de forfait.

La recherche peut se faire par mots, en utilisant les opérateurs ET et OU, et porter sur l'ensemble de la base (mais avec un an d'antériorité seulement) ou sur une sélection de titres, classés par type de sources (actualité, économie...). Elle peut aussi être limitée à une sélection d'articles, indexés par domaines et sous-domaines (que l'on retrouve dans Pressed.S).

Dans tous les cas, on peut restreindre la recherche aux documents publiés depuis une période donnée (8 jours, 30 jours, 3 mois, six mois, un an).

Sur le côté gauche de l'écran, les modules « Les archives de l'AFP » et « Les archives de la presse » permettent de limiter la requête, pour une année donnée, à un titre particulier.

Il est impossible cependant d'effectuer une recherche simultanée sur plusieurs années ou sur plusieurs titres.

Après avoir inscrit les termes de sa requête et cliqué sur « Valider », on obtient la liste des articles sélectionnés, dans l'ordre ante-chronologique. Il est impossible ici, contrairement à Pressed.S, de combiner plusieurs étapes de recherche dans une même stratégie.

Un service d'alerte quotidien est également proposé sur Pressed.com, avec les mêmes possibilités de recherche que sur le site. Il faut pour en bénéficier cliquer sur Alerte e-mail, inscrire les termes de sa requête, saisir son

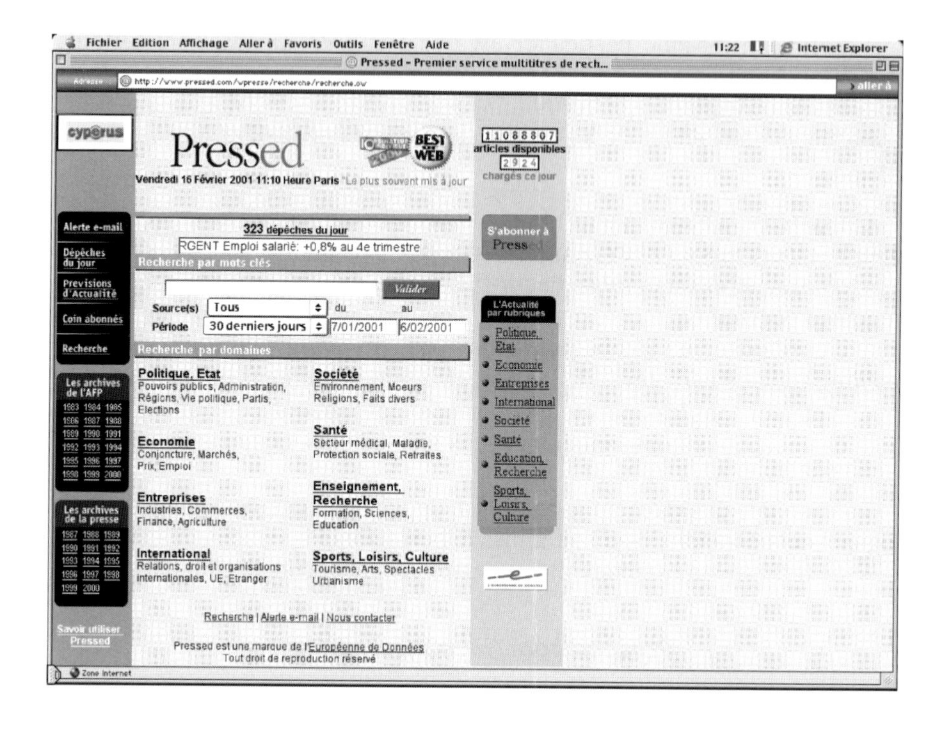

adresse e-mail et donner un nom et un mot de passe à son alerte. On reçoit ensuite par e-mail la source et le titre des documents émis. La visualisation du texte est payante.

Tarifs :

– sur www.pressed.com : paiement à l'acte, en ligne, par carte bancaire ; le prix d'un article varie de 3,19 € à 12,77 € + 0,8 € de frais par transaction bancaire. Sinon, différentes formules d'abonnement sont proposées, avec des tarifs dégressifs (20 unités pour 340 F ; 60 unités pour 960 F...) ; les articles sont alors facturés de 1 à 4 unités en fonction de la source. À titre d'exemple, un article de la PQN coûtera de 30 à 34 F, un article de la presse spécialisée de 60 à 68 F, en fonction du forfait choisi ;

– sur www.pressed.edd.fr : uniquement sur abonnement. Plusieurs forfaits sont disponibles ; ils ont une validité de un an maximum, et incluent des alertes et des inverventions assistance sur site, dont le nombre varie en fonction du forfait. Exemples de forfaits disponibles : 4 800 F incluant 2 400 F de frais fixes + 160 unités à 15 F ; 726 000 F incluant 52 272 F de frais fixes + 92 800 unités à 7,26 F.

Contact : L'Européenne de Données, 28 boulevard de Port-Royal, 75005 Paris, Tél. : 0155432121, Fax : 0155432122.

À savoir pour optimiser sa recherche

Opérateurs booléens : • *Pressed.S* : on peut utiliser indifféremment les différents opérateurs classiques : ET (qui peut s'écrire aussi AND, +, &) ; OU (qui peut s'écrire aussi OR, |), SAUF (ou -). On peut aussi se servir de parenthèses pour combiner plusieurs opérateurs.
• *Pressed.com* : on peut utiliser les opérateurs ET/OU, AND/OR.

Opérateurs de proximité : • *Pressed.S* : plusieurs opérateurs sont proposés pour relier deux termes :
– PHR : mots situés dans la même phrase, quel que soit leur ordre d'apparition ; cet opérateur est implicite, la saisie n'est donc pas nécessaire ;
– nAV : à n mots maximum d'intervalle, dans l'ordre donné ; limite : 9AV ;
– nM : à n mots maximum les uns des autres, dans n'importe quel ordre ; limite : 9M ;
– ADJ : adjacence stricte ; aucun mot ne doit être présent entre les deux termes et l'ordre donné doit être respecté.
Attention : il est impossible d'employer les opérateurs de proximité afin de lier des parenthèses ou des requêtes entre elles (Ex. : la requête « pollution PHR (automobile ou voiture) » est incomprise par le logiciel).
• *Pressed.com* : le logiciel effectue implicitement la recherche avec l'opérateur « phrase » (mots dans la même phrase, quel que soit leur ordre). Si la proximité des deux termes n'est pas un impératif, il faut les relier avec l'opérateur ET (ou AND).

Mots composés/phrase : • *Pressed.S* : pour une recherche stricte, il faut saisir des tirets entre les mots (Ex. : autoroute-de-l-information). Sinon, on peut écrire l'expression "entre guillemets" ; dans ce cas cependant, les termes au pluriel seront sélectionnés si l'on n'a pas décoché l'option par défaut singulier/pluriel.
Lors d'une recherche « à l'identique », il est impératif d'écrire les mots sans accents.
• *Pressed.com* : il faut saisir des tirets entre les mots (Ex. : autoroute-de-l-information).

Recherche sur champs : • *Pressed.S* : l'interface propose de cocher les cases « titre », « chapô », « auteur », pour limiter la recherche à ces champs. Sinon, il est possible de préciser les champs de recherche en ajoutant une extension au terme recherché : .TI (titre, surtitre et sous-titre), .CH (chapô), .AU (auteur), .TX (texte intégral), .DE (descripteurs), .LE (lead = titre, chapô, descripteurs). (Ex. : banque.LE ; banque.TI, CH).
• *Pressed.com* : Non

Combinaison des étapes : • *Pressed.S* : tant que l'on modifie ou que l'on affine la recherche, les résultats des différentes étapes s'ajoutent sur l'écran. On peut combiner librement jusqu'à 99 étapes dans une même stratégie.
• *Pressed.com* : Non.

Autres critères : – On peut limiter la recherche aux documents publiés depuis une période donnée.

• *Pressed.S* : aujourd'hui, 8 derniers jours, 30 derniers jours, 3 derniers mois, 6 derniers mois, 1 an, 2 ans, depuis 1995, de 1990 à 1994, de 1983 à 1989, toutes les dates, personnalisée.

• *Pressed.com* : 8 derniers jours, 30 derniers jours, 3 derniers mois, 6 derniers mois, 1 an, ou à une date précise, dans la limite d'un an.

Les modules Archives de l'AFP et Archives de la Presse permettent, pour une année donnée, d'effectuer la recherche sur les articles d'un seul titre.

– Il est possible de limiter la recherche à certains articles indexés par domaines : politique-Etat, international, économie, santé-social, société, sports-loisirs-culture, enseignement-recherche ou tous les domaines.

• *Pressed.S* : le choix Domaines du menu Contexte, sur la gauche de l'écran, permet de définir une sélection personnalisée, dans une liste de 7 domaines et de 50 sous-domaines.

• *Pressed.com* : il faut choisir un des domaines sur l'écran d'accueil, puis choisir les sous-domaines.

– On peut limiter la recherche à certains titres classés par sources :

• *Pressed.S* : le choix Sources du menu Contexte, sur la gauche de l'écran, permet de définir une sélection personnalisée de sources, parmi la liste de l'ensemble des titres.

• *Pressed.com* : on peut choisir un regroupement thématique des titres (actualité, économie, communication, agro-alimentaire, biographie ou toutes les sources).

Troncature : Oui, on peut utiliser indifféremment les symboles * ou $ ou % pour retrouver tous les termes commençant ou se terminant par un radical ; il est possible d'utiliser deux troncatures simultanément (Ex. : *patient% sélectionnera patient(e), impatient(e), patienter, impatienter...).

• *Pressed.S* : on peut activer ou non la prise en compte des singuliers/pluriels.

• *Pressed.com* : le logiciel effectue automatiquement la recherche sur les formes singulier/pluriel d'un mot.

Ordre des mots : • *Pressed.S* : les opérateurs de proximité permettent de préciser l'ordre des mots.

• *Pressed.com* : l'ordre des mots n'est pas pris en compte par le logiciel.

Caractères admis : Le logiciel interprète indifféremment les majuscules et les minuscules, les caractères accentués ou non. Toutefois, le logiciel ne comprend pas une requête à l'identique (expression entre guillemets ou mots reliés par des tirets) si les mots sont accentués. Il est donc conseillé, d'une façon générale, d'écrire les mots sans accent.

Format de visualisation : • *Pressed.S* : la liste des résultats indique :

– dans une première fenêtre : le nombre de réponses et sa ventilation par sources

– dans une seconde fenêtre : la liste des titres avec pour chacun la source, la date de parution, le titre de l'article, la taille (nombre de caractères).

En cliquant sur l'icône de la loupe, qui figure à droite du titre, on affiche un extrait pertinent – et gratuit – de l'article dans une fenêtre séparée (10 mots avant et après les termes recherché, dans la limite de la phrase).

• *Pressed.com* : l'écran de résultats affiche la liste des titres avec pour chacun la source, la date de parution, le titre de l'article, la taille (nombre de caractères).

Sur Pressed.S et Pressed.com, à partir de la liste des titres, on peut en sélectionner un ou plusieurs, et les visualiser en format texte ou texte reformaté (trois colonnes). Les termes de la recherche apparaissent en surbrillance.

Serveur : Qwam System

Interface : QWAM.com

URL : www.qwam.com

Présentation et description

Qwam System est une start-up créée en décembre 1996 par la société Cycnos et les sociétés de capital-risque CDC Innovation (Caisse des Dépôts), Cita et Galileo. Son activité était au départ centrée sur le développement de Qwam.com, une interface conçue pour permettre à l'utilisateur final d'interroger sans formation préalable une sélection de bases de données des grands serveurs.

Par la suite, Qwam System a développé le service Qwam e-content server, une solution permettant d'intégrer les informations externes dans un intranet, et a ouvert un département Ingénierie et Intégration pour aider les entreprises dans la mise en œuvre de portails.

Aujourd'hui, Qwam System se définit comme une « e-content agency » et multiplie les accords de partenariat dans le domaine des portails d'entreprise.

L'interface Qwam.com donne aujourd'hui accès à plus de 330 bases de données professionnelles, représentant plus de 25 000 sources d'information. Ces bases sont en majorité hébergées par les serveurs Dialog et Data-Star et couvrent donc les domaines scientifiques et techniques, business/marketing/management et la propriété intellectuelle.

En complément de ces bases, des accords ont également été conclus avec un certain nombre de producteurs français, pour la redistribution de leurs informations. Qwam.com permet notamment d'interroger le BOAMP, la base Delphes des Chambres de Commerce et d'Industrie, ainsi qu'un certain nombre de sources électroniques (les communiqués de presse de Cyperus, etc.). Il offre en particulier un accès gratuit aux bases marques et brevets français de l'INPI, avec des possibilités de recherche avancée pour les abonnés, et des critères plus restreints sur Qwam Village, un service en accès libre depuis le site www.qwam.com.

Il faut cependant noter que Qwam n'est pas un serveur ; sa spécificité est d'offrir une interface pour interroger les bases d'autres serveurs (actuellement une sélection de l'offre de Dialog et Data-Star) et de producteurs (INPI, Journaux Officiels). Son offre est donc fonction d'accords particuliers, qui peuvent évoluer avec le temps.

Les abonnés à Qwam.com doivent cliquer sur le module Espace Clients pour pouvoir interroger les bases. La préparation de la recherche se fait ensuite en trois étapes.

Il faut tout d'abord choisir un domaine de recherche, dans une liste proposée sur la gauche de l'écran : Actualités (françaises, internationales) ; Informations financières (France, international, études et analyses) ; Annuaires ; Marchés (produits et marchés, études de marchés, appels d'offres, économie et droit) ; Sciences et techniques (bases multisectorielles, bases sectorielles, normes) ; Propriété intellectuelle (marques, brevets) ; Arts et culture.

En cliquant sur l'un des domaines, on affiche dans la partie centrale de l'écran la liste des bases ou groupes de bases qu'il comprend, avec pour chaque source une description du contenu en une ligne et la possibilité d'obtenir une fiche de renseignements plus détaillée. On doit alors sélectionner la base ou le regroupement de bases que l'on souhaite interroger ; il est également possible de choisir une base depuis la liste alphabétique de toutes les banques de données.

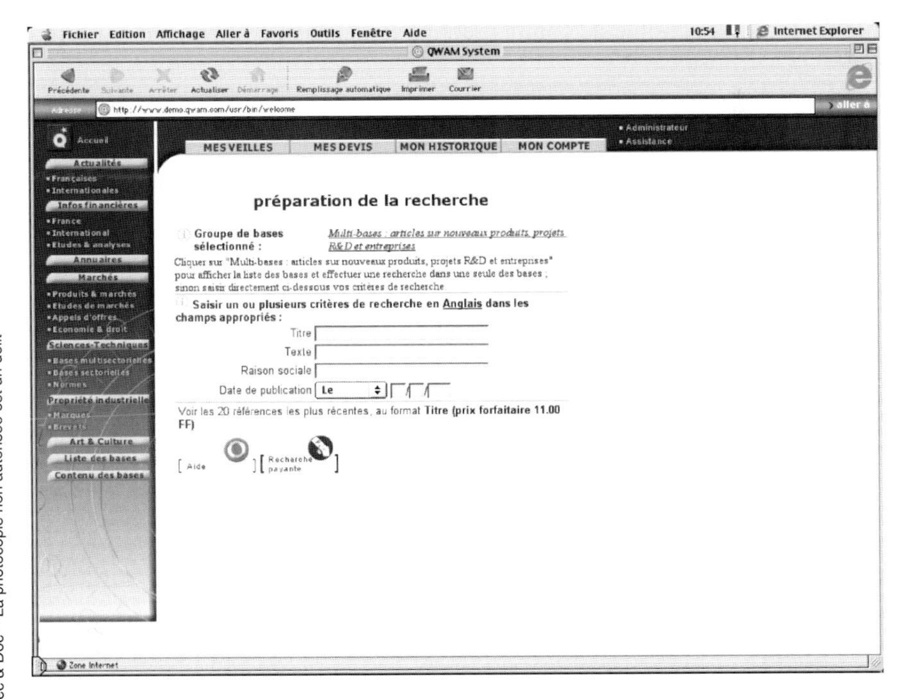

Un clic sur le nom d'une base affiche enfin une grille de recherche spécifique à la source, avec un certain nombre de zones de saisie, permettant de limiter la requête à certains champs du document (titre, texte, raison sociale, date de publication, code CIB...). Il est possible d'utiliser les opérateurs booléens (ET/AND, OU/OR, SAUF/NOT) et les parenthèses pour préciser sa stratégie.

La grille précise la langue dans laquelle les mots doivent être écrits (anglais pour la majorité des bases), et le coût éventuel de la recherche et de la visualisation des titres (pour de nombreuses bases, cette étape est gratuite).

L'interface Qwam.com permet aujourd'hui d'interroger individuellement plus de 330 banques de données, et offre quelques grilles de recherche multibases sur certains sujets : Presse française ; Agro-alimentaire et emballage ; Biographies de dirigeants et professionnels ; Biotechnologies ; etc.

Il est en revanche impossible d'interroger simultanément une sélection de bases de son choix.

L'écran de résultats rappelle la stratégie de recherche, indique le nombre de résultats et affiche la liste des vingt premiers documents sélectionnés, dans un format qui varie selon la base interrogée : titre, référence bibliographique complète, taille du document... Le prix du document complet (texte intégral ou référence avec résumé selon les bases) est indiqué. Il suffit alors de cocher ceux que l'on souhaite obtenir puis de cliquer sur le bouton « J'achète ces documents » pour afficher leur format complet. Pour certaines bases, il est possible de commander en ligne la copie du document original.

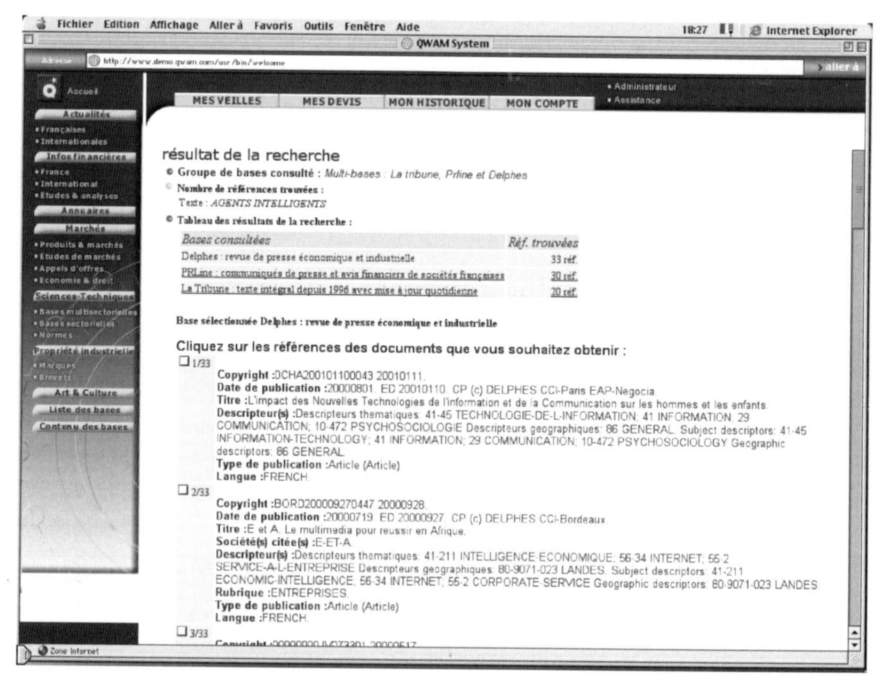

Depuis l'écran de résultats, le lien « Définir en veille » permet de mettre en place un système d'alerte : l'utilisateur doit pour cela attribuer un nom à la veille, définir sa périodicité (hebdomadaire ou mensuelle), choisir sa durée (jusqu'à sa désactivation manuelle, ou pour une durée fixe de un an, six mois...) et, enfin, compléter la grille de recherche.

Une recherche est alors lancée automatiquement avec les critères définis et la périodicité choisie ; un message d'alerte prévient l'utilisateur de la présence de nouveaux documents, lors de sa connexion au service.

Tarifs : 4 900 F HT/an d'abonnement.

Coût à la recherche pour certaines bases (Derwent : 20 FF pour l'affichage de cinq références au format fiche signalétique...).

Coût pour chaque document complet visualisé, variable selon les bases (Delphes : 21,04 F ; World Reporter : 18,10 F, etc.).

Le système d'alerte est facturé 10 F HT par question et par « activation », soit 10 F par semaine pour une veille hebdomadaire.

Contact : Qwam System, 101/111 avenue Jules Quentin, 92000 Nanterre, Tél. : 0141207700, Fax : 0141207777, E-mail : info@qwam.com

À savoir pour optimiser sa recherche

Opérateurs booléens : Oui. Les mots doivent être reliés avec les opérateurs ET/AND, OU/OR, SAUF/NOT. Sinon, deux mots adjacents sont recherchés dans la même phrase, ou a quelques mots de distance. On peut utiliser les parenthèses, pour préciser sa stratégie.

Opérateurs de proximité : Oui. Deux mots adjacents sont recherchés dans la même phrase, ou a moins de dix mots de distance.

Autres critères : Non.

Mots composés/phrase : Oui. Les mots doivent être écrits "entre guillemets".

Recherche sur champs : Oui. Pour chaque base ou groupe de bases, une grille de recherche spécifique permet de limiter la requête à certains champs, variables selon les bases (titre, numéro CIB, date de publication, etc.).

Combinaison des étapes : Non.

Troncature : Oui. Il est possible d'utiliser le symbole * après les premières lettres d'un mot pour retrouver tous les mots ayant le même radical, avec une troncature illimitée.

Ordre des mots : Une recherche sur deux mots donne les mêmes résultats, quel que soit l'ordre des mots.

Caractères admis : Le logiciel interprète indifféremment les majuscules et les minuscules ; en revanche, la majorité des bases étant en anglais, il est recommandé de ne pas utiliser les caractères accentués.

Format de visualisation : La liste des résultats affiche les documents sélectionnés dans un format qui peut varier selon les bases interrogées (titre, référence bibliographique...). À partir de cette liste, il est possible de choisir des documents qui devront être affichés au format complet.

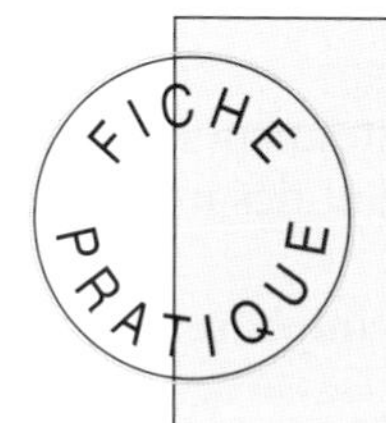

Serveur : STN International

Interface : STNEasy

URL : stneasy.fiz-karlsruhe.de

Présentation et description

STN International – the Scientific and Technical information Network – est un serveur géré par un consortium composé de Chemical Abstracts Services (CAS), une division de the American Chemical Society aux États-Unis, Japan Science and Technology Corporation (JIS) au Japon, et FIZ Karlsruhe en Allemagne. Ce consortium est représenté en France par la société Capadoc.

STN International héberge plus de 200 banques de données offrant des informations scientifiques, techniques et sur la propriété intellectuelle ; ces bases couvrent des domaines comme la chimie, la pharmacie, la médecine, les brevets, la physique, mais aussi l'énergie, l'environnement, la technico-économie, l'agriculture et l'agro-alimentaire, l'ingénierie et la réglementation.

STN International est en particulier le seul serveur à fournir un accès aux résumés de la banque de données bibliographique Chemical Abstracts.

Trois interfaces sont proposées :

• **STN on the Web** (stnweb.fiz-karlsruhe.de) et **STN Express** (avec le logiciel Discover, versions PC ou Mac) donnent accès à l'ensemble de l'offre de STN International, avec toute la puissance des commandes du serveur ; leur utilisation nécessite donc une formation préalable,

• **STN*Easy***, comme son nom l'indique, est conçue pour l'utilisateur final. Cette interface disponible en français offre des possibilités de recherche basiques et avancées sur les 70 principales bases de STN. C'est l'accès que nous décrirons ici.

Trois grilles de recherche, accessibles à tout moment par des onglets en haut de l'écran, sont offertes.

Recherche simple

La recherche simple sur STN*Easy* est destinée aux utilisateurs ponctuels, qui connaissent mal l'offre de STN International et souhaitent des informations scientifiques générales sur un sujet.

La requête est lancée automatiquement sur les index de cinq bases scientifiques générales :

– CAplus : plus de 17 millions de références bibliographiques avec résumés d'articles, de brevets, de rapports techniques... dans le domaine de la chimie, la biochimie et l'ingénierie chimique ;

– CONF : informations sur les conférences et salons passés, présents et futurs dans les domaines scientifiques et techniques (énergie, physique, chimie, mathématiques...) ;

– JICST-EPLUS : plus de 4 millions de références couvrant toute la littérature scientifique (sciences de la vie, médecine, technologie...) publiée au Japon ; les résumés sont en anglais ;

– NTIS : références bibliographiques (plus de 2 millions) de publications officielles (rapports de R&D...) dans tous les domaines ;

– SCISEARCH : plus de 19 millions de références de toute la littérature internationale en science et technologie, incluant les citations des auteurs [3].

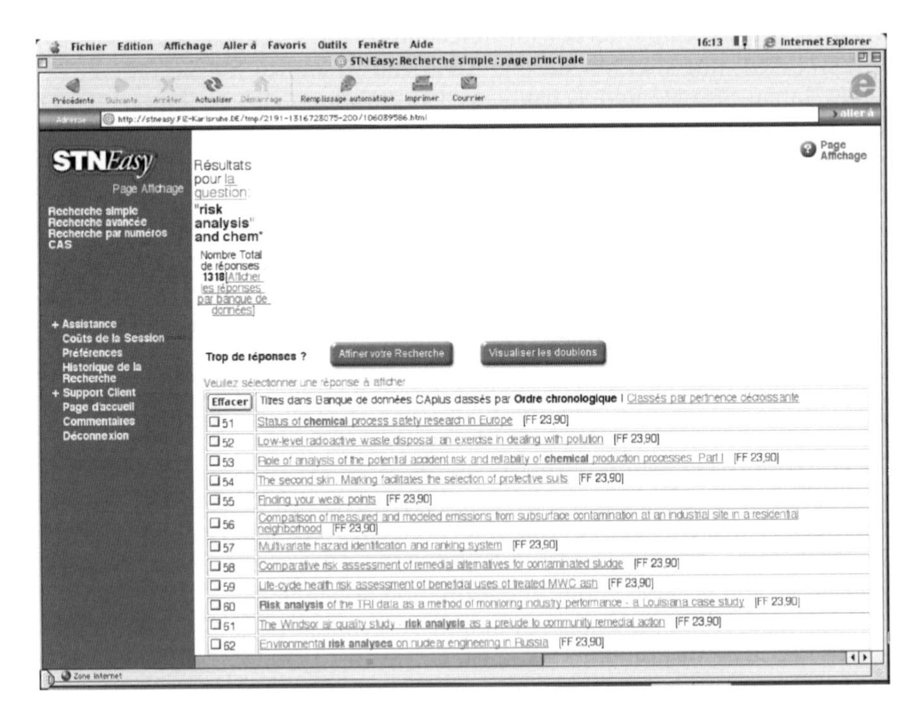

3. La banque de données multidisciplinaire PASCAL, qui propose plus de 8,5 millions de références avec résumés couvrant la littérature internationale scientifique, technique et médicale, sera ajoutée à ce module de STN*Easy* au cours du deuxième trimestre 2001.

Une zone de saisie permet d'inscrire les termes de sa requête (en anglais), en utilisant le cas échéant la troncature (* ou ? après les premières lettres d'un mot), les opérateurs booléens (AND, OR, NOT, NEAR) et les parenthèses pour préciser sa stratégie.

L'écran de résultats indique le nombre total de réponses pour la stratégie de recherche et affiche un tableau avec la liste des titres des articles et leur prix. Les titres sont classés par banques de données et peuvent être triés par ordre ante-chronologique ou par pertinence décroissante. Il est possible de visualiser les doublons.

À partir de cette page de résultats, on peut affiner la requête en rajoutant ou en excluant des termes de la stratégie. Cette option est gratuite, alors que chaque recherche est facturée (13 F). Il est donc conseillé de commencer ses investigations avec un terme relativement large, puis d'affiner la stratégie jusqu'à obtenir un lot de réponses gérable.

Recherche avancée

La grille de recherche avancée permet de mettre en place des stratégies complexes à l'aide de menus conviviaux, qui utilisent de façon transparente les commandes du langage d'interrogation de STN.

La première étape consiste à choisir un domaine de recherche, en cliquant sur Sélectionner votre thème. On obtient une liste d'une trentaine de thèmes, dont Agroalimentaire, BTP, Biotechnologie, Brevets, Chimie, Énergie, Fiches de Sécurité, Ingénierie, Médicaments, Matériaux, Pétrole, Pharmacologie, Polymères, Sciences de la Vie, etc.

Pour sélectionner un thème, il suffit de cliquer sur son nom. Sinon, on peut préciser le domaine de recherche en cliquant sur l'icône à gauche de chaque nom ; on affiche alors la sélection prédéfinie de banques de données et l'on peut décocher les bases que l'on ne souhaite pas interroger.

Puis, il faut indiquer les termes de sa requête. Pour offrir un maximum de puissance tout en restant conviviale, la grille de recherche offre plusieurs zones de saisie (on peut en ajouter jusqu'à un total de dix).

Dans chaque zone, on peut inscrire un ou plusieurs termes (reliés par AND, OR, NOT, NEAR et des parenthèses), qui devront être cherchés dans un champ spécifique ; un menu déroulant à la gauche de chaque zone de saisie permet de choisir le champ à interroger : terme(s), formule moléculaire, numéro de brevet, nom d'auteur ou d'inventeur, année de publication… (les champs varient selon les thèmes).

Pour chaque champ, un index est disponible : après avoir saisi les premières lettres d'un mot, un clic sur le bouton « Index » affiche la liste alphabétique des termes indexés dans les bases du domaine ; cette fonction correspond à la commande « Expand » sur STN.

La liste précise pour chaque terme le nombre d'occurrences, si l'option « Afficher le nombre d'occurences » a été activée dans le menu Préférences. On peut sélectionner plusieurs termes de l'index, et lancer une recherche à partir de cette sélection.

Chaque zone de saisie utilisée peut être reliée à la précédente par les opérateurs ET, OU, SAUF, PRES, à choisir dans un menu déroulant.

On notera que les opérateurs qui relient les zones de saisie sont en français, mais que seuls les opérateurs en anglais peuvent être utilisés par l'internaute dans sa stratégie.

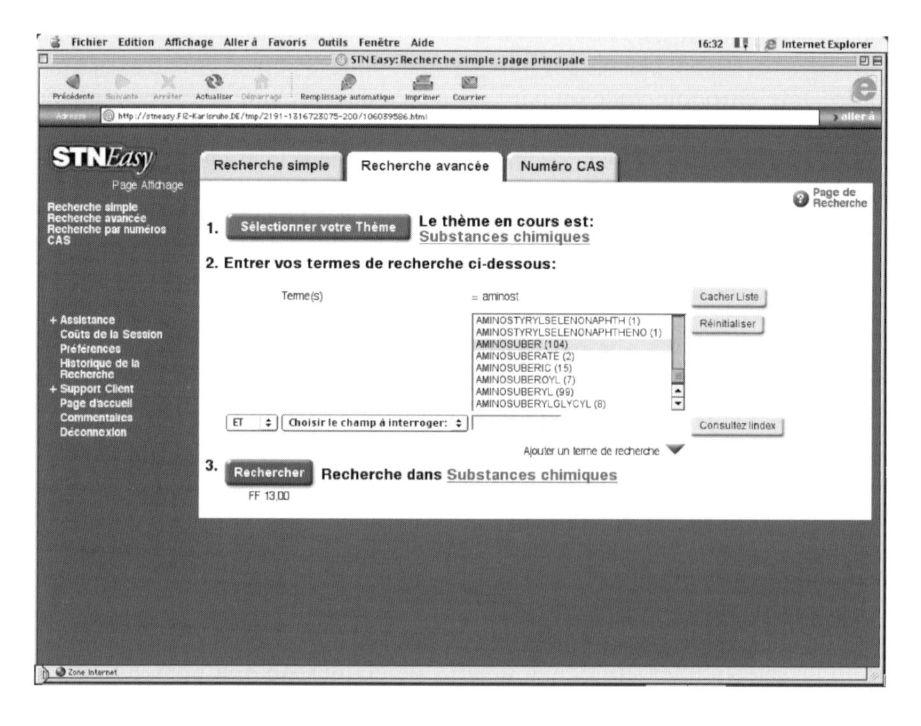

La liste des résultats rappelle la stratégie, et indique le nombre total de réponses et le nombre de réponses par banque de données. Les titres sont classés par bases et peuvent être triés par ordre ante-chronologique ou par pertinence décroissante. On peut accéder directement aux résultats d'une base en cliquant sur son nom.

Numéro CAS

La grille de recherche Numéro CAS permet de lancer directement une requête à partir du nom ou du numéro CAS d'un produit chimique. Cette option est utile pour trouver ou vérifier le numéro CAS (Registry) d'une substance, ou pour obtenir la fiche descriptive (avec formule chimique) d'une substance particulière. Sophistication intéressante, ces fiches permettent, grâce à des liens hypertexte, de localiser les diverses informations associées à la substance : fournisseurs, fiches de sécurité, toxicologie, analyse des brevets…

Quel que soit le mode de recherche, on peut, depuis la liste des résultats, sélectionner les documents de son choix et définir le format et la mise en page des références : le format Standard inclut, dans la plupart des cas, les données bibliographiques et le résumé ; Standard Plus comprend, en plus, certains champs supplémentaires comme les termes d'indexation.

En cliquant sur le bouton Afficher les réponses, on obtient les références des documents sélectionnés au format demandé, avec une mise en évidence des termes de la recherche.

Il est possible d'obtenir le texte intégral du document (article ou brevet), soit sous forme électronique s'il est disponible, soit par une commande de photocopie.

Tarifs :
- Aucun frais d'ouverture de compte ; aucun abonnement ;
- 13 F par recherche, quel que soit le mode de recherche ; toutes les modifications apportées à une recherche sont gratuites ;
- la visualisation des titres est gratuite ;
- l'affichage des références est payant ; le coût du document varie selon les bases (entre 1,55 F (référence Medline) et 176 F (fiches de sécurité)) ; le prix de chaque document est indiqué à côté de son titre ;
- il est possible de s'inscrire en ligne. Une facture est envoyée chaque mois, en fonction des consommations, et inclut les éventuelles commandes de documents primaires.

Contact : Capadoc, 52-54 rue de la Belle Feuille, 92100 Boulogne, Tél. : 0146031085, fax : 0146039890, http://www.capadoc.com,
E-mail : info@capadoc.fr

À savoir pour optimiser sa recherche

Opérateurs booléens : Oui. Il est possible d'utiliser les opérateurs AND, OR, NOT (en anglais) et les parenthèses pour préciser sa stratégie.

Opérateurs de proximité : Oui. Il est possible d'utiliser l'opérateur NEAR ; le logiciel recherche alors les mots dans la même phrase.

Mots composés/phrase : Oui. Les mots doivent être écrits "entre guillemets".

Recherche sur champs : Oui. En mode *Recherche Avancée*, différentes zones de saisie permettent d'inscrire les termes de sa requête (un ou plusieurs mots reliés par les opérateurs en anglais AND, OR, NOT, NEAR) et de limiter les recherches à certains champs du document. Un menu déroulant permet de choisir un champ par zone de saisie (terme(s), formule moléculaire, auteur, langue, numéro de brevet...).

Combinaison des étapes : Non. En mode *Recherche Avancée* cependant, on peut relier jusqu'à dix stratégies, sur des champs spécifiques, par les opérateurs par ET, OU, SAUF, PRES, à choisir dans un menu déroulant (en français).

Troncature : Oui. Il est possible d'utiliser le symbole ? ou * après les premières lettres d'un mot.

Ordre des mots : Non. Une recherche sur deux mots donnera les mêmes résultats, quel que soit l'ordre des mots.

Caractères admis : Le logiciel interprète indifféremment les majuscules et les minuscules. Les bases étant en anglais, les mots doivent être écrits sans accent.

Format de visualisation : Sur la liste des résultats, les options « Quel format ? » et « Quelle mise en page ? » permettent de définir le format et la mise en page des documents.

– Format : « *Standard* » inclus, dans la plupart des cas, les données bibliographiques et le résumé ; « *Standard Plus* » comprend, en plus, certains champs supplémentaires comme les termes d'indexation. Les deux formats de visualisation ont un coût identique. On peut choisir son format par défaut dans le menu Préférences. On notera que certaines banques de données telles que INPADOC offrent d'autres formats.

– Mise en page : il est possible de choisir entre deux options ; *STNEasy* affiche un nom développé pour chaque champ (par exemple Author, Title...), alors que la mise en page *STN* est un format compact identique à celui utilisé par l'interface professionnelle : les champs sont nommés avec des codes (AU, TI...).

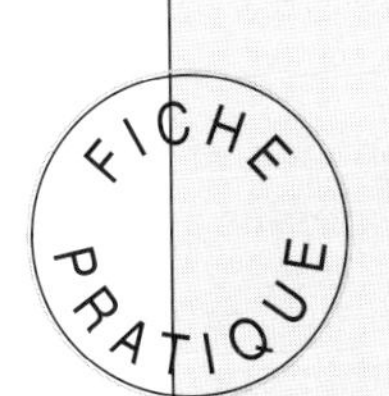

Serveur : Questel.Orbit

Interface : TRADEMARK EXPLORER

URL : trademarkexplorer.com

Présentation du serveur

Le serveur français Questel a racheté en 1994 Orbit, l'un des premiers serveurs américains chonologiquement, qui offrait des banques de données sur les brevets, l'énergie et le pétrole, ainsi qu'une bonne partie des bases scientifiques et techniques anglo-saxonnes.

Les deux serveurs ont fusionné leur offre et ont donné naissance à l'entité Questel.Orbit, qui est actuellement une filiale de France Telecom. Une prise de contrôle du serveur par son PDG et son management est en voie de réalisation.

Questel.Orbit donne accès à une centaine de bases de données en ligne ; son axe de développement prioritaire est aujourd'hui la propriété intellectuelle, mais il héberge également quelques banques de données complémentaires, dans le domaine scientifique et technique et dans celui de la presse (française notamment).

Il offre en particulier des bases brevets, marques, dessins et modèles couvrant les principaux pays du monde, représentant 80 millions de références brevets avec plus de 6 millions d'images, et plus de 12 millions de marques, dessins et modèles.

En complément de l'accès classique en mode ASCII ou via telnet, les bases de Questel.Orbit sont interrogeables par une interface sous Windows (logiciel Imagination 2) ; plusieurs interfaces Web donnent d'autre part accès à tout ou partie de son offre. On citera, en particulier :

• **QWeb** (qwebprd.questel.fr), qui permet d'interroger l'ensemble des bases de Questel.Orbit en mode expert ou guidé. Les bases de données sont regroupées par domaine (cluster) : Brevets ; Marques ; Chimie ; Énergie et sciences de la terre ; Science et technologie ; Sciences des matières ; Santé, sécurité et environnement ; Entreprises/informations ; Actualités anglaises et espagnoles ; Actualités françaises.

Plusieurs assistants de recherche aident l'utilisateur dans l'interrogation de certaines bases ou ensembles de bases.

• **Qpat** (www.qpat.com) offre l'accès aux brevets européens et américains en texte intégral. Les résumés des brevets PCT seront ajoutés au cours de l'année.

• **Icimarques** (www.icimarques.com), également accessible sur Minitel (0836293630), permet de lancer une recherche à l'identique sur toutes les marques en vigueur en France, c'est-à-dire :
– les marques françaises déposées, publiées, enregistrées ou renouvelées auprès de l'INPI (Institut National de la Propriété Industrielle),
– les marques communautaires déposées ou publiées auprès de l'OHMI (Office de l'Harmonisation dans le Marché Intérieur),
– toutes les marques internationales désignant la France enregistrées ou renouvelées auprès de l'OMPI (Organisation Mondiale de la Propriété Intellectuelle).

L'ensemble représente plus d'un million de marques, avec leur logos dans la plupart des cas.

• **Trademark Explorer** (trademarkexplorer.com) enfin est une interface (en anglais) dédiée au domaine des marques. Bien qu'elle ne couvre pas l'ensemble de l'offre de Questel.Orbit, c'est l'interface que nous avons choisi de décrire, car elle dispose d'options astucieuses et performantes, rarement proposées par les interfaces sur le Web.

Description de Trademark Explorer

Trademark Explorer permet de lancer une requête de façon totalement guidée sur une, plusieurs, ou sur l'ensemble des bases marques proposées par Questel.Orbit.

Pour aider l'utilisateur dans la formulation de sa requête, l'écran d'accueil offre plusieurs zones de saisie, chacune correspondant à un type de recherche :

• **Boolean search** permet de lancer une requête sur le nom des marques, en utilisant des mots reliés par les opérateurs AND, OR ou NOT, la troncature et les parenthèses pour préciser sa stratégie ;

• **Exact trademark** lance une recherche à l'identique et identifie les marques dont le nom contient uniquement le mot saisi ; une recherche avec le terme "active" identifiera toutes les marques dont le nom est "active", mais pas celles qui contiennent "active sports" ;

• **International Classes** permet de limiter la sélection selon les classes désignées par les marques ; il suffit pour cela de choisir un ou plusieurs domaines, dans un menu déroulant listant les catégories de la classification internationale des produits et services. Une description détaillée des classes est disponible en cliquant sur l'onglet « Classes Description », en haut de l'écran ;

• **Trademark Owner** permet de rechercher une marque à partir du nom du propriétaire ;

• **Registration No** lance la recherche depuis un numéro d'enregistrement ou d'application ;

• **Where to search** permet de limiter la sélection aux marques déposées dans certains pays. Il suffit de cliquer sur les pays de son choix, dans une liste affichée sur la droite de l'écran : tous les pays, Allemagne, Autriche, Benelux, Canada, CEE, Danemark, Espagne, France, Italie, Liechtenstein, Monaco, Royaume-Uni, Suisse, US Federal et/ou WIPO (international).

En complément de ces possibilités, Trademark Explorer offre une option qui fait toute son originalité : en cliquant sur l'onglet **Name Explorer**, on affiche un « Fuzzy Query Builder » qui permet de construire automatiquement une stratégie pour retrouver les diverses variations des mots indiqués.

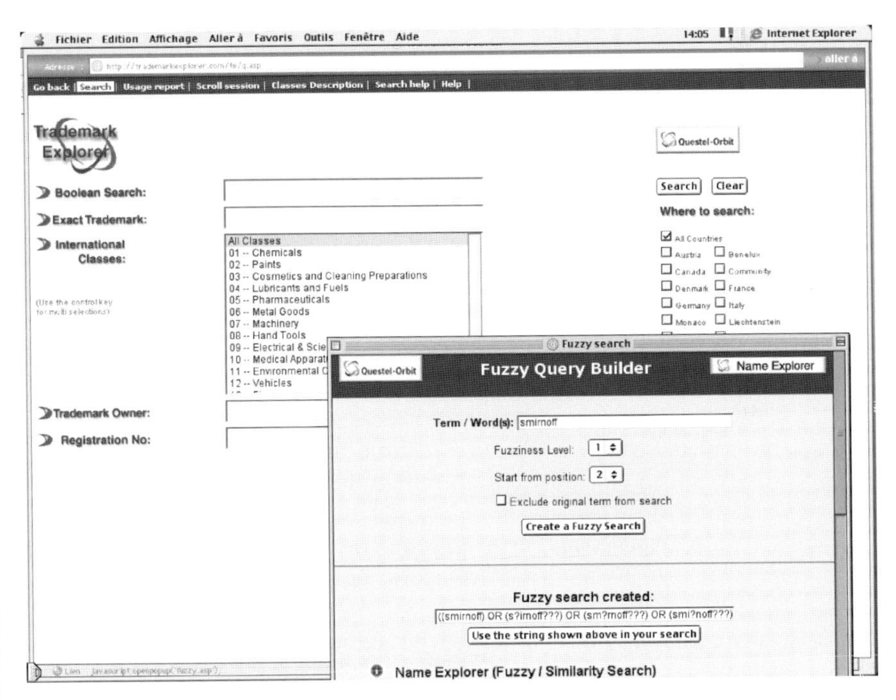

Une grille de recherche spécifique offre en effet la possibilité de déterminer :

– le « Fuzziness Level », c'est-à-dire le nombre de lettres qui peuvent varier dans la marque (1, 2...),

– le niveau du mot à partir duquel les lettres peuvent varier (une position 2 étudie toutes les variations possibles à partir de la deuxième lettre du mot).

Lors d'une recherche sur le mot « smirnoff » avec comme choix « Fuzziness level = 1 » et « Start from position = 2 », le Fuzzy Query Builder créera automatiquement l'équation de recherche suivante (le point d'interrogation remplaçant un caractère) :

((smirnoff) OR (s?irnoff???) OR (sm?rnoff???) OR (smi?noff???) OR (smir?off???) OR (smirn?ff???) OR (smirno?f???) OR (smirnof????)).

Il est possible d'inclure ou d'exclure de la requête le mot original (smirnoff).

Une zone indique clairement la stratégie définie par le logiciel (Fuzzy search created). Il suffit de cliquer sur le bouton « Use the string shown above in your search » pour que cette stratégie soit enregistrée sur la grille de recherche principale.

Il suffit alors de cliquer sur Search, après avoir éventuellement complété la question avec les autres critères (pays couverts...).

L'écran de résultats affiche le nombre de documents pour chaque base interrogée, ainsi que le coût de la recherche.

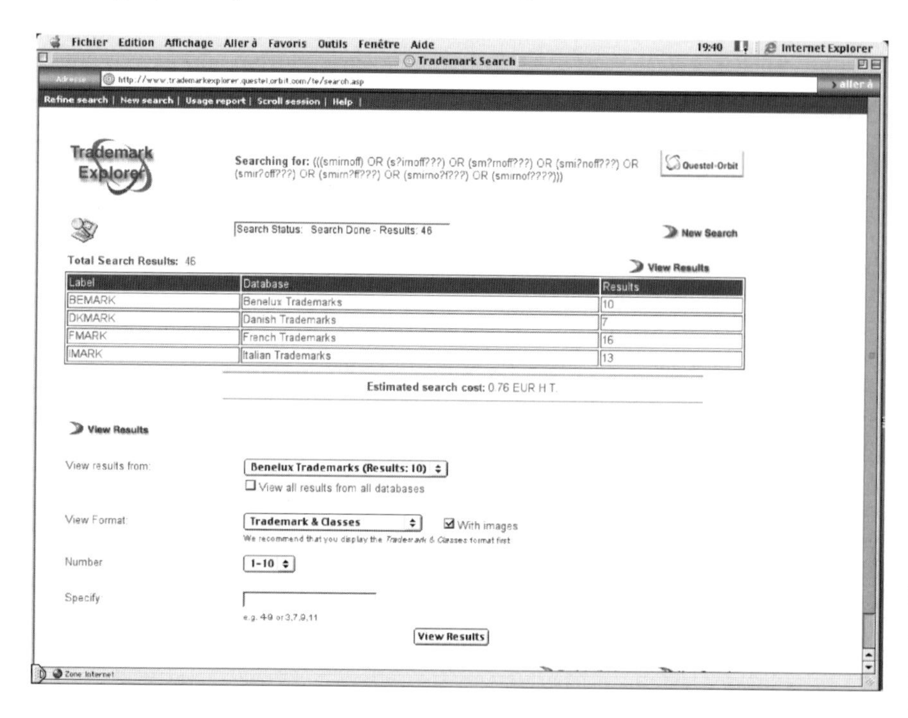

L'utilisateur peut choisir de visualiser les résultats issus d'une base ou de toutes les bases, indique un format d'édition, dans une liste (trademark and classes...) et précise si les images doivent être présentes ou non ; il peut afficher tous les résultats, ou seulement certaines références (les 5, 10, 20 premières...). Un click sur View Results permet d'obtenir, sur une page, l'ensemble des documents indiqués dans le format choisi. Pour chacun, un lien « Full Document » permet de visualiser la référence au format complet.

Tarifs :

– Contrat de service Questel.Orbit : 300 € HT ; renouvellement annuel : 110 € HT. Les numéro d'utilisateur et mot de passe attribués par Questel.Orbit permettent d'interroger l'ensemble des interfaces du serveur (sauf QPat).

– Le temps de connexion au serveur est facturé, mais l'ensemble de la stratégie est définie hors ligne ; Trademark Explorer se connecte uniquement le temps de la recherche. Le prix varie selon les bases interrogées : 0,60 €/minute pour les bases américaines ou canadiennes, 0,92 €/mn pour les autres pays. Le temps de la recherche est fonction de la complexité de la question (une recherche sur l'ensemble des bases prend 1 à 3 minutes).

– Les documents visualisés sont facturés, avec un prix variable selon les bases et le format d'affichage (de 0,21 € à 2,70 €).

Contact : Questel.Orbit, 4 rue des Colonnes,75082 Paris Cedex 02, Tél. : 0155045100, Fax : 0155045201

À savoir pour optimiser sa recherche

Opérateurs booléens : Oui. Il est possible d'utiliser les opérateurs AND, OR, NOT et les parenthèses pour préciser sa stratégie.

Opérateurs de proximité : Non.

Autres critères : La fonction Name Explorer permet de retrouver toutes les variations d'un mot, en choisissant le niveau de variation accepté (1 lettre, 2 lettres...), et le point de départ de cette variation (1re lettre du mot, 2e lettre...).

Mots composés/phrase : Oui. Il faut pour cela saisir les termes dans la zone « Exact trademark ».

Recherche sur champs : Oui. Il est possible de limiter la requête aux produits et services désignés, au nom du propriétaire, au numéro d'enregistrement ou d'application, et/ou aux pays désignés.

Combinaison des étapes : Non.

Troncature : Oui. Il est possible d'utiliser le symbole + comme troncature illimitée à droite ou à gauche. Ex. : +psion retrouvera psion, et capsion ; jag+ retrouvera jaguar et jaglight.

Sinon, le symbole ? permet de limiter la troncature en saisissant autant de symboles ? que de caractères acceptés, à droite ou à gauche, ou encore de remplacer un caractère à l'intérieur d'un mot (smirno?? retrouvera smirnoff et smirnov, mais pas smirnovski ; pla?e retrouvera plate, plane, place...).

Les deux symboles peuvent être utilisés simultanément (+con? retrouvera silicone, icons, icon...).

Ordre des mots : Une recherche avec deux mots reliés par un opérateur booléen (Bolean search) donnera les mêmes résultats, quel que soit l'ordre des mots.

Caractères admis : Le logiciel interprète indifféremment les majuscules et les minuscules.

Format de visualisation : L'écran de résultats précise le nombre de documents par base. On peut alors choisir de visualiser les résultats issus d'une base ou de toutes les bases, et l'on doit indiquer un format d'édition, dans une liste : trademark and classes ; trademark and owner ; trademark, classes and owner ; full document. Il faut préciser si les images doivent être présentes ou non, et indiquer les documents que l'on souhaite visualiser : 5 premières marques, 10 premières, toutes, etc.

Un clic sur View Results affiche une page (format html) avec l'ensemble des documents indiqués dans le format choisi. Pour chacun, un lien « Full document » permet d'afficher la référence complète.

Index

Impression : EUROPE MEDIA DUPLICATION S.A.
53110 Lassay-les-Châteaux
N° 9336 - Dépôt légal : avril 2002
N° 450 (II)